白蓮れんれん

林　真理子

集英社文庫

白蓮れんれん　目次

白蓮れんれん

第一話　花嫁御寮

筑豊《ちくほう》の山々はどれも低いが明瞭《めいりよう》ではない。春ならば青味を帯び、秋ならば紫に近く靄《もや》がかかっている。それを他所《よそ》から来た人々は、隆盛を誇る鉱山《ヤマ》からの煤《すす》ゆえかと感心するのであるが、このあたりは昔から光がもやっていたと土地の者は言う。それでも鮎《あゆ》が釣れた付近の川も、昨年外国製の水洗選炭機が設置されて以来、薄く墨を染めた色に変わった。羽織を脱ぐ陽気になるにつれ、風景は薄紙がかかる。山も川もとろとろと、やわらかくけぶって見えるようになったのは、やはりこの数年のことかもしれぬ。

直方《のうがた》高等女学校に通う初枝《はつえ》は、さきほどから家の前にたたずんでいる。秋の終わり頃には、小作人の積む米俵で満たされる土間のあたりも白い光が踊っていて、人が見ればこのいい日《ひ》よりに陽なたぼこをしていると思われたかもしれない。だが初枝が大層緊張していることは、固く握った銘仙《めいせん》の袂《たもと》でわかる。

大柄なことが伊藤《いとう》の家の特徴であったが、初枝も十六歳にしては背丈があり、涼やかに張った目元のあたりが大人びている。先代の伝六《でんろく》が還暦近くなってから、器量よしの村娘に生ませた娘だ。あと二、三年で相当の玉になる、などと伊藤の家に出入りする男たちが野卑な冗談を言うこともある。

が、もちろんそんな言葉は陰でこっそりと囁《ささや》かれた。伝六の時代ならともかく、息子の伝右衛門《でんえもん》が家督を継いでからこの十年、伊藤の家はすっかり長者の風格を身につけた。いくら荒っぽい川筋《かわすじ》の男たちでも、そんな戯《ざ》れ言《ごと》を口にすることはもはや憚《はばか》られるのである。

伝六が魚屋をしていた屋号のなごりで、「問い屋の嬢ちゃん」と呼ばれる初枝は、袂を握ったまま背伸びするように通りの向こう側を見た。幸袋《こうぶくろ》の中でも〝町〟と称せられるこのあたりは、雑貨屋や八百屋がいくつか軒を並べている。豆腐屋の親父《おやじ》が飼っている鶏が、しきりに地面をついばみながら行ったり来たりしているが人影はない。左側を曲がると駅はすぐ近くにあるのだが、何らざわめきも伝わらず、町は昼下がりを少し過ぎたあたりの静けさを未《いま》だに保っている。

「汽車が遅れとるんじゃろか……」

しかし土間を抜けて家の中に引き返し、誰かに尋ねることは出来なかった。主人の伝右衛門を出迎えるために男たちは出払っている。女たちだけが残り立ち働いている家の中は、奇妙な冷ややかさが漂っていて、それを初枝は敏感に察している。母親が他所へ嫁いだことにより本家に引きとられた初枝は、幼い頃からまわりの大人たちの顔色をうかがっているところがあるのだ。

主人の伝右衛門が嫌うこの悪癖を身につけているのは初枝だけではない。伝右衛門自身が知り合いの娘に手をつけて生ませた静子《しずこ》も、同じように上目遣《うわめづか》いに人を見てはよく叱《しか》られる。そうはいうものの、小学校六年生の静子は子どもの無邪気さを多分に残していて、何の屈託もなく大人たちと小竹《こたけ》の駅に出かけていってしまった。

伝右衛門が東京から花嫁を連れて帰ってくる。その日は学校を休み、二人を出迎えるようにという伝言を一緒に聞いた。しかし静子の方は小竹まで行き、自分はこうして家の前にたたずんでいる。この心根の差が、もはや家つき娘となった静子との違いを示しているようで哀《かな》しい。自分はこれからいったいどうなるのだろうかという不安は、娘盛りを迎えようとしている初枝の胸を暗くおおい、時には息苦しくさえする。

「相手は華族のお姫さんちゅうじゃなか」

父違いの弟の手をひいて、こっそり裏口から訪れた母親のユキは言ったものだ。

「ああいう人はな、私らみたいな者《もん》のことは虫ケラみたいに思っとるでな、ああたもよく気つけな駄目だよ。悪かこたすると、ああたもおスガさんみてえになっちまうだよ」

同じように伝六の娘でも、他の女の連れ子で血の繋《つな》がっていないスガは、女学校に行くともなく上女中のように暮らした後、おととし土地の小庄屋の男とひっそり婚礼をあげた。

「静しゃんは何ちゅうても伝ネムさんの実の娘ばい。ああたは妹っていっても腹違いで年も離れとる。今度の奥さまにもよっぽど気に入られるようにせにゃいかん。人間はな、明日どうなるかわからんもんや、そんでもな、悪いことがこっち来んよう、来んよう一生懸命やらないかん」

最近ある宗教に凝っているユキは、初枝にものを言う時におかしな節をつける。それはおどろおどろしく卑屈で、初枝に恐怖を与えるに十分であった。

もうじき華族のお姫さんがやってくるという。初枝は華族というものを見たことがない。初枝ばかりでなく、この村の誰もが目にしたことがないはずだ。

初枝がただわかっているのは、華族というものは天皇の親戚《しんせき》だ、ということだけである。紀元節《きげんせつ》や天長節《てんちようせつ》の時になると、女学校の生徒たちはご真影の前で長いこと最敬礼をさせられる。鼻に水がたまり、もう限界だと思われる時「御名御璽《ぎよめいぎよじ》」という合図があり、生徒たちは顔を上げる。その時にもう白いカーテンは閉められ、天皇と皇后の写真は見えない。一度上目遣いで見た友人の話によると、天皇は髭《ひげ》を生やして大層怖そうで、皇后は信じられないほど美しいお顔をしていたそうだ。いずれにしても初枝たちは写真を見ることもかなわず、それに触れる時、校長先生はフロックコートを着て白い手袋をはめる。そうした人の親戚の女が、今日からここの家に住むなどということを、どうしてにわかに信じることが出来ただろう。そのお姫さんは今日から初枝とひとつ屋根の下で眠り、一緒に飯を食い、同じ便所を使うというのだ。

そんなことが本当にありえるのだろうか。もしかするとその身分の高いお姫さんのために、自分は召使いの座に落ちていくかもしれない。「問い屋の嬢ちゃん」から、おスガさんのように気軽にものを言いつけられる存在になっていくかもしれない。

十六歳の初枝はまだ運命という言葉を知らなかったが、それでも自分の身の上が大きく変わろうとしているのが今だ、ということははっきりとわかる。昨年の五月、ハレー彗星《すいせい》が来ると世の中が騒いでいた頃、伝右衛門の妻のハル子が長患《ながわずら》いの末に息をひきとった。義理の姉ということになるが、母のユキよりもはるかに年上で気むずかしいところのあるハル子に、初枝はそう馴《な》じんだ思い出がない。けれどもハル子さえ生きていてくれれば、こんな不思議な婚礼は起こらなかったのだ。

もうじき伝右衛門と新しい花嫁が駅に着く、そして今日から何もかも変わってしまうのだと思ったとたん、初枝はすんでのところで涙をこぼすところであった。それを途中でこらえたのは、角の肥料屋を曲がり、豆腐屋の鶏を蹴散《けち》らすようにしながら、こちらに走ってくる少年が見えたからだ。着慣れない小倉《こくら》の袴《はかま》が、うまくさばかれず、時々少年はころびそうになる。伝右衛門の甥《おい》にあたる八郎《はちろう》であった。八郎は何からか必死で逃げるようにこちらに向かってくる。小竹の駅まで迎えに出かけた彼がここまで来ているということは、伝右衛門と小竹まで迎えに行った人々を乗せた汽車が、幸袋駅に到着したということに他ならない。そういえばさっきまでと空気の様子が違う。陽がやや翳《かげ》ったのと同じくして、多くの人々の気配が風にのって伝わってきた。

「八郎しゃん」

初枝は叫んだ。

「嫁しゃん着いたね、どんな嫁しゃんね」

「知らん」

八郎は初枝の前でも、門の前でも立ち止まることなく、そのまま走り抜けようとする。初枝はもしかしたら泣き出しそうな顔を見られたかもしれない照れもあって、八郎をつかまえようとした。

「これ、待ちんしゃい」

小学一年生の八郎は、女学生の初枝にたやすく腕をつかまれた。

「うち中みんなで待っちょるとよ。ちゃんと言わんかね」

初枝は目を見張った。八郎の瞳《ひとみ》が幼い怒りで燃えているのだ。風の中を走ってきたために頰《ほお》が乾いてひび割れている。同じように埃《ほこり》で白くなった唇をゆがめて八郎は言った。

「俺《おれ》は、あんな女、嫌いだ」

腕をふりほどくと、八郎は土間に向かって走り出す。それを合図のように、家の中から女中頭のサキをはじめとして、六人の女たちが出てきた。サキは洗いものでもしていたらしく、少しめくれ上がった袖《そで》から見える手首が、白くさえざえと輝いている。その美しくなった指でサキは衿《えり》をかき合わせ、ひどく間のびした声で叫んだ。

「ああ、嫁しゃんが来るわ、ほら、見えるわ」

豆腐屋の前に白い砂煙が立っている。十人ほどの男たちが群れ、もつれるように歩きながらこちらにやってくる。

ハル子姉さんの葬式の時みたいや、と初枝は思う。あの時も男たちはみな黒い紋付を着ていた。提灯《ちょうちん》や旗を持ち、声もたてず歩いていた。違っていることといえば、あの時男たちが取り囲んでいたのは白木の棺だったが、今は薄縹《うすはなだ》の被布を着た女だ。女はうつむき加減に歩んでいるので、顔がよくわからない。その傍で洋装の伝右衛門がステッキをしきりに左右に動かしている。癇性《かんしょう》なこんなしぐさは、日頃の伝右衛門にまことに似合わないものであった。

「まあ婿さんの嬉《うれ》しがって落ち着かんことというたら……」

サキのつぶやきも使用人には似合わないものであったが、ハル子が死んでから彼女が時々伝右衛門の寝間に呼ばれていることを家中の誰もが知っていた。

門の前の女たちと、伝右衛門とその花嫁の一行は次第に近づいてくる。初枝ははっきりと女の顔を見ることが出来た。まあ、なんとお雛《ひな》さまそっくりな、と初枝はまず思い、いや、そんなんじゃない、もっとそっくりなもんがあると声に出しそうになった。そうだ、あの人だ。ご真影の中の皇后のお顔にそっくりだ。初枝は真面目《まじめ》な生徒だったから、上目遣いでこっそりとご真影を見たことはない。それなのに皇后のお顔と、目の前の女の顔とは全く瓜《うり》ふたつだと空怖《そらおそろ》しい気分になる。

「ここがうちだ」

伝右衛門はステッキの先で、礎石の上に小さく丸を描いた。

「うちの者は後でひき合わす」

きちんと挨拶《あいさつ》するつもりだった女中たちは、ここであわてて頭を下げた。

「長い旅で燁子《あきこ》は疲れちょる。すぐに部屋に連れてってやれ」

女たちはとっさに返事が出来ない。燁子と呼ばれた女があまりにも美しいのと、伝右衛門の女に対するいたわりの言葉を初めて耳にしたからである。

「なんね、なんね、あれ、なんね」

伝右衛門が出迎えの男たちと座敷に入った後、若い女中たちはさっそく金次《きんじ》を取り囲んだ。彼は伝右衛門の甥で、八郎の兄にあたる。死んだハル子に子どもがなかったので、今の八郎と同じ年の頃に正式に養子縁組を交わしていた。

「ま、待っとれ、俺がちゃんと話してやるけん」

裏の伊藤商店事務所にも続いている台所は、使用人たちが食事をとれるように板の間を広くつくってある。そこの一角に腰をおろし、金次はラムネを飲み干した。

「全くおかしな嫁入りだったな。小竹からこっち、だあれも口を利かん。迎えに来たうちの男衆《おとこし》も何だかあの嫁さんにたまげて、しいんとしちょる。八郎が甘えたような声出して近づいてったが、すげなくされたしな」

泣き出しそうに帰ってきた八郎を初枝は思い出した。

「静子はおとなしいから遠くで見てただけだが、おどおどしちょったな。まあ、お前たちもびっくりしたろうが、華族さんちゅうのは俺たちとは違うなア。汽車の中でも姿勢ひとつ動かさん」

このあたりでは「顎《あご》が多い」と言って、男の多弁は何より嫌われるのであるが、東京の明治大学に在学中の金次は、東京風の軽薄さをすっかり身につけている。

「まあなあ、金次さん。私らは何にも知らんとよ。旦那《だんな》しゃんが婚礼あげたってん聞いたは、四日前のことじゃったからなア」

女中のタネが膝《ひざ》を進める。

「村でもえらい騒ぎになったけどなア、はあ、華族のお姫さんをお貰《もら》いなさるとはなア、みんなたまげたわ。でも金次さん、私ら、華族のお姫さんと、いったいどう話したらいいんじゃろう」

「華族のお姫さんちゅうてもな、妾《めかけ》の娘や」

金次は勝ち誇ったように言った。

「母親はな、芸者だっちゅう話だ。まあ、俺らに起こるようなことは華族さんにもよく起こるんだわなア」

金次は修猷館《しゅうゆうかん》中学時代、馴じみになった半玉《はんぎょく》との間に女の子をつくっている。タネよりはるかに古株の女中が、当時を思い出し含み笑いをした。

「妾の娘だからな、華族さんちゅうても価値は半分や。平民の出来のいいのと、ちょうどどっこいどっこいになるわ」

それは彼なりの庶民の論理というものである。しかしこの言葉で傷つく女が、この家には初枝と静子、二人いる。金次はそのことにまるで無頓着《むとんちゃく》だ。初枝は吹いている鍋《なべ》をのぞくふりをして、静かに座をはずした。

「それになア、あのお姫さん、今度の婚礼が初めてじゃない。若い時にな、やっぱり華族さんのうちへ嫁《い》って、うんと苦労したみたいだ」

「へええ」

「じゃあ、出戻りってわけかね」

　女中たちの反応の大きさに、金次は一瞬後悔の表情を見せる。もともとこの縁談は、九州の人間から起こったもので、東京の学校に通う彼は、ひと役もふた役も買っている。その得意さと、来る道中での燁子の権高《けんだか》さに対する反撥《はんぱつ》とが、金次をひどく饒舌《じょうぜつ》にしたのだ。いくらか彼は反省し、義母となったばかりの女の事情をぺらぺらと喋《しゃべ》ってしまったことへの言いわけを、こんな風に繕うことにする。

「お前ら、華族さん、お姫さんちゅうて怯《おび》えてるから、俺が言ったまでよ。小さい時から苦労や貧乏知っちょる人だからな、お前らのこともよくしてくれるはずよ。だから仲よく、このうちのことを教えてやってくれ。これはな、親父も思うちょることよ」

　初枝は鍋の蓋《ふた》を手にしたまま庭を眺める。ここから松の枝ごしに障子が見える客間には、さっきの女がいるはずであった。着くなり疲れたといって女は部屋に閉じ籠《こ》もったままだ。さっき被布を女が脱いだ時、その首すじがあまりにも細くて白いことに初枝は目を見張った。あんなたおやかな首すじを持つ女が、苦労をしたというのは本当だろうか。今まで苦労というものは、母親のユキや、スガといった女たちのものだと思っていた。けれどもあの女も自分の母親たちと同じ言葉で表現されるものを持っているらしい。そう考えると初枝は、向こうの障子ごしに横たわっている女が、わずかに近しいものに感じられるのだった。

脇息《きょうそく》にもたれるようにしながら、燁子はドーデーの『サッフォー』を読んでいる。最近続々と翻訳される海外の本を、燁子はいつも心待ちにしている。が、今の読書は娯楽のためではない。ちょうど精神安定の薬を飲み込むように、燁子はせわしくページをめくる。燁子は本というものをこのうえなく信じていた。今までつらいことや、気が滅入《めい》ることがあった時、燁子はただちに本の世界に入り込みその中に遊んだ。母校の東洋英和女学校で青い目の教師たちが教えてくれた作家たちは、鷗外《おうがい》や露伴《ろはん》よりもはるかに強い力で、燁子をその物語の世界へと誘ったものだ。

しかし今、燁子の視線は文字の上を空《むな》しく滑っていく。文字は記号以外の何ものでもなく、ページは紙の冷たさを指に伝えるだけだ。

行李《こうり》を開けるより先に、小ぶりの信玄袋《しんげんぶくろ》の中から本を取り出したというのに、何の役にも立たなかった。ついにあきらめてページを閉じたとたん、こめかみがずきずきと痛み出した。この痛みでもいいと、燁子は激しく思う。いくつかの記憶と、ひとつの大きな疑問を遠くへ追いやるためなら、何でもいいから集中出来るものが欲しかった。

けれどもやはり思い出してしまう。汽車の座席のあの固さ。京都で三泊、大阪で二泊というようにゆっくりと向かってきたが、門司《もじ》で乗り換えてからも気の遠くなりそうな長さだった。窓から見る空も山も東京とはまるで違う。麻布《あざぶ》の家の庭から見える富士山の、千分の一の凛々《りり》しさもない山々。中には醜く削られて地肌を見せている山さえある。

仲人の得能《とくのう》は言ったではないか。

「九州は今、石炭のおかげで、そりゃあ大きく変わろうとしていますよ。ひょっとすると近いうちに大阪を追い越すかもしれない。それに筑紫《つくし》のあのあたりは、ご存知のように万《まん》葉《よう》の由縁《ゆかり》の場所、そりゃあ雅《みや》びで結構なところです」

同じ九州でも、私の故郷がさつな鹿児島とはえらい違いですと笑った得能の顔を、燁子はまざまざとうかべることが出来た。上野《うえの》精養軒《せいようけん》での見合いの席だ。けれどもその傍で、伝右衛門がどのような表情をしていたのか、はっきり思い出すことは出来ない。見合いといっても、一度嫁して子までつくった身の上だ。若い娘のようにもじもじと畳をいじくっていたわけではなかった。かなりの言葉を発したと思う。それなのに伝右衛門の記憶がぼやけているのは、今思うと得能とばかり話していたせいかもしれぬ。

官界を退き、その間成した財で悠々自適の日々をおくっている得能は、大きな声で喋ることにより磊落《らいらく》さを装っているところがある。それにひきかえ伝右衛門はひどく寡黙な男であった。

見合いの後で、兄嫁の華子《はなこ》は、

「鉱夫出が、などと悪口を言う人がいるけれど、なかなか立派な風采《ふうさい》ではないの」

とこと細かな感想を寄せたが、燁子はそのあたりがぼんやりしている。ただひどく新鮮な印象が残った。なぜなら燁子のまわりで、これほど背の高いがっちりした男を見たことがなかったからである。

兄の柳原義光《やなぎはらよしみつ》も、そして燁子が幼妻として嫁いだ北小路資武《きたこうじすけたけ》も、女のようななで肩と細い腰を持っていた。まだ華族には江戸のなごりが十分に残っていた頃であったから、舅《しゅうと》の北小路随光《よりみつ》は、儀式の際はうっすらと化粧をし、甲高い声で歌を詠んだ。燁子はそうした柳腰の男たちが、どれほど好色でどれほど意気地がないか、この目で見続けてきた。維新により爵位を授けられた功労者や大名たちを「あの成り上がり者らが」と京訛《きょうなま》りの声で罵《ののし》ることしか出来ないのだ。

けれども目の前の男は違う。黒い羽織が窮屈そうな男は、自分の手で巨万の富を築いたという。

「その富を伊藤さんは、有意義に使おうと思っているのですよ」

これは見合いの後に、得能がさんざん口にした言葉だ。

「つい最近も郡で初めての立派な女学校をおつくりになった。土地の教育のためには惜しみなくお金を出す人です。どうですか、あなたはひとつ、伊藤さんにお金の使い方を教えてやるのは」

このあたりから得能は急に侮蔑的《ぶべってき》な口調になったのだ。

「豚に真珠という諺《ことわざ》があるが、どうも使うすべを知らない者に、金というものは降ってくるものらしいですなあ、いやあ、そういう人間だから金儲《かねもう》けが出来るんでしょう。どうです、ここは燁子さんのお力と知恵で、あの男をちゃんとした紳士にしてやるのは」

〝伊藤さん〟が〝あの男〟になり、なんとひどいことを言うのだろうと、燁子は胸が痛くなった。そしてその時「救い」という言葉が不意にうかんだのだ。ただ教養がない、無学ということだけで、あの男は得能のような人間に軽んじられているらしい。もし自分が妻になれば、あの男はどのように変わるのだろうか。

簡単な読み書きぐらいは自分が教えることは出来るはずだ。時々は聖書をひろげ、いくつかの言葉を選んでやりたい。そして自分に任せてくれるという女学校の話をあれこれしたらどれほど楽しいだろうか。

得能も華子も口を揃《そろ》えて言う。

「ああいう人だからこそ、あなたのことをどれほど可愛《かわい》がるか」

燁子は二十六歳で、伝右衛門は五十一歳になる、そんな年齢的なことより、得能が強調するのは育ちの差だ。

「燁子さんのような人に来てもらえば、どんなに伊藤さんは大切にするでしょう。来てくれるだけで有難い、嬉しいと今のうちから言っている人だ。実際嫁にいったら、下にも置かぬもてなしぶりでしょうな」

結婚に〝もてなし〟もないだろうと燁子は小さく笑い、もしかするとそれが結婚を決めた瞬間だったかもしれない。

本を好む女がすべてそうであるように、燁子も空想の中で遊ぶことが好きであった。たやすくひとつの光景がうかび上がる。九州の住みよい大きな町に、一軒の家を建てあの男と住む、同時に燁子は女学校の校長となるのだ。その女学校を東洋英和のような素晴らしい学校に育て、そしていつしか伊藤の財産を、貧しくつらい日々をおくっている人々のために使うようにする。そしてこれが肝心なことであったが、そんな燁子を伊藤は目を細めて見つめている……が、ここから先、燁子は困惑する。燁子は男から愛されたり、本当に慰撫《いぶ》してもらった記憶がない。最初の夫はまだ少年で、燁子を性を目的とするおもちゃのように扱ったのだ。家のまわりだけでなく世の中を見渡しても、夫が妻をいつくしむ、というありさまを見たことがなかった。愛し合う夫婦が出てくるのは、燁子が読む本ぐらいのものである。けれども燁子はもしかすると自分がそんな女になれるかもしれないとふと考える。あの素朴な大男となら、奇跡は起こるかもしれない。

その予感は婚礼の後も確かにあった。京都でも大阪の宿でも、伝右衛門はよく練れた大人のやり方で、燁子の躰《からだ》を十分に愛したのである。幼い夫による一種畸型《きけい》なかたちでしか性を知らなかった燁子には、嬉しい羞恥《しゅうち》であり驚きであった。けれどもそれも九州の地に着くまでだ。小竹の駅から乗り込んできた男たちの言葉を、燁子はほとんど理解出来なかった。しかしテンポが早く、語尾がはねるその異国語を、伝右衛門も楽しそうに喋り始めたのだ。

それに小竹から乗ってきたあの少年と少女。静子のことを伝右衛門は確かに言った。

「俺の娘だ。よろしく可愛がってくれ」

その時の驚きをどう言ったらいいのだろう。得能から聞いていたのは、伝右衛門はひとりも子どもがいないということである。そればかりでない、彼は賢《さか》し気な少年を前に押し出すようにした。

「八郎ちゅうて金次の弟じゃ、いずれ金次と同じように、俺の養子にしようと思うちょる」

金次が養子だということも初めて聞かされた。実子に養子、伝右衛門の子どもはいったい何人いるのか。この家の人間関係はいったいどうなっているのか。こめかみがもう我慢出来ないほど痛み出した。

「私は、本当にここに来てよかったのか」

いけない、そんな疑問を自分に呈してはいけない、と燁子は自分を叱りつける。もうじき客の相手をしている伝右衛門が戻ってくるはずだ。そうすればきっと心も晴れるに違いない。

燁子はこの見知らぬ土地で、夫しかすがる者がないと考える。夫だけが自分の困惑を救ってくれると信じる。それは彼女がこの何ヵ月か育んできた空想の歓喜の、最後の切れ端であった。

第二話　女　教　師

鳥が鳴いている。あれは何という鳥なのだろうか。甲高く、小さく区切るような鳴き声を東京で聞いたことがない。昔からこの家に仕える庭師に尋ねたところ、これまた鳥の鳴き声のような早口で名前を答えた。

燁子はまだ、この土地のはずむような言葉に慣れることが出来ないでいる。家の中では突然喧嘩《けんか》が始まったのかと思うと、そのとたん笑い声がはじけるのだ。そしてほとんどの場合、笑い声は燁子をひとり遠いところに置くために起こるかのようである。

女中たちが、あるいは来客が、あるいは子どもたちが、家のあちこちで笑い声をたてる。燁子にはその理由も、笑いながら交わされる言葉の意味もわからない。

「ああほんなこつ、面白かねえ」

若い女中のタネは、最後はしゃくり上げるように笑う。その声といま鳴きたてる鳥の声とはよく似ていた。図々《ずうずう》しく耳ざわりで、主人の寝室にさえ入り込んでくるのだ。

燁子の傍で、夫の伝右衛門が規則正しい鼾《いびき》をかいて寝ている。

それは耐えがたい、というほどではなかったので、燁子は枕《まくら》の顔をそむけるだけにする。そして目を固くつぶり、ここは九州筑豊の伝右衛門邸ではなく、東京麻布の実家だと思い込もうとした。が、それもあまり幸せな想像とはいえなかった。

それならば前の嫁ぎ先の北小路家だろうか。もちろん違う。燁子はちょっとした思いつきとはいえ、おぞましいことを考えついた自分がうとましくなる。だからさらに固く目をつぶった。

結局、目が覚めたらここであってほしいという場所は、東洋英和の寄宿舎の一室しかない。最初の結婚に破れて実家へ戻ってきた燁子は、再び少女のように髪をふくらませリボンをつけ、ミッションスクールに通ったのだ。一度嫁したこと、子どもまで成したことは、いくら仲良くなったとはいえ同室の友人にも言わなかった。色白で華奢《きゃしゃ》な燁子は、十代の少女たちに混じっても何の違和感もなかった。

処女に還《かえ》った燁子がひたすら本を読み、そして神に祈り続けたあの日々。

けれども学校というのは必ず卒業し、寄宿舎は必ず出なくてはいけないものだ。

結局自分はどこにも行く場所がない。朝の床の中で幸福な想像さえ出来ないのだ。「女三界に家なし」というのは、さんざん言いふるされた言葉だが、実母を知らず、九歳の時に養女に出され、その家の息子と婚礼を挙げたものの離縁となり、このあいだまで実家の兄夫婦の世話になった自分は何というのだろうか。終《つい》の棲み家《すみか》を得ることが出来ない女とでも言うのだろうか。

嘲《あざわら》うように鳥が鳴き続けている。燁子は自分の胸の中で「絶望」という言葉が薄墨色に拡《ひろ》がるのを感じた。息苦しくてたまらない。しかしそれに負けてたまるものかとさらに固く目をつぶる。あまりにも強く瞼《まぶた》を閉じたので、うっすらと涙が滲《にじ》んできたほどだ。

他にどうしようもないではないか。自分の居場所はこの家しかないのだということは最初からわかっていたことだ。自分はこの家の中で幸福を見つけ、安らぎを得なくてはいけないのだ。

燁子は嫁いでからふた月近く、今日までに起こったさまざまなことを思い出す。まず地元での披露宴があった。伝右衛門が経営陣の一人に名を連ねている銀行内の敷地に、急ごしらえで紅白の幕が張られ畳が敷かれた。それだけ多くの客を収容出来る料理屋など、この町にはなかったからである。

博多《はかた》の一流芸者が呼ばれ、三味線の音色にのせて「闘拳《とうけん》」が始まる頃には、座はすっかり乱れていた。華族から来た花嫁というので、すっかりしゃちほこばっていた鉱山《ヤマ》の男たちも、酒が十分いきわたればこっちのものだ。芸者に戯れるふりをしながら、不遠慮に花嫁の顔を覗《のぞ》き込む者さえいた。上座の女たちは女たちで、高声《たかごえ》に晴れ着の品定めをする。

三枚襲《さんまいがさね》の下着は、橙色《だいだいいろ》の梅を隙間《すきま》ないほど染めた友禅《ゆうぜん》、中着は疋田《ひった》の松でぽってりとしている。圧巻は上着で、黒の五ッ紋、刺繍《ぬい》と箔《はく》の金の雲間に大きな鳳凰《ほうおう》が飛んでいる。あまりにも手が込んだ細工なので、裾模様《すそもよう》全体がこんもりと盛り上がって見えるほどだ。

といっても、女たちはその見事な衣裳《いしょう》をちらりとしか見ていない。なぜなら目の前の花嫁は、金屏風《きんびょうぶ》の前に座ったきり身じろぎひとつしないのだ。鳳凰はかなり前、しずしずと入場してきた時に見物出来ただけで、今は花嫁の膝《ひざ》の下で、ぴくりとも飛ぶことはなかった。

「京都で、特別に誂《あつら》えたちゅう話やで」

「あたえが聞いたのは、東京の三越や」

「なんとまあ、豪勢なきもんよのお」

「裾まわしに宝尽くしの刺繍が入ってた。あたえは確かに見たばい」

「そうかい、わたしは見なかった」

「見たいのう」

「見たいわ」

女のひとりが不遠慮な声を上げ、伝右衛門の眉《まゆ》がぴくりと動いた。

「見しちゃり」

燁子はぽかんとして、夫になったばかりの男の顔を眺めた。「しちゃり」というのは「何々してやれ」という意味だということは既に知っていた。しかし「見せてやれ」というのはいったいどういうことなのか。いったい誰が、誰に向かって、何を見せるのだろうか。

「みんなお前《まん》の着物見たがっちょるけえ、立って見しちゃり」

伝右衛門はそれだけ言うと、また客が差し出す盃《さかずき》を受ける。もう一升近い献盃《けんぱい》をされているというのに、彼は膝も崩さず紋付の衿《えり》も乱れてはいない。そう酒は強くない伝右衛門であったから、こういった儀式の時は前もって体調を整え、蕎麦《そば》を食べておくのである。たとえ酒を飲む場面さえ、伝右衛門は全身を賭《か》け息を詰めてことを行なう。だから言葉ひとつひとつに凄味《すごみ》があり、抗《あらが》うことなど誰も考えられない。ましてや彼よりはるかに若い花嫁ならなおさらのことだ。

燁子は茶の作法にのっとり、尻《しり》を足の裏に乗せる。女たちの話し声がぴったりとやんだ。重心を次第に上にあげながら燁子は立ち上がる。屈辱や憤りを感じたのはずっと後のことで、あの時の燁子は、伝右衛門に命じられ本能的に体が動いたのである。

重い絹が動く音がし、二羽の鳳凰はさっと女たちの前を飛びたった……。

燁子は夫が怖い。夫の眉がぴくりと動いたり、金壺眼《かなつぼまなこ》がこちらを睨《にら》んだりするたびに、心臓が縮みそうな思いになる。だから夫の前に出るとことさらはしゃいだり、笑いさざめいたりするのだ。喋《しゃべ》ったり、笑ったりしている間は、夫も自分の首に手をかけることがあるまい。

伝右衛門は暴力をふるう男ではなかったが、その肉のぶ厚い掌《てのひら》や、いかつい肩を見るたびに、いつ小鳥のように首をひねられても不思議ではないような気がするのだ。

見合いをしたばかりの頃、伝右衛門の寡黙さを羞《はに》かみの入り混じった純情さと燁子は考えていた節がある。このおとなしい大男は、世間の夫のように妻にがみがみと小言をいったり、吝嗇《けち》なふるまいはしないであろう。父と娘といっていいほど年も離れている。この男はさぞかし燁子を甘やかし、燁子を我儘《わがまま》にさせるに違いないと皆が言った。兄嫁などはむしろそのことを案じ、いくら育ちが違う夫といっても、妻がそれを嵩《かさ》に着るのは世間体もよくないものだ、悪い噂《うわさ》というのは、たとえ九州からでも聞こえてくる。燁さんも十分心してお暮らしなさいと、言葉を選び選び言ったものだ。

幸袋《こうぶくろ》に着いた二日めの夜、燁子は男の怒鳴り声で目が覚めた。いくら広い邸《やしき》だといっても、真夜中に近い時刻、尋常でない声は光のようにまっすぐに燁子の耳に届いた。隣りの床を見ると伝右衛門の姿はない。長旅の疲れがまだとれず、燁子は何も気づかぬまま眠っていたのだ。

「死人が出ちょっと」

見知らぬ男の声が続く。

「それを雀《すずめ》の涙ごたる金で、あんな始末つけようってかね。俺《おれ》は今日あんた殺して、その後すぐに死ぬたい。脅しじゃなか。本当にその覚悟で来たばい」

娘時代からの習慣で、白羽二重《しろはぶたえ》の寝巻に薄桃色のしごきを巻いた燁子は、起き上がったがそれ以上動けない。上に何か羽織って出ていき、夫の危機を救わなくてはと思うものの、おこりのように震えが来て止まらないのだ。わかりづらい筑豊弁だが、男の喋《しゃべ》る内容はなぜかはっきりとわかった。

何かの理由で男は大層立腹している。そして伝右衛門と刺し違えると言っているのだ。夫が殺される。激しい恐怖の中に、かすかな期待が起こるのを燁子自身どうすることも出来ない。夫が死んだら、自分は東京へ戻れるのだ。また居心地の悪い退屈な日々が始まるだろうが、それと「後悔」というものを秤《はかり》にかけたらどちらが上になるだろうか。

その時、男の声よりもさらに大きく太い夫の声がした。

「ああ、殺せ、殺せ。だけんどお前、そげな手つきじゃと俺を殺せんぞ。俺は鉱山《ヤマ》で鍛えてるけん腹の皮強いけんね。お前が俺の腹刺しちょる間に、俺がお前の首を絞める。どっちが早《はよ》う逝《ゆ》くか、やってみようじゃないか。面白い」

それから長い沈黙があり、ものが割れる音がして、人々のざわめきが起こった。それがまだ消えないうちに、廊下をひたひたと歩く音が聞こえた。襖《ふすま》が開く。あっと大きく息を吐いて見つめると、寝巻姿の伝右衛門がいた。

「起きていたのか」

声が出ない。燁子はただ頷《うなず》くだけだ。

「何も心配いらん。あいつらは正義漢ぶるが金があてで、ちょっと芝居をするだけじゃ」

燁子は夫が表情ひとつ変えていないことに胸をうたれる。それは感動というよりも深い不気味さと恐怖だ。どうやらこうしたことはしょっちゅうこの家で起こっているらしい。そして伝右衛門は再び平然と寝間に戻ってくるようなのだ。

妻があまりにも長いこと黙っているので、伝右衛門は少し苛立《いらだ》った表情を見せる。そして、

「何も心配いらん」

と怒ったように言い、燁子の肩を抱きよせ、乱暴にしごきをほどいた。それは妻を安堵《あんど》させるため、というよりも自分の昂《たか》ぶった心と躰《からだ》を癒《いや》す、といった方が正しい抱き方であ

った。表情は平静を保っているが、夜中に暴漢に押し入られたという興奮は、彼の躰のあちこちから悪臭のように立ちのぼった。夫の腕の中で、途中燁子は何度か抗議の声を上げようとしたのだが、そのまま深く喉《のど》の奥に呑《の》み込んだ。

それが夫を怖い人だと思う始まりだったような気がする。その怯《おび》えは、夫の死をちらりとでも願った自分の後ろめたさと重なり、燁子の中に固い層をつくる。だから一週間前のあの日も、燁子は抗《あらが》うことが出来なかったのだ。

婚礼の片づけが終わり、燁子がまっ先に願ったのは女学校を見ることであった。昨年創立されたばかりのこの地で初めての女学校は、伝右衛門が全額出資したものである。仲人の得能の、

「燁子さんが校長になってお好きなように経営なさればいい。伊藤さんもそのことを望んでいるでしょう」

という言葉が、結婚を迷っていた燁子の心を決めたといってもいい。まだ見ぬ女学校に、燁子は自分の母校、東洋英和の姿を重ね合わせる。出窓のある白いペンキ塗りの校舎、美しい青い瞳《ひとみ》を持つ外国人教師たち。最初に入った華族女学校は、北小路家に養女に行った暗い記憶のために、楽しい思い出がない。けれども東洋英和は違う。イギリス人の教師たちによってもたらされる明るい雰囲気、賛美歌の旋律、そしてティの時間に出される甘い

紅茶。

この九州の果てに、あのような学校が出現したらどれほど素晴らしいだろうか、耶蘇教《ヤソきょう》の学校と言われるかもしれないが、せめて生徒たちに聖書と英語を教えてみたい。しかし資料に目をとおした燁子は顔色を変えた。そこには、

「嘉穂《かほ》郡立技芸女学校」

と書いてあるではないか。郡立、とあるからにはこの学校は公立ということに他ならない。嘉悦、三輪田と、東京にある女学校はほとんどその創立者の名前を冠せられる。伝右衛門が設立した女学校なら、「伊藤女学校」となるのが正しいのではないか。

燁子は勇気をふるって夫に尋ねてみた。

「俺は学校のことなんか何もわからん。皆がつくってくれちゅうから金を出してやったが、その後のことはわからんから、郡に寄付したんだ」

燁子の頭の中で何かがはじけ、張りつめていたものがいっきに崩れた。涙がぽろぽろといくらでも溢《あふ》れてくる。

「あなたはわたくしのことを騙《だま》したんですね。ひどい、ひどいです」

静寂があり、そして夫になったばかりの男はおもむろに口を開いた。

「俺はこの年になるまで女を騙したことはない。得能がどう言ったかは知らんが、俺は女

学校の金を出しただけだ。それ以上のことをする気はせん。それに――」

伝右衛門は燁子を睨《にら》む。二度目で、機嫌がよい時は愛らしくさえ見える丸い目が、青い光をはなっている。燁子は真夜中の彼の怒声を思い出して背筋が寒くなった。

「俺は女が泣くのをいちばん好かん。お前《まん》もこの家の者になったからには、俺の前で泣くことはならん」

いや、いや、あんなつらいことを思い出すのはもうやめにしよう。さんざん北小路家で身につけた知恵があるではないか。つらい、悲しいと言い続けると、その言霊《ことだま》に誘われて、さらにつらく悲しい出来事がやってくる。強い心であたりを眺め、希望の糧《かて》を探すのだ。希望の糧というのは、東洋英和での師、メアリー・シーガル先生が教えてくださった言葉だ。どんな不幸な中にも、見渡せば必ず幸福の種子は見出《みいだ》すことが出来る。そうだ、この家の中にも、自分が愛することの出来る存在はきっといるに違いない。

それにしてもと、燁子は箱枕《はこまくら》の上で深いため息をつく。ここの人間関係はいったいどうなっているのだろうか。

まず伝右衛門がいる。昨年死んだ前妻との間には子どもはひとりもいないということだったが、それは本当であった。ただし妾《めかけ》との間に女の子がひとりいた。静子といって小学校六年生の少女は、奥目がかった大きな瞳が父親そっくりだ。そして養子の金次。東京の明治大学に通っている金次は、伝右衛門の甥《おい》にあたる。もう子どもをあきらめた伝右衛門が彼と養子縁組をしたとたん、実子の静子が誕生したというのは世の中によくある話だ。といっても今のところ静子は無邪気に、

「金兄ちゃん、金兄ちゃん」

となついている。そして金次の年の離れた弟で小学校一年生の八郎。この少年の存在というのは極めて曖昧《あいまい》で、燁子にとっては腑《ふ》におちないことばかりだ。なんでも伝右衛門の死んだ妻のハル子が、この少年を異常に可愛《かわい》がり家に帰さなくなったという。毎晩自分の寝床で一緒に寝かせ、どうしても伝右衛門と自分との養子にして欲しい。それがかなわないならば、兄、金次の養子にして欲しいとかねがね言っていたという。ハル子が死んだ後も八郎は伝右衛門の家で暮らし、どうやら伝右衛門の妹にあたる彼の母親がそれをけしかけている節があるようだ。

自分にもいずれ子どもは出来るであろう。それなのにどうしてこれ以上養子を増やし、家の中をごたつかせることがあろうかと燁子は不思議に思う。そしてその思いが通じるのか、八郎は全く燁子になつこうとしない。呼べばどこかへ逃げるくせに、柱の陰から白い目を向けたりする。

そしてこの家にはもうひとり、淋《さび》し気な目をした少女がいた。最初に会った時から、燁

子は初枝のことが気になって仕方がない。伝右衛門の父親が晩年になってから妾に生ませた娘で、今年十六歳になる。兄の家に住み、兄にめんどうをみてもらっているという境遇はかつての燁子とそっくり同じだ。実の親がいるならともかく、父親は死に、母親は同居がかなわぬ愛人という立場の心細さは、燁子自身知っているつもりである。初枝はきっとこの家の中で幸せに暮らさせてやろうと燁子は心に決める。

全くこの家は賑《にぎ》やかと言えば聞こえがいいが、人の出入りが絶えず、始終品のない騒々しさの中にあるのだ。刺青《いれずみ》の観音像の後光を二の腕にはみ出させた男が、時には玄関先で凄《すご》んでみせることがある。

「大将に言えばわかるたい。なんで俺を通さんと。俺が強請《ゆすり》やたかりに見えるかね。なんね、なんね、その顔は」

最初そんな男を目にした時、燁子は怖《おそろ》しさのあまり足がすくんでしまったのであるが、女中頭のサキはすばやく財布から紙幣をつまみ上げ、それをちり紙でひねった。

「そんな強請だなんて、誰も思うとらせん。だけんど大将は大将の都合ちゅうもんがある。だからそこらで一杯ひっかけて、また来てくれって頼んでるんじゃなかか」

そういって金をぽんと男の掌《てのひら》にのせるさまは、まるで芝居のようになめらかな動きで、燁子は一瞬見惚《みと》れてしまったほどだ。が、よく考えてみると、女中の身分ですべての客を、どうして彼女が取り仕切っているのか。また彼女に自由に財布をいじられるのも燁子は愉快ではない。結婚前、仲人の得能が間に入り、燁子の小遣いは五十円ときめられているのだ。金額の多寡ではない。サキが自由に財布のがま口を開き、中身が不足するとまたどこからか金は注ぎ込まれる。つまり彼女が財布を牛耳《ぎゅうじ》っているのは間違いないのだ。

これもいずれ改めなければいけないと燁子は思う。この家には直さなくてはならないこと、変えなくてはいけないことが山のようにあるが、自分はそのひとつひとつを解決していくつもりである。なぜならばここは燁子の家なのだ。一度も得られなかった、得ようとして失敗した燁子の家。それをつくるために、自分はこの遠い九州の地にやってきたのではないか。

さあ、もう起きるのだと、燁子は自分に言いきかせる。さきほどよりはるかに気持ちは晴れやかになっている。これこそが希望の糧なのだ。毎朝ひとつずつ自分の中につくっていくものなのだ。ついに洗礼を受けなかった燁子であるが、手を組み低くつぶやいた。横になったままの祈りなど、神に対して無礼かもしれぬが仕方がない。眠る夫の傍で、こっそりと行なう祈りなのだから。

「主よ、わたくしはこの家の希望の糧となります。わたくしがやってきたことにより、この家に幸せと安らぎがやってきたと言われるよう励みます。困難も多いと思いますが、主よ、わたくしを力づけてください」

最後のアーメンをつぶやいたとたん、さっきからの鳥が「チ、チ、チ」と全く同時に鳴き終え、もうさえずることはなかった。


初枝は当惑している。最近の燁子のやさしさに、いったいどう対処していいのかわからないのだ。今日も女学校から帰ってくるなり、燁子の自室に呼ばれた。それだけでも大層緊張するというのに、燁子は東京から持ってきたココアというものを飲ませてくれた。苦くてどろりとしていて、大層気味が悪い。しかし微笑《ほほえ》みながら燁子が顔を覗《のぞ》き込むので吐き出すことも出来なかった。無理やり飲み込むと、風邪《かぜ》の時に煎《せん》じて飲む漢方薬の百倍ほどの不味《まず》さが舌にくる。すんでのところで初枝は涙が出てくるところであった。

婚礼の直後に結っていた丸髷《まるまげ》はもう崩し、燁子はたっぷりとした髪を束髪にしている。紺のお召《めし》に、麻の葉模様の縮緬《ちりめん》の帯を締めているのだが、おはしょりのあたりがぐずついている。誰でも言うことであるが、燁子は着付けがあまりうまくない。たえず胸元のあたりもゆるんでいる。それなのにこうして目の前に向かうと、きちんとした厳しい女という思いにとらわれるのが不思議だった。

燁子はココアではなく、もっと香りの強い黒い飲み物を手にしている。奇妙な取っ手がついた西洋茶碗《ぢゃわん》は、燁子が東京から持ってきた嫁入り道具であった。それに薔薇《ばら》の絵がちりばめてある。こうした慣れないものを持たされるのも、初枝にとっては苦痛といえるのだが、燁子は何も気づいていないようだ。

「初枝さんはお勉強が出来るんですってね」

「そんなことありまっしぇん」

本当にそうだ。直方女学校でも成績は中ほどのあたりだ。

「どの学科がお好きなのかしら」

これが東京弁というものなのだろうか。ひんやりとして綺麗《きれい》で、まるで氷砂糖のようだ。けれどもどこから嚙《か》んでいいのかわからない。そうでなくても初枝は、この女の前に出ると手の置き方さえはかりかねる。自分の言葉がおかしいのではないかと身構える。とにかく一刻も早く、この場所から逃れたい、そのことばかり考えている。

「ねえ、どの学科がお好きなの」

「国語です」

観念して答えると、燁子はやっぱりと、にっこり笑いながら頷《うなず》く。整いすぎているあまり、少々淋し気な顔立ちの燁子であるが、白い歯を見せると愛らしく匂《にお》い立つようになる。貧乏たらしい顔だと陰で悪口を言う女中がいるが、やっぱりとても美しい女の人だと初枝は思う。が、その美しいと思う感情はまっすぐに憧《あこが》れには到達せず、ただ居心地の悪さだけをつくる。初枝は本当にこの場を離れたいと思う。

「国語が好きだったら、本もお好きでしょう。わたくしの本、よかったらお貸ししてよ。どうぞお好きな本をお選びなさい」

といわれても燁子の本棚にある背表紙は、初枝にとって見当もつかないものばかりだ。外国人の名前がとても多い。

「わたくしはね、初枝さんが本当に幸せになれるようにお手伝いをしてあげたいの。ねえ、これから何か困ったことがあったら、わたくしに言って頂戴《ちょうだい》ね」

そう自分で言いながら、この人の目はうるんでいると初枝は思う。後ずさりしたいような気分だ。全くいったいどうしたらいいのだろうか。けれども救いは燁子の方から出された。

「そう、静子さんも呼んできて頂戴。三人でいろいろお話をしたいのよ」

若い女中たちと石けりをしていた静子は、遊びを中断されいささか不満気な顔つきで燁子の前に座った。そしてやがてもじもじし始める。静子は長いこと正座をしているのが苦手なのだ。

「静子さん」

燁子はおごそかに言った。

「これからわたくしがあなたのめんどうをきちんとみますから、そのつもりになってください」

静子は目を見張ったままだ。父譲りの大きな目が倍ほどに見える。

「初枝さんも静子さんも、あなた方二人、さっきもタネの冗談に笑っていましたね。あんな下品な大人の冗談に笑ってはいけません」

二人は顔を見合わせる。下品な冗談といってもこの家ではたえず男衆《おとこし》が何か言っては女たちを笑わせ、女たちも逆襲する、という賑やかさだ。どれがいけない冗談なのか見当もつかない。

「あなたたち二人は、とてもよい子なのに、お母さまという人がいなかったために、時々おかしな動作をするわ」

初枝は赤くなる。五日ほど前、梅雨冷えにたえきれず、火鉢を尻《しり》にあてているところを燁子に見られているのだ。

「あなたたちはこの町で皆に見られているのですから、みっともないことはなさらない方がいいわ。朝、初枝さんも静子さんも立ったまま『お早《は》ようさん』とおっしゃるけれど、あれはとてもおかしいことよ」

二人は思わずうつむいた。

「朝起きたら、お父さまとわたくしに向かって、こう言いましょう、『ご機嫌よう』」

燁子は手をぴたりと膝の前に合わせ、実に優雅に会釈した。

「『ご機嫌よう』、さあ一緒に言ってみましょう」

「ご機嫌よう」

「ご機嫌よう」

恥ずかしさのあまり静子は吹き出してしまった。それを咎《とが》める風に燁子は見る。

「もう一度なさい。相手の目をしっかり見て、頭を下げるのです。それから笑ってはいけませんよ」

この人は唐突に何を始める気だろうかと初枝は思う。婚礼をあげてからずっとぼんやりしていたかと思うと、伝右衛門と小さな諍《いさか》いを繰り返し、ほとんどは部屋で本ばかり読んでいた。自分たち二人に対しても無関心をとおしてきた女が、どうしてこのような挨拶《あいさつ》の仕方を教え始めたのだろう。

「『ご機嫌よう』、さあ、もう一度」

この人はまるで〝学校ごっこ〟をしているようだと初枝は思った。

第三話　ミッションスクール

その朝、伊藤家の子どもたちは食卓に見慣れぬものを見た。西洋皿に毛羽立った餅《もち》のようなものが置かれている。妙に平べったい赤い肉の上に目玉焼がのり、その傍の西洋茶碗《ぢゃわん》からは濃いほうじ茶が湯気をたてている。

継母《ままはは》の燁子は、これはトースト、ハムエッグ、紅茶というものだと教えた。先日、門司にある明治屋の支店に注文したものが昨日届いたという。

「九州でも西洋料理が好きな人はいるらしくて、おおかたのものが揃《そろ》っていました」

そう頷《うなず》きながら燁子は、火鉢の炭を操っている女中のタネに、トーストといわれるそれを、もっとよく焼くように指示した。

「焼けたらそれを旦那《だんな》さんに差し上げなさい。それにバターをつけて」

年若いタネは露骨に気味悪そうな顔をして、黄色い固まりを匙《さじ》ですくった。牛の乳でつくったというそれは、ところどころ黒い焦げ目の上であっという間に溶ける。溶けたとたん濃厚な香りが立ち、表面には黄色い水たまりが出来た。それをまず伝右衛門は舌で嘗《な》める。その後、口をすぼめるようにして小さく嚙《か》んだ。喉《のど》ぼとけがごくりと動いた瞬間、初枝と八郎は思わず顔を見合わせた。しかし伝右衛門は、その奇妙なものを吐き出すことなく咀嚼《そしゃく》し始める。考えてみるとたびたび上京する彼は、西洋料理には慣れているのだ。

「パンは旦那さんの体によいのです。胃がどんどんお悪くなるのはお米のご飯のせいなのですよ」

燁子はおごそかに言った。五十過ぎてから伝右衛門は、父親譲りの胃潰瘍《いかいよう》に苦しめられていて、食事の後で胃を押さえることがたびたびあるのだ。

「さあ、あなたたちもパンをお上がりなさい。パンと牛乳を食べていれば、西洋の子どものように体格がよく、頭のよい子どもになれるのです」

初枝も八郎も静子も抗《あらが》うことは出来ない。燁子のかたちよい薄い唇から漏れるのは、大層かたちのよい言葉である。燁子がこの家にやってきた頃は、気後れが先に立ち、何を喋《しゃべ》っているのか半分もわからなかったが、最近ではほとんど理解出来る。しかし「何々しなさい」「するのですよ」という言葉には、どんな言葉が相《あい》にくるのかと初枝は思う。こうした言葉の前に、人はしゅんとして聞き入るだけではないか。唯一そうした言葉に立ち向かえるのは兄の伝右衛門だけであるが、驚いたことに彼はもう一枚トーストを所望した。

無口な男だから、うまい、と言うことはないが、満足そうに舌の先で唇の端を嘗めている。女中たちが囁《ささや》き合うには、伝右衛門は若い妻が東京からもたらす、ハイカラな風習や事物が決して嫌いではないのだ。

「まあ旦しゃんちゅうたら、すっかりケツの毛を抜かれたごたる」

洋服を着る回数もめっきり増えた。幸袋の本家から八里離れた天神《てんじん》の別邸へ行くために、キャデラックを購入した時は、新聞種にもなったほどである。郡はおろか福岡で車を所持した第一号である。石炭の世界でははるかに先輩といってもいい麻生太吉《あそうたきち》でさえ、人力車しか持っていない。

大金持ちで川筋男《かわすじおとこ》のわりには、吝嗇《けち》と陰口をたたかれる伝右衛門が、燁子を娶《めと》ったとたん財布の紐《ひも》がゆるんだのは本当だ。邸《やしき》の改築まで始めたのはやはり心のはずみというものかもしれない。が、使用人たちの、

「ケツの毛を抜かれたごたる」

という声が日増しに強くなっていくのは、邸のまわりにコンクリートの塀がつくられていくせいである。それまでは邸の左側に小さな門があったものの、人々は道に面した伊藤商店の引き戸から、そうでなかったら勝手口から簡単に入ることが出来た。しかし新しくつくられる塀は邸のすべてをぐるりと取り囲む。来客は庭を通り、数寄屋《すきや》風の式台のある

玄関から入る仕組だ。

この小さな町の家並に、その塀はあまりにも唐突だった。

「華族さんから嫁をもろうたら、家まで華族さんのごたる」

町の老人の中には、はっきりと口に出す者さえいる。伊藤の家がこの場所で魚屋をやっていたことを憶《おぼ》えている連中だ。この塀が新妻の提案によるものだというのは誰の目にもあきらかで、燁子はそれまで毎日のようにやってくる強請《ゆすり》やたかりの輩《やから》を大層嫌悪していたからである。

二ヵ月近くかかっているものの、かなり長く高い塀はまだ完成しない。一説には、コンクリートというものの勝手がまだよくわからず、左官屋たちが時々失敗をするためだというのだ。

それよりも先に、伊藤家の内部は確実に変わりつつあった。朝晩、燁子に教えられた「ご機嫌よう」というお辞儀を、初枝はもうそれほど照れずに行なうことが出来る。やんちゃ盛りの八郎は、

「俺《おれ》、いまは機嫌よくねえ」

などと茶々を入れることがあるが、それは燁子の居ない時に限られている。伝右衛門に対して八郎は「おとっちゃん」、初枝は「あんちゃん」と呼んでいたのだが、それぞれ

「お父さん」、「兄さん」と改められた。それよりも子どもたちが困惑したのは、使用人たちに〝さん〟をつけて呼ぶのはよくないと燁子に注意されたことだ。

「じゃ、サキしゃんは何とゆうね。サキなんち俺は言えん」

女中頭のサキは、病身だった前妻のハル子に代わり伊藤家の主婦の役目を果たしてきた。八郎などは悪さをした折、首ねっこをつかまえられ何度ぶたれたかわからない。その相手を呼び捨てにしろというのかと、八郎などはべそをかきそうになった。

「俺、もういやだ、いやだ」

初めて洋食の朝飯を食べた日、八郎は縁側の端で初枝をつかまえて言った。

「俺、学校へ行くと皆に言われるぞ。八郎の家は、天皇陛下の真似《まね》をして金の箸《はし》で飯を食うだの、東京弁を使《つこ》うてばかりいるちゅうて、謙吉や六太にも言われるぞ」

「そんなこと言うもんじゃない」

初枝は大きな声で打ち消す。そうしなければ自分が不安のあまり胸が痛くなってきそうだ。

「あの人はうちのことを思うて一生懸命やっているんじゃから、悪く言っちゃあいけないんだ」

そうだ、どうしてあの女の人のことを悪く言うことが出来るだろうか。悪口を言うというのは自分より劣っているか、あるいは同等の人間に向けてすることだ。が、あの女の人はひんやりと単衣《ひとえ》の着物を着、重たげなほど多い髪を庇《ひさし》に結っている。初枝はあれほど色が白くて手足が小さな女の人を見たことがなかった。燁子は毎朝、縁側に小さなたらいを持ち出し身づくろいをする。黒い漆のたらいは、桜と梅がいくつか散らばっていて、まるで人形が湯あみするように愛らしい。その中にお湯をたっぷりと入れ、燁子は髪を梳《す》く。しゅうしゅうとかすかな音がするほど力を入れる。きつく腕を曲げるさまは、あまりにもたっぷりした自分の髪を厭《いと》っているようにも見える。その際、髪の合い間からうなじが左右に揺れる。細白いうなじは幼女のようにはかなげで、豊かな髪がまるで借り物のように見える。

　そして初枝はといえば、障子の陰からその様子をぼんやりと眺めている。燁子を見る時、いつも盗み見のようになってしまう自分が不思議だった。

　そんな相手を、どうして悪い女、などと呼ぶことが出来ようか。ただ初枝は困惑している。その困惑は怯《おび》えといってもいいぐらいだ。燁子の教えるとおり「ご機嫌よう」という言葉を発し、飯茶碗で食後の茶を飲むこともやめた。けれども自分の動作、自分の口にある言葉を悉《ことごと》く燁子が気に入っていないのがわかる。それがとても悲しい。そう、燁子に対する気持ちをひと言で言うならば、悲しいという言葉がぴったりとする。あの美しい女の眉《まゆ》を曇らせたり、呆《あき》れさせたりする自分が悲しいのだ。そしてそれはいつか本当に心から嫌われるのではないかという不安に繋《つな》がっていく。

初枝は八郎や女中頭のサキとは全く違う意味で、燁子がこの家に嫁ぐ前までは、自分はどれほど心安らかにいただろうと懐かしくさえ思うのであった。

日増しに憂鬱《ゆううつ》になっていく気分をどうすることも出来ない。女学校を経営する夢を断ち切られてから、燁子はこの家の子どもたちの教育に、ありったけの熱情を注ごうと心に誓った。全く伊藤の家の子どもたちの行儀の悪さといったら話にならないほどで、野育ちという言葉がぴったりだ。静子などは朝から晩まで泥だらけになって遊びまわっているし、初枝にしても着物の着方はだらしない。みんな作法というものがまるで出来ていないのだ。子どもたちが西洋料理の食べ方を知らないのは仕方ないにしても、箱膳《はこぜん》の前で足を崩して箸を取るのには驚いた。

「食事をする時は正座をして、きちんと背を伸ばすものですよ」

燁子は大きな声で叱《しか》る。

「それからいったんこぼしたものを拾って食べてはいけません。みっともないだけでなくて、衛生にもよくありませんよ」

こうした時、初枝と静子は顔を見合わせるともじもじと姿勢を正すが、八郎は負けてはいない。

「そんでも俺の級の先生は言うたぞ。食べ物のひとつひとつは、お百姓さんが汗を流してつくったもんだ。だからひと口も無駄にしちゃいけねえ、こぼしたもんもちゃんと食べろって」

変声期前の少年の声は、きんきんと燁子の頭に響く。

「それは学校の先生が間違っていますよ。こぼしたものを食べてはいけないのです」

燁子が凜《りん》として糾《ただ》すと、それきり八郎はぷいと下を向く。しっかりと結ばれた唇が赤く染まり、少年の口惜《くや》しさを表していた。

燁子にはわかっている。八郎の背後には、彼の母親と女中頭のサキがついているのだ。八郎の母親は伝右衛門の妹にあたる。金次に続いて、もうひとりの息子である八郎を伝右衛門の養子にしたがっていることを皆が知っている。彼女は燁子が嫁いできたことで、息子の行く末を案じ大層不憫《ふびん》がっている。そしてむしろ母よりも八郎の反抗心を煽《あお》っているのはサキであろう。八郎が燁子に抗議している最中、給仕について待っているサキがうっすらと笑っているのを燁子は見逃さなかった。使用人というのは、家族が言い争いを始めたら黙って目を伏せるものではないか。それなのにこの女は、はっきりと顔に出してせせら笑っているのだ。

だいたいこの家では、本来あるべき主人側と使用人との境界線がきっちり引かれていない。タネなどの若い女中は、静子と一緒に夢中になってゴム跳びをしていることもあるし、立ったまま伝右衛門にものを伝えるさまも燁子には我慢が出来なかった。

「旦那さまや私に話す時は、こうして敷居に手をつき、様子を窺《うかが》ってから話し出しなさい」

と注意すると、女たちは目を丸くする。やがて燁子は、この家の意識そのものを変えていかなければいけないことに気づいた。

「女中や下男に〝さん〟をつけなくてよいのです。ああした人たちを呼び捨てにしなければけじめというものがつきません」

家中に言いわたしたのはつい最近のことだ。

「奥さん、そうは言うてもなあ……」

サキが燁子の大嫌いな薄笑いをうかべて言う。四十過ぎのむっちりと固太りの女で、見かけがそう悪くないから、こうした笑いをうかべると意地の悪い威厳が出てくる。

「私ら、使用人と言うてもな、みんな伊藤の家の遠い縁続きだったり、昔から知り合いの家から来ている者ばっかりですからなア。東京の華族さんの家ならともかく、このあたりで使用人はみんな何々しゃんと呼んで家族のごたるつき合いです。まあ、馬や牛のように呼ばれても私らは我慢しますけどな、世間の人が伊藤の家のことを何と言うかなア」

こうした言い方こそ使用人の域を超えているもので、燁子は啞然《あぜん》とする。そしてあの投書はやはり本当だったのかと、吐き気をこらえるような思いで記憶を辿《たど》る。

こちらでの披露宴が終わってすぐの頃だ。燁子は一通の手紙を受け取った。

「伊藤燁子殿」という表書きは、肉太のなかなかの達筆で、祝いの手紙と燁子は怪しまず封を開いた。

「婚礼を挙げたばかりの令夫人に、このやうな書状を差し上げるのはまことに遺憾《いかん》ながら、新生活に際してやはりお耳に入れておいた方がよろしからうと存じ候《そうろう》」

という書き出しで始まる手紙は、伝右衛門の女性関係を暴くものであった。博多天神の別邸に「奥さん」と呼ばれる女性がいたこと、その他にも馴《な》じみの芸者は五人をくだらない、おまけに本邸の女中頭にも手をくだしおかれ候とある。

天神の女のことは、仲人の得能からうっすらと聞いていた。

「奥さんがずっと病身で入院しておられましたからな、そうした女の人は必要だったでしょう」

が、燁子との結婚が決まった時点で、金できちんと解決したという。芸者のことは仕方ないと思い、サキのことは一笑に付した。丸顔に切れ長の目が整っているといっても、どこから見ても彼女は女中頭といった趣だ。おぎゃあと生まれた時から女中頭をしていたような風情《ふぜい》が、どっしりした尻や、二重にくびれる顎《あご》のあたりに表れている。もう若くもない彼女に、夫が手を出したとは考えられなかった。しかし、こうふてぶてしい態度をとれるということは、伝右衛門との関係をちらつかせているからだろうか。

「お前に忠告してもらおうとは思いません」

〃お前〃という言葉に、燁子はありったけの感情を込めた。

「この家をどうするかということは私が考えることで、お前が指示することではない。それから――」

燁子は次にぶつける言葉を探す。そして選び抜いたのは、この半年間、燁子を悩ませ、多くの嫌悪をもたらしたことがらであった。

「お前はよく勝手に人と会う。そして勝手に金をあたえる。もうこれからはああしたならず者たちに会ったり、ちゃんと話をする必要はありません」

朝といわず、夜といわず、玄関からのっそりと入ってくる男たち。刺青《いれずみ》をしている男を最初に見た時の嫌悪と驚きを、未《いま》だに燁子は持ち続けている。男たちは燁子のほとんど理解出来ない言葉で何かを叫び、何かを訴え、そして何がしかの金を貰《もら》っていく。燁子がそうした男たち以上に嫌悪を感じるのは、堂々とそれに応じるサキの姿である。

「なんね、なんね、大将には私からちゃんと伝えるけん、今日のところはこれで帰りんしゃい」

と男の手に握らせる包みの白いことといったらどうだ。強い言葉で叱っているようで、その口調は甘い慰撫《いぶ》にさえ聞こえる。

「サキ」

燁子は彼女の方に向き直る。

「これから私の許可なく、客を勝手にあげてはいけません。前もって約束のない人は玄関のところで帰ってもらいなさい」

その時またサキは微笑した。その微笑の意味を確かめようと燁子は思わず身を乗り出し息をとめる。

どうしてこの女は勝ち誇ったような笑いをうかべるのか。

その日の午後、燁子はずっとサキの微笑の意味と少女たちのことを考えていた。無邪気で愛らしい静子、そして思慮深げでおとなしい初枝。二人の少女に共通していることは、時々ふっと怯えたような目になることだ。燁子はそれがいたましくてならない。普通の家で普通に育った娘なら、決してあんな表情にはならない。

二人の少女と自分の生いたちとを、いつか重ね合わせている。どうしてなのかと燁子は不思議に思う。普通、貴族の家というのは親子関係が非常に希薄である。子どもは生まれたとたん、里子に出されることがほとんどだったから、母親に甘えた記憶も、父親に叱られた記憶もない。長じても冷ややかで、一定の距離を持つ親子関係だ。

燁子は長いこと、自分もそうした貴族社会の一員だと思っていた。最初の結婚で十代の時に産んだ子どもとはすぐにひき離されたが、それもそう悲しいとは思わなかった。

けれども今は違う。溢《あふ》れ出るような母性の力に、燁子自身とまどっている。それは十代の幼い妻だった時と、中年に近づいている年代の差かもしれぬが、あの二人の少女を自分と同じような道に進ませたくはなかった。出来るだけいい教育を受けさせ、出来るだけいい相手を見つけ出してやりたい。

伝右衛門の娘と妹を高みへ高みへと引き出してやること。それはサキなどにはとうてい真似することが不可能な正妻の義務というものなのだ。

燁子は最近思案していることがあった。あの二人を自分の母校である東洋英和女学校に通わせてやりたいのだ。

緑の芝生に白い板張りの校舎、金髪の教師たちがゆきかうあの学校は、東京でいちばんすぐれた女学校だと思う。あそこでさまざまなものを教えてもらえたらどんなにいいだろうか。ヨーロッパ史からお茶の飲み方、そしてドイツ語でセレナードを歌うこともやがて静子は識《し》っていくに違いない。

幸いなことに静子は来年小学校を卒業する。だからすんなり女学校へ進めるはずだ。初枝は直方女学校の二年生だが、これは編入ということになる。九州のはずれの女学校と東京の東洋英和女学校とではかなり内容が違うはずだが、それは努力で補えばいい。

おそらく二人は、いま日本で得られる最高の教育を受けることになるのだ。それはなんと素晴らしいことだろうか。燁子は少女たちの喜びに溢れる瞳《ひとみ》を見たような気がする。全く学ぶことより素敵なことはない。英語でシェイクスピアの戯曲を読み、外国人教師からピアノを学んだ日々がどれほど幸せだったか、燁子は少女たちに伝えたいと思う。結婚に破れ、兄のところで幽閉のような日々をおくっていた自分は、あの学ぶ日々で救われたのだ。もし可能ならば、自分はもう一度袴《はかま》をつけて、あの校舎に通いたいぐらいだ。初枝と静子を東京に送り込むことは、自分の幸福を分けあたえることでもある。それもうかなり乏しくなった幸福。けれども構わない。自分の不幸と引き替えに、二人の少女が幸福の未来へつき進むならば、それはなんと嬉《うれ》しいことだろう。

燁子は自分の心根に少し酔い、涙ぐみたいような気分にさえなる。

「愛の力」

ミス・シーガルの言葉を思い出す。愛の力でこの家を変えていくのだ、きっと。燁子はもう一度力をふり絞ろうと決心する。

来年から東京の女学校へ転校すると聞かされた時、初枝は、体がわなわなと震え出した。初枝は博多より先に出かけたことがない。丸二日かけてたどりつく東京というところはあまりにも遠く、言葉さえ通じないところだ。帰省する金次がもたらすハモニカや、羅紗《ラシャ》でつくった帽子に、こわごわと触れたものだ。おまけにこれから移る女学校は、異人さんの教師がたくさんいる耶蘇《ヤソ》教《きょう》の学校というではないか。

九州にも活水《かっすい》という耶蘇の女学校があるが、そこはもともと長崎というハイカラなところにあって、筑豊とは気質もまるで違う。いつも獣の肉を食べ、乳の腐ったようなにおいがするという異人が教壇に立ち、こちらに話しかけてくる光景など初枝には想像も出来ない。

「私の恩師が快く引き受けてくださることになりました。あなたたちはなんて幸せなんでしょう」

「幸せ」という言葉が、あれほど奇妙に聞こえたことはない。幸せというからには心はずむことでなくてはならないのに、初枝は不安のあまり体が硬くこわばっていくようだ。こ

んな時、異を唱えるのはやはり静子で、

「私は東京なんか行きたくない。初枝姉さんと同じ女学校へ行くからいいんじゃ。ウタコしゃんやキヌしゃんとも一緒に直方の女学校へ行くんだともう約束したもの」

「直方の女学校と東洋英和とは比べものになりませんよ」

燁子はきっぱりと言った。東京の言葉は有無を言わさぬ刃物のようなところがあって、すべてのものは羊羹《ようかん》の切り口のようになってしまう。

「東京の女学校へは普通の人は行きたくても行けません。あなたたちはとても恵まれているから行けるのです」

傍で伝右衛門はようじをせせっている。胃弱な彼は食事の後、ゆっくりとようじを使いながら体を休めているのだ。救いを求めようと初枝は兄の方を見る。が、今までもそうであったように彼は決して視線を合わせたりしない。こうした「女子どもの問題」に彼はいっさい関与したことはなかった。今まで毎月の小遣いはサキから貰い、女学校へ行きたいという願いも彼女から伝右衛門に話を通してもらっていたのだ。サキが燁子に代わったのだと考えると話は早い。ただひとつ違っていることは、サキはこのように何かを決定し、命を下したことはなかった。

この燁子の命は人々に早く伝わり、初枝と静子の東京行きは、予想どおりの波紋を伊藤家の人々に投げかけた。

「伝ネムしゃんはほんなこつ、あの後妻の言いなりになってからに」

いつものように裏口に現れた母親のユキは、はなから涙ぐんで言ったものだ。

「あの奥さんは、あんたらが邪魔で仕方ないんだねえ。だからすぐに厄介払いしようとして、ほんにせつなかねえ……」

が、初枝は母親に同意することは出来ない。もちろん東京へ行くのは嫌でたまらないが、燁子が悪意から今度のことを決めたとは思えなかった。ただ彼女が自分に与えようとしているものはひどく場違いで、空まわりしているような気がして仕方なかった。

「あの人は」

母親に向かって言いかけたが、うまく言葉が見つからない。

「あの人もせつなかよ」

言い終えたとたん、大人に向かってそんな言葉を吐いた自分を恥じて、初枝は頰《ほお》を赤らめた。幸いなことに、ちょうどかがんで弟に手洟《てばな》をさせようとしていた母親は、今の言葉が耳に入らなかったようだ。

そして立ち上がりながら、もう一度呆《ほう》けたように言う。

「ほんなこつ、奥さんは心のこわか人よね。あん人が来てから伊藤の家はどんどんおかしなことになりよる」

が、これは彼女が公然と発した最後の悪口となった。

それから一月もしないうち、土地の者たちすべてが、後の子どもたちに長く伝える出来事が起こった。現人神《あらひとがみ》と称せられる天皇が陸軍特別大演習のため、久留米《くるめ》を中心に九州へ行幸なさることが決まったのだ。馬車がお通りになる町や村の小学校は休校となり、児童たちは日の丸を持って沿道に並ぶことになった。久留米の町では、子どもに新調させるための絣《かすり》が飛ぶように売れているという。幸袋の町でもその話題で持ちきりになった。天皇の姿をちらりとでも拝むことが出来るのは一生に一度だけに違いない。この機会を逃してなるものかという者たちが集まり、伺いをたてるのは、やはり衆議院議員を務めたこともある伝右衛門の家である。

「天皇さんの顔を見ると目が潰《つぶ》れるっていうが、こう、じいっと地面に手をついて見りゃいいんじゃろうか」

「そうは言うても万歳をしなきゃならんから、這《は》いつくばってばかりというわけにもいかん」

「着るもんは紋付でいいんじゃろうな」

伝右衛門はそこにはいなかったが、番頭の赤間が役所から貰ってきた注意事項を読み上げた。この町はかなりの有力者でも、字が読めない者が何人かいるのだ。

「ひとつ、御車がおよそ三十間の距離に近づいた時に最敬礼をし、上体を起こして目迎、目送し奉ること。

ひとつ、御召《おめし》列車ご通過の節は、御召列車がおよそ二丁の距離に近づいた時最敬礼を行ない、上体を起こして目迎、目送し奉ること……。こん時は傘をたたんで、帽子、外套《がいとう》、肩掛けの類《たぐい》は取らんといかんな。それから、老人、子どもは前に並ばせるとも書いてある」

「ああ、なんとも大変なことじゃ」

頭が見事に禿《は》げた雑貨屋の主人が大きなため息をついた。

「やっぱり紋付じゃなきゃいけんかな」

「そりゃそうだ、まあ、結婚式の時と同じ格好をして行きゃ問題はなかろうもん」

「それにしても……」

男は自分の頭をつるりと撫《な》でた。

「伝ネムしゃんの奥さんは、天子さまと親戚《しんせき》じゃろう。特別に挨拶《あいさつ》に行くんじゃろうか」

「それはないじゃろうが、やっぱり見送りぐらいはするじゃろうな」

男たちはいっせいに沈黙した。その時人々は燁子がどういう出自の女なのかあらためて確認したのである。お通りになるというだけで、そこの町のすべての人が、日の丸を持って並び万歳を繰り返す人物。その方と燁子は血が繋《つな》がっている。そしてどんなはずみか、日本でいちばんの権力者に繋がる女は、この田舎に来て、この家の別室で呼吸をしている。生きている。

この女に誰が逆らうことが出来るだろう。伝右衛門の邸で人々の胸をよぎったのはそのことだ。

燁子は秋が深くなるにつれ、さまざまな力を手に入れたが、自分ではそのことに気づかず、その陰に天皇の御幸があったことを長いこと知らずにいた。

第四話　籠の鳥

明治四十五年七月三十日、偉大なる帝《みかど》、明治天皇がおかくれになった。御不例《ごふれい》が伝えられてからというもの、宮城前には平癒《へいゆ》を祈り、額《ぬか》ずく人々の一群が絶えなかったが、それも空《むな》しいものとなった。ただちに皇太子嘉仁《よしひと》親王殿下は新帝践祚《せんそ》の式を挙げられ、明治は大正という名に改められたのである。そしてその後に続く儀式は、人々が初めて目にする壮麗なものであった。江戸の時代、禁裏《きんり》の中でささやかに行なわれていた天皇の葬儀というものは、国を挙げての一大行事となったのである。

九月十三日に行なわれた大葬の日、青山《あおやま》一丁目までの沿道は、昨夜から泊まり込んでいた群集で埋まった。人々は徹夜の疲れも見せず、衣服をあらため、沈痛なおもちで行列を見送る。二重橋《にじゅうばし》より馬場《ばば》先門《さきもん》までは騎兵第一旅団司令部、馬場先門から日比谷《ひびや》公園は鉄道連隊などがお守りする中、五頭の牛にひかれた轜車《じしゃ》はゆっくりと静かに進んだ。

これにつき添う宮廷人たちの、平安時代さながらの烏帽子《えぼし》や衣裳《いしょう》は、人々の目を見張らせるには十分であった。誰もがとてつもなく巨大な神事を目撃した思いになる。それは東京から遠く離れた九州の人々にも共通したものであった。

御大葬の写真が載った新聞を、幸袋の人々はこわごわ手にとり、そして何度も見直した。ため息をつく。それは畏《おそ》れと困惑とが入り混じったものである。

すぐそこの邸《やしき》に住む〝伝ネムさん〟の奥さんが、この神々しい一族と縁続きであることをどう理解していいのかまだわからぬ。特に「大元帥の御正装に大勲位菊花大綬章《だいくんいきっかだいじゅしょう》」をおつけになり、「御顔には言ひ知らぬ御曇りを帯びさせ給《たま》ふ」新天皇と〝伝ネム〟夫人とが、従兄妹《いとこ》の関係ということは、全くどう考えていいのであろうか。〝伝ネム〟夫人は御大葬の前後、生ものを絶ち、外出も控えているというが、それはいかにもその立場の人にふさわしい。

このあたりで従兄弟《いとこ》といえば、兄弟に準ずるほど仲むつまじいつき合いをする。金に困った時は貸し合い、必要な時には保証人になってやる。酒盛りがあるといえば誘い、女房たちはお互いの亭主の愚痴を言い合うものだ。いやはや、新しい天皇さんと〝伝ネムさん〟の奥さんがそれとはなあ。人々の困惑はやがて軽い恐怖へと変わる。

昨年、〝伝ネム〟夫人が指揮をして、邸が改築された。いちばん変わったのは塀で、今まで近所の人々が夕涼みをしたり、ちょっと世間話をするために入っていった引き戸や軒は失《な》くなり、その代わりコンクリートの高い囲みが完成したのである。それは〝伝ネム〟夫人そのままに冷ややかでとりつくしまがない。

おまけに〝伝ネム〟夫人は、継子《ままこ》の静子、夫の義理の妹である初枝をさっさと東京の女学校へ追い払ってしまったのだ。

「むごいことをするものよなあ」

「華族さんの奥さんをもろうたはいいが、あれじゃ伝ネムさんも大変じゃろう」

幸袋の町の人々は、かなり大っぴらに〝伝ネム〟夫人の悪口を言ったものである。が、そんなことはひょっとして罰せられることではないだろうか。もしかすると明日にでも巡査がやってくるかもしれぬ。

人々は口をつぐみ、お互いに顔を合わせた。そしてすぐそこの〝伝ネム〟邸をながめる。するとあれほど嫌悪の対象となった高い塀も、ごく当然のいかにも似つかわしいものに見えてくるのだ。

「何ちゅうても、天皇さんの従妹《いとこ》じゃからな」

言った後で人々は、やはりこの場合も〝イトコ〟という言葉を使うのかと、再び不安になるのである。

燁子はそうした皆の微妙な変化にやがて気づき始めた。それまでは燁子が筑豊弁に疎《うと》いのをいいことに、わざと聞こえないふりをしたり、勝手なお喋《しゃべ》りをしていた女中たちが御大葬からこっち、ぴたっと口を閉じ窺《うかが》うような表情になるのだ。あきらかに媚《こ》びる口調になる時さえある。

それより燁子を驚かせたのは伝右衛門の様子で、あの寡黙な男が客を相手にこう言っているのを聞いた。

「うちはいま精進せにゃならんところじゃ、本当ならこんな刺身は喰《く》っておられん。なにせ女房が天皇さんの従妹じゃからな、普通のうちのようにはいくまい」

今まで夫のこのような得意気な声を聞いたことがなかった。驚きと羞恥《しゅうち》、そしていくらかの怒りで燁子は赤くなる。いちばん知られたくない人間に、自分のいちばん深く暗いところを見透かされたような思いになるのだ。

誰にも言ったことはないし、自分にも固く戒めていたが、燁子は自分の身をやはり憐《あわ》れんでいる。燁子が嫁ぐ時、遠い蛮土へやられた王昭君《おうしょうくん》にたとえる者がいて、なんとまあ心ないことをと家族の者は嘆いたものだ。兄嫁などはことさら眉《まゆ》を寄せ、つぶやくように言った。

「たまたま九州にいいご縁があったというのに、世間の人の口さがないこと……」

けれども燁子は当然、結納金の金額を知っていた。ずっと以前、お雪という芸者が、アメリカのモルガン財閥の一族にあたる青年に落籍《ひか》され大層話題になったものだ。その四万円という金額は赤新聞で取り沙汰《ざた》され人々の目を剝《む》いたが、伝右衛門の結納金はそれをはるかに上まわるものであった。嫁入りのための贅沢《ぜいたく》な着物や家具を買っても、とても使いきれるものではない。

兄の義光が貴族院議長に立候補するために、その多くが流れていると燁子は薄々気づいている。だが家長である兄に金の使い道を聞けるはずはなかった。結納金というものは嫁ぐ自分に贈られるものではなく、その家に贈られるものだ。莫大《ばくだい》な金は、柳原家という名前に対する看板料なのだ。燁子以外にもこうした縁組をした女の話はよく聞く。維新の後も貧しい華族は多かったから、新興の富豪のところへ嫁いでいくのだ。しかし燁子の矜持《きょうじ》を支えるただひとつの救いは、夫である伝右衛門が泰然としていたところである。結婚して以来、さまざまな冷やかしにあっても、

「俺《おれ》とは関係なか」

ひと言だけ答える。無口な男が大きな目をぎょろりと向けてそう言うと、たいていの者はすごすごとひき退《さ》がり、いやあ、つまらんことを口にしてと言いわけをした。

が、明治天皇の御大葬から伝右衛門は変わった。妻の出自についてあれこれ嬉《うれ》し気に言うのは、今までの彼からは考えられなかったことである。

「燁子は天皇さんと従妹じゃからな。いちばん濃い血が流れとるちゅうことじゃ」

客に話しているのを聞くと、燁子は躰《からだ》の奥がざわつく。なぜか自分がたとえようもなく侮辱されたような気がしたからだ。たとえ家と金がからんだ結婚であっても、それをたやすく他人に明かしていいものだろうか。

その日、燁子は月のものを見た。手早く手当てをするうち、何枚かのちり紙を使った。伊藤の家は、藁《わら》でつくったのではないかと思われるほど、茶色のごわごわした全くの"落とし紙"を使っていたから、燁子はやわらかく白いものを博多から取り寄せている。そのちり紙に、いくつかの赤い染点《しみ》が出来た。

一子を成した燁子は、その血液がやがて固まり、やがて胎児となり、やがて人間となっていくことを知っている。自分のこの躰から出ていく血は、本当に濃く貴い血なのだろうか、やがてこの血は伝右衛門によって凝固され、子どもを成していくはずである。燁子にはそれが何ともいえず不合理でおぞましいことのように思われる。自分と伝右衛門の子ども。金で買われた血。この伊藤の家に高貴な血を入れるための自分。

ふと燁子はめまいを感じ、その場にしゃがみ込む。月のものが来る時は、いつも貧血気味になるのであるが、今月は特にひどいようだ。

どのくらいの時間がたったのだろうか。

「奥さん、奥さん」

便所の扉を不遠慮に叩《たた》く音と、若い女中のタネの声がした。

「奥さん、大丈夫かね、さっき便所に入ったきり出てこなくなったからね」

「ああ、大丈夫。ここを開けておくれ」

晩秋の重たげな陽《ひ》ざしが、どっと中に入ってきた。

「あれ、奥さん、青い顔をしちょるよ。痔《じ》にでもなったのかね」

いくらか足りないのではと思われるほど、タネはだらしない明るさを持っている。燁子の顔色を見るようになった使用人の中で、彼女と女中頭のサキだけが態度を変えない。タネはサキの陰湿さとは正反対に、無神経な言葉で燁子の心を逆撫《さかな》ですることが多い。

「さっき電話がありまして、旦那《だんな》さんが門司を出らしゃったそうです。夜までには幸袋に着くというとりました」

燁子は言葉を発せず、そうと頷《うなず》いた。先月から伝右衛門は所用のため上京しているのだ。明治大学に通っている養子で甥《おい》の金次を呼び出し、金のかかる場所に連れていくこともあるらしい。娘の静子と、妹の初枝に会おうとしないのとは対照的だ。東洋英和の寄宿舎に二人がいるならば、そこを訪ねることも出来るはずだがついぞ聞いたことがない。

娘に対する伝右衛門の無関心ぶりは、燁子の住んでいた貴族社会ではそう珍しいものではないが、それでは金次や八郎に対する心くばりは何だろうかと燁子は不思議に思うのだった。

夜、たくさんの荷物と共に伝右衛門は帰宅した。最近ますます着るものにうるさくなっている彼は、京都に滞在する時は何枚もの和服を、東京へ出かけた時は洋服を誂《あつら》えるばかりでなく、帽子やシャツ、タイの類《たぐい》をどっさりと買い込んでくるのだ。

だから家に帰ったばかりの伝右衛門は大層機嫌がよい。女中たちの手をわずらわせず、自分で包装紙を剝《は》がして品物を取り出す。三越の紙箱から新しいシルクハットが出てきた。

「今度の天皇さんが即位する時には、博多で大きな祝典をするらしい。その時のものじゃ」

「そうですか」

燁子はまばたきもせずに、黒い帽子をいじる夫を見つめる。妻の視線によって伝右衛門は照れ、さらに饒舌《じょうぜつ》になっていく。

「金次に会《お》うたがな、あいつも段々しっかりとしてきちょる。勉強に身が入るように今度下宿を変えるそうだ。もっと街中に移るとか言うちょった」

燁子は反射的に微笑《ほほえ》んだ。それがとても皮肉めいたものであることは自分でもわかる。

金次は、金五十円という燁子の小遣いとほぼ同額の、学生にしては破格の仕送りを受けていた。東京でも花街に出入りしているらしい。彼が修猷館中学に通っていた際、半玉《はんぎょく》に生ませた女の子はもうすぐ四歳になる。その手切れ金の額が今でも博多の花柳界の噂《うわさ》になっていることを燁子も耳にしていた。

伝右衛門ほどの頭はないが、伯父の好色さはしっかり受け継いでいると、口さがない近所の者たちは言っているのだ。

「金次もな、八郎のことをとても気にしちょる」

「八郎さんのことですか」

金次の年の離れた弟は、この家から小学校に通っているのである。きかん気が漂う大きな目は伊藤の家のものだが、口元のあたりに今までの男たちに見られなかったような品が加わり、なかなかの美少年ぶりだ。

「金次はな、八郎が中学に入る前にちゃんと養子縁組をして欲しいちゅうとる」

それは以前から聞かされていた。伊藤の家を盛りたてる柱として、金次ばかりでなく八郎を正式に養子に迎えたいと伝右衛門は言うのである。

「それはキタさんの考えなのですか」

二人の母親、伝右衛門の妹の名を大きく叫んでいた。小学校二年生の男の子を、ずっと他家に預けている意図はこれなのかと、つくづくやりきれない気分になる。しかし燁子の叫びは、伝右衛門の顔色をたちまち変えた。今までいじっていたシルクハットを、ぷいと彼は畳の上に投げ出したのだ。

「八郎を養子にするかどうかということは俺の決めることたい。八郎はこんなこんまい時からこの家にいるから気性もよくわかっちょるしな」

燁子はここで引き退がるべきかと思ったが、このまま胸をなだめることは出来ない。けれども、膝《ひざ》を進めることが出来るようになったのは、やはり御大葬の後からかもしれぬ。

「この家には静子さんという、ちゃんとした跡とりがいるじゃありませんか。静子さんのお婿さんになる人のことを考えないのですか」

「八郎は血が繋《つな》がっちょる」

伝右衛門はぐいと燁子を睨《にら》んだ。

「そんなどこの誰かわからん他人より、血の繋がっちょる者の方がずっと信用出来る」

また血という言葉だと、燁子は昼間見たちり紙の鮮血を思いうかべる。そしてその赤さの記憶が燁子にさらに勇気を与えた。

「それにいずれ――」

一瞬口ごもる。

「私にも子どもが出来るかもしれません。その時に養子が何人もいてどうなさるおつもりなのですか」

「そんなことは心配せんでもよか」

伝右衛門は睨んでいた目をふっとそらせた。それは〝怯《ひる》んだ〟といっていいほどの動きである。普段の伝右衛門には見られない奇妙な怯《おび》え、羞恥といったものが見えた。

「俺にはもう子どもは出来ん。静子が生まれてすぐ睾丸《こうがん》の手術をしたんじゃ」

燁子はとっさに意味がわからず、ぼんやりと夫の顔を眺めた。それを抗議の表情ととったらしく、伝右衛門はさっと立ち上がる。さきほどの羞恥は全く消え、色足袋の親指のあたりに強い怒りがにじんでいた。

「お前はもう子どもを産んどる。それをさっさと捨ててきた女が、今さら恨めしい顔をするな」

乱暴に襖《ふすま》が閉められ、居間に燁子はひとり取り残される。さほど傷ついていない自分に燁子は気づいた。ただ驚いているだけなのだ。今日、月のものを見て、いつか伝右衛門の子どもを産むのだろうかと怯えたのは本当だ。するとその燁子を罰するかのように、運命は伝右衛門の不能を明示したのだ。

燁子は不意に十六歳の時に産んだ男の子のことを思い出した。功光《いさみつ》と名づけた男の子は、姑《しゅうとめ》がすぐ奪い取るように自分のもとに置いてしまった。父親に愛情が持てなかったように、その子どもにもせつない母親の感情は持てなかった。貴族の女というものはそういうものだと教わってきたので罪悪感もない。

そんな自分がどうして、伊藤の家に来て子どもが欲しいと思ったのかは不思議だった。が、きっと自分は考えていたに違いない。この九州の地に嫁いで、自分がいちばん望んでいたのは「新規蒔《ま》き直し」という言葉だったのだ。今までの人生で得られなかったものをこの土地で手に入れたいと考えていたのだ。

それはいつくしみ合う夫と妻の関係だったかもしれないし、贅沢《ぜいたく》な生活だったかもしれない。あるいは子どもたちがいるにぎやかな家庭というものかもしれなかった。

しかし贅沢な生活以外、燁子の望んでいたものはすべて裏切られた。校長になるはずだった女学校はなく、夫には何人かの愛人がいた。そして当然得られると考えていた子どもという存在もはっきりと否定された。

「ふふふ……」

いつのまにか燁子は嗤《わら》っていた。これが滑稽《こっけい》でなくてなんだろう。これほど失望というものをいま押しつけられた女がいるだろうか。

「ふふ、ほほほ……」

笑いはいくらでもこみ上げてくる。いつしか燁子は狂った女のように肩を上下させている。それは彼女が初めて経験する自嘲《じちょう》というものであった。

タネは最近郵便物に、茶封筒に入ったぶ厚いものが混じっていることに気づいた。尋常小学校も最後までいかなかったタネは、難解な漢字を読むことが出来ない。しかしもしそれが可能だったらタネは「東京市神田《かんだ》区小川町《おがわまち》　竹柏会《ちくはくかい》　心の花」という差出人の名を見ることが出来たに違いなかった。

伝右衛門あてにたくさんの郵便物が来るが、それはそのまま裏の事務所の方へ渡す。義《ぎ》太夫《だゆう》をやるぐらいだから字を読めないはずはないのであるが、伝右衛門は自分の無学を恥じて、手紙を読んだり書いたりするのはいっさい番頭の赤間にやらせているのである。

太い男文字で書かれた伝右衛門あての手紙とは対照的に、燁子のところへやってくる封筒は大層美しい女文字である。タネは最初、「燁子様」という凝ったくずし字が読めないこともあったが、今はだいたいの形で識別出来るようになった。タネはそれを朱塗りの盆に載せ燁子のところへと運ぶ。それも彼女が嫁いでから命ぜられていることである。「心の花」と印を押された茶封筒は他のものに比べると大きく、盆に余るほどになったが、タネはそんなことは気にしない。女主人に対してはとにかく言われたとおりのことをすればよいのだと思う。

燁子は庭に面した応接間で、久保《くぼ》より江《え》と向かい合い、何やら楽し気に喋《しゃべ》っているところであった。より江は九州帝国大学医学部の久保猪之吉《くぼいのきち》博士の夫人である。博多の名流夫人の中心にいるといわれる彼女は、当然のことのように積極的に燁子に近づいてきた。天神の別邸に燁子が滞在している時は、三日とあけずに訪れてくる仲である。おとといからこの幸袋の邸に泊まりがけで滞在しているのであるが、彼女に対する伝右衛門の気の遣いようが、これまた女中たちの噂の種になっていた。

いくら夫が学会出張で留守といっても、人妻が女友だちの家に二連泊するなどというのは、普通では考えられないことである。さすがにいいところの奥さんたちは違うと皆は目を丸くしたが、伝右衛門はそんなより江を厭《いと》うでもなく、夜の食事の際は床の間の前に座らせ、お世辞めいたことさえいう。

「博士はお元気でらっしゃいますか。ぜひ天神の方にもお越しいただきたいものですな」

その傍で燁子はしなをつくるようにし、夫の盃《さかずき》に酒を満たした。どこからみても仲のよい夫婦である。料理を運んでいたタネは何だか芝居でも見ているような気分になったものだ。

「奥さま、お手紙でございます」

教わったとおり膝行《しっこう》していったのであるが、燁子はたちまち眉《まゆ》をひそめた。友人の話を遮るように、タネの大きな声がしたからである。

「まあ、お前……」

言いかけてやめた。盆の上に待ちかねていたものがあったからである。

「ちょっと失礼しますわ」

タネが小鋏《こばさみ》を持ってくる間も待ちきれず、燁子はびりびりと自分の指で封筒を開けた。見かけはたおやかで優雅な風情《ふぜい》の燁子が、時折見せる男っぽいしぐさに、タネはもちろんより江も驚くことがあった。時々伝法な言葉が混じることがあり、いくら華族のお姫さまといっても、これが「江戸前」というものだろうかと、より江は目を見張るのである。

「このあいだも佐佐木信綱《ささきのぶつな》先生からお手紙をいただきました。同人といっても、私などお仲間に入れていただいて日も浅いのに、本当にありがたいことです。これも久保先生のお口添えがあったのでしょう」

より江の夫、久保博士はドイツ留学時代を含めての『心の花』の寄稿者である。

「歌は女学校時代から義姉《あね》に勧められてやっていましたけれど、こちらに来てからは本当に心の支えですわ」

口から言葉がいくらでも出てくるのは、ページを探すまでの場つなぎという感じであった。目次を見れば早いと思うのだが、燁子の指はせわしげに音をたててページをめくる。

「まあ、ありましたわ。今月もとっていただいた」

燁子はしんから嬉しそうな声をあげ、しばらく喰《く》い入るようにページをながめていた。

やがて目の前のより江に気づき、ややきまり悪げに、その本を差し出した。

「ご覧になる？　ここに白蓮《びやくれん》という名前を見つけると本当に嬉しくてぞくっとします」

「白蓮というのは燁子さんにぴったりだわ」

「日蓮《にちれん》からとったもので、辛気臭《しんきくさ》いという人もいるけれど、あの頃私は写経をよくやっていたものですから」

その時燁子の睫毛《まつげ》が心もち動いた。少女の頃に無理強いされた結婚と破局が、とてもつらかったということを以前聞いたことがある。写経はその頃のことだろうかとより江は思う。

「拝見してもよろしい」

「どうぞ」

確かに「白蓮」とあり、一ページそっくり白蓮の歌が並んでいる。

「思ひとは女と訓《よ》むか人の世の凡《すべ》てのものを情とは訳《と》く」

「誰か似る鳴けよ唱へとあやさるゝ緋房《ひぶさ》の籠《かご》の美しき鳥」

「ゆくにあらず帰るにあらず居るにあらで生けるか我身死せるか此身《このみ》」

「何物も持たぬものをば女とや此身ひとつも我ものならぬ」

「我は知るつよき百千の恋故にもゝぢのあたはうれしきものと」

より江はしばらく顔があげられずにいた。昨夜機嫌よく酔っていた伝右衛門と燁子との房事を覗《のぞ》き見たような思いにも、燁子の暗い秘密を知ってみたような思いにもなる。

「私はこの頃少しも歌をやっていないものですから……」

もじもじと本を燁子の掌《てのひら》に返した。けれどもそれだけでは率直で知られる自分の評価を下げるような気がしてこうつけ足した。

「けれども随分大胆なお歌ね。恋とか、籠の鳥という言葉にドキッとしたわ」

「まあ、これは歌ですよ」

燁子は勝ち誇ったように笑った。

「文学の世界ではどんなことも許されるものですわ。同人の先輩に片山廣子《かたやまひろこ》さんや大塚楠緒子《おおつかくすおこ》さんという方がいらっしゃるけれど、ああいう方も恋の歌をいっぱいつくっていますもの。そう、片山さんのお歌でこんなものもありました……」

燁子はすらりと暗誦《あんしよう》した。

「秘めにひめし此くるしびよ女なほ恋ならなくに死なんとぞ思ふ」

燁子の頰《ほお》は紅潮していて、それは恍惚《こうこつ》の前兆のような淫《みだ》らさまで加わる。若くして嫁ぎ、夫ひとりを頼りとも支えともして生きてきたより江には考えられないことであった。

「でもこういうものをお詠みになって、ご主人は何と思われるかしら」

「ほほほ」

本当におかしくてたまらぬように、燁子は掌を返し口元に持っていく。

「うちの主人は、そちらの久保博士のような方と違って無学ですもの。文字が読めませんもの。そんな気遣いは全くいりませんの」

目を伏せたのはより江の方だ。やはりあの噂は本当なのだと思った。

「うちは子どももおりませんし、歌でもつくらなければこんな淋《さび》しいところでひとり暮らしていけませんわ」

いつになく強い調子の燁子の声に、より江はあわててあたりを見渡す。いくら広い邸といっても伝右衛門が急に襖を開けないとはいえないではないか。それにだいいち女中にでもこうした言葉を聞かれていいことは何もない。

しかしやがてより江は困惑の中から立ち上がった。長い間の社交と才覚で身につけた如才なさが、こういう時に明るく前向きの言葉を吐かせる。

「もっとあなたも外に出ればよろしいのよ。博多にはあなたとお近づきになりたいと思っている者がたくさんおりましてよ。もちろん燁子さんから見れば取るに足らない田舎の女たちですけれども、中には文学のお話が出来る者もひとりかふたり……」

言いかけて、そうそうとより江は手を叩《たた》いた。

「ねえ、小倉に杉田《すぎた》さんといって、お茶の水高女を出た方がいるようですよ。そのうち歌か俳句をやりたいとおっしゃっているそうですの。一度誰かが初釜《はつがま》にお招きしたら、着ていくものがないと断わられたということで、あまりおつき合いはないようですが……」

暗により江は自分たちの世界とは違う女であることをにおわせた。話の途中から燁子があきらかに興味を示さないそぶりを示したからである。

「歌は始めたからといっても、すぐうまくなるものでもありませんものね。その方がどこまで本気かによりますけれど」

「そうね、本当にそうかもしれません」

その時、さきほどの愚鈍な動作の若い女中とは違う、四十がらみの小太りの女が顔を出した。

「奥さま、旦那さまが今から博多にいらっしゃるということですが」

「まあ、大変、すっかり忘れていたわ」

燁子ははじかれたように椅子《いす》から立ち上がる。急いで衿元《えりもと》を合わせる様子がなまめかしかった。

「お見送りをしなくては。より江さんはここにいらして頂戴《ちょうだい》」

「そうはいきません、私も御玄関まで」

一緒に廊下を歩く時、燁子の白い足袋がはずむようにあるリズムを持って動くのをより江は見た。夫を見送るために早く行こうという妻のしぐさなのか、それとも夫の留守を喜ぶ心が出てくるのかより江にはわからない。とにかく居心地の悪さだけがつのってくる。

それはあの歌のせいだ。

「誰か似る鳴けよ唱へとあやさるゝ緋房の籠の美しき鳥」

美しき鳥というのは自分のことなのだ。不幸を胸のどこかで楽しみ、もてあそばなければ歌というものはつくれないものなのだろうか。なにか得体の知れない気味悪さがこみ上げてきて、より江は燁子のことがよくわからなくなる。

けれども手離すには惜しい女だ。博多、いや九州すべての中で燁子に匹敵する女がいようか。ここの旧藩主の縁者で、維新により貴族となった女たちは何人かいたが、燁子は現天皇の従妹なのだ。これほど高貴で有名な女と親交を絶つことはない。

「ご主人の留守にまたお邪魔してよ」

より江は情のこもった声で言った。

「その時は友人も連れてきますから、皆でお茶でも点《た》てて遊びましょう」

玄関には黒いキャデラックが横づけされ、文字を読めないという燁子の夫が、苛立《いらだ》ったようにステッキを受けとろうとしているところであった。

第五話　鸚鵡の庭

晩秋の陽《ひ》ざしが、ガラス戸を通して射《さ》し込んでくる。イギリスから船で取り寄せたという一枚ガラスは、何の歪《ゆが》みも曇りもなく、光を真正直に通すようである。

天神の別邸の座敷で、燁子はさきほどから着ていくものの思案にくれていた。紫の縮緬《ちりめん》に菊をいくつか染め出した一枚は、最近京都で誂《あつら》えたものだ。しぼの高い縮緬に古代紫がよく映えて、燁子は大層気に入っている。三十に手が届く年ともなれば、女は年増と呼ばれ地味ななりをしなければいけないのであるが、燁子には華やかな色以外似合わない。色がぬけるように白く、細面《ほそおもて》の燁子は、淋《さび》し気な顔立ちと表現されることが多いのだが、不思議と明るい色が似合った。紫色でも黒に近い滅紫《けしむらさき》ではなく、赤めいた紅紫である。

この紫の縮緬に、白地に銀が入った丸帯でいいものだろうかと燁子はさきほどから悩んでいるのだ。帯は銀で秋草が描かれ、季節にかなったものなのであるが、音楽会にはふさわしいものだろうか。銀の輝きが少し派手過ぎやしないだろうか。

そう考えているうちに、燁子は今まで自分が社交というものを全く経験していないことに思いあたる。子どもの頃に引き取られ、そのままその家の幼妻になった北小路家での日日。気位ばかり高くても金が全くない華族の家では、芝居見物や音楽会は遠い世界のことであった。そして離縁してからの燁子は、兄の家族に気がねし、外出さえままならぬ年月を過ごした。誰に命ぜられたわけでもなかったが、出戻りの女はそういうものだと燁子自身が考えていたのだ。

けれどもここ筑豊に来てから燁子には全く新しい世界が開けている。夫が与えたのではない新しい世界である。この地の名流といわれる人々は、こぞって燁子との交際を求め、そして燁子を誉《ほ》め讃《たた》える。

「燁子さんがいらっしゃって、私たちがどんなに喜んでいるかおわかりかしら」

久保博士夫人のより江が、さも重大なことを打ち明けるようにささやいたものだ。

「これでやっと博多も世間のおつき合いが出来る場所になったわけですわ」

その言葉は、なみなみならぬ矜持《きょうじ》と、燁子に対しての仲間意識に満ちている。博多の名流夫人といわれる女たち、久保より江にしても、福岡鉱務署署長夫人、野田茂重子《のだもえこ》にしても、皆、東京からこの地に居を移している女たちだ。彼女らの夫はこの地の指導者になるべく、政府から命ぜられた人間たちである。選ばれた〝よそ者〟たちは、自分たちのコミューンをつくり、自分たちが見聞きした文化というものを何とかこの地に広めようとしている。

久保博士の同僚で、創立されたばかりの九州帝国大学医学部の神保三郎博士は精神科の医師であるが、その方面からも音楽の効用を高く評価していた。神保教授の提唱で、九州帝国大学フィルハーモニーが設立されたのは昨年のことだ。今夜はその定期演奏会であった。会場にはおそらく、神保教授夫妻、柳教授夫妻、久保教授夫妻、野田署長夫妻といったお歴々が出席するはずだ。当然、燁子も夫の伝右衛門と一緒に招待されている。

燁子は自分が考えていたよりも積極的な女だということが意外だった。今まで人見知りする臆病《おくびよう》な人間だと思い込んでいたのだが、この地に来てからたくさんの女たちとつき合うことが決して嫌ではない。しょっちゅう茶会だ、花見だといっては彼女たちと誘い合っている。

福岡城に近い赤坂門の久保博士の邸《やしき》は、さながらサロンのような趣だ。歌や俳句を嗜《たしな》む者、もしくはそれに準ずるような知的雰囲気を持っている者が、サロンに出入りする権利を持つ。この街では、文学的素養を持っていることと、社会的地位があることとはほぼ同義語であるから、この選定基準に何の問題もない。広間のグランドピアノの前には、いつも誰かしら座っていて、とりとめのないお喋《しやべ》りが始まる。そんな空気にひたることは、今の燁子にとって何よりの楽しみであり慰めだ。夫からは決して得ることのないさまざまな喜びを、結婚をきっかけに手に入れるというのは、なんとも矛盾する話だが本当だった。けれどもそれは生まれて初めての喜びだったので、いくつかの疑問や困惑を燁子にもたらす。女同士で衣裳《いしょう》を相談するという行為を燁子は知らないのだ。また他の女たちも遠慮して、燁子に尋ねたりはしない。かくして燁子は、どのような場所にいても、常にややちぐはぐな着物を着てくることになった。

今日の音楽会に、この銀の帯でいいかと長く悩んでいるのもそのためだ。

けれども夕方近くなると、燁子はゆるゆるとその帯を手に持った。手伝う若い女中のタネは、帯というのはとにかくきつく締めればいいと考えている。燁子は胸のあたりのかたちをよくするため最後は自分でやり直さなければならなかった。銀の帯に青海波《せいがいは》の紐《ひも》をきりりと締める。

そうしている間に、着流しの伝右衛門が八郎を連れて部屋に入ってきた。燁子はまだこの少年が養子になるのを認めているわけではない。それなのに彼は伝右衛門を「父さん」と呼んで、彼の着物の袂《たもと》をぎゅっと握っている。

「おい、八郎を今夜の音楽会へ連れてっちゃれ」

燁子はまたかと思う。全く躾《しつけ》が出来ていない子どもを人前に出すのは前々から反対だった。先日も中洲《なかす》の共進亭という西洋料理店で食事をしたところ、スウプの飲み方を知らない八郎は、ずるずると鼻をすするような音をたてたものだ。

「子どもがベートーベンを聴いても楽しくないのではありませんか」

「そんなことはない。八郎は利口な子じゃ、たいていのことを聴いてもわかる」

伝右衛門はむきになって言う。そんな夫の真意が燁子にはわからない。八郎を出来るだけ燁子に接触させ、養子の話をうまく進めようという腹づもりかもしれなかった。

往《ゆ》きの車も八郎が強引に入ってくる。ちょうど燁子の膝《ひざ》の上に少年のひなたくさいにおいがあった。小倉の袴《はかま》に、真新しい学生帽を被《かぶ》っている。おとなしくしていなさいと燁子に何度も言い聞かされたせいか、神妙な顔をしていた。

「そんなに気取らなくてもよか、よか」

可愛《かわい》くてたまらないといった調子で、伝右衛門は八郎に話しかける。

「西洋音楽たら、屁《へ》のごたるもんがプウーッと出てそれでしまいや。何や、プウープウー、ゴンゴン、シャーンときて、ごっつうえらい大きな音が出るんじゃ」

出るんじゃといっても、この男は音楽会へ行くのが今日初めてではないかと、燁子は鼻白む思いでそれを聞いた。おそらく芸者たちを引き連れ、芝居茶屋をとおして見るような演《だ》し物しか知らないはずだ。

やがて車は会場に着いた。ロビイにはより江がいて、仲間の夫人たちと笑いさざめいている最中だった。他の女はともかく、より江が五ツ紋を着ていることに燁子は怯《ひる》むような気分になる。音楽会といっても、今夜は創立記念のめでたいものだったのだ。

ロビイには博多はおろか、九州一円の名士たちが集まってきている。そして名士の数の半分ほど名士夫人たちがいた。けれども燁子の人気には誰もかなわない。これが有名な伝右衛門の後妻、天皇陛下の従妹《いとこ》にあたる女なのかと、好奇に満ちた視線が四方から集まっている。

「これはこれは伊藤さん」

「まあ、伊藤副頭取、ようこそ」

伝右衛門に挨拶《あいさつ》する者たちももちろん多い。夫がこの地で、自分が考えている以上の尊敬を集めていることに燁子はまだ馴《な》じめないでいる。この会場に入ったとたん、

「なんや、ここ、物売りは来んとか」

という伝右衛門の声を聞いたものだ。こうした無邪気さこそ川筋気質《かわすじかたぎ》というものらしいのだが、やはり、東京からの知識階級の中ではひときわ目立つ。伝右衛門は燁子の隣りにどっかりと腰をおろした。最前列の正面の席である。おそらく主催者側が配慮してくれた最良の席に違いなかった。

拍手と共に楽士たちが壇上に上がる。神保博士たちの尽力により、ここ博多に集められた音楽家たちは、揃《そろ》って燕尾服《えんびふく》を身につけ、それぞれの楽器を手にしている。燁子は二度ほど兄嫁と出かけた、日比谷公園音楽堂でのことを思い出した。何かの慈善音楽会であったから、鹿鳴館《ろくめいかん》のなごりのような洋装の女、大振袖《おおふりそで》に高々と丸帯を締めた令嬢たちがいて、みな大層綺羅《きら》をこらした装いであった。何遍も袖をとおしたものしか身につけられない燁子は、出戻りという境遇とあいまって、出来るだけ目立たぬようにひっそりしていたものだ。席も二階席だったと記憶している。いま仕立ておろしの豪華な着物をまとい、最前列に座っている自分は、以前よりも恵まれた境遇といえるかもしれぬ。しかしそれと引き替えに、燁子はあるものを背負わされているのだ。

燁子の隣りに座っている男は、かすかな舌うちをもらす。

「何だ、物売りもいなけりゃ、仲居もいないじゃないか。弁当や酒を飲みたか時はどうするんじゃ」

やがて交響曲第七番イ長調が流れ始める。音楽家として致命的といえる難聴に苦しみ抜きながら、四十代のベートーベンがつくった曲は、最初から重く悲し気な弦楽器の音色で始まる。

その時、ガサガサと紙を揺する音が聞こえた。伝右衛門が手にしていた手提《てさげ》から紙袋を取り出したのである。「煎餅《せんべい》　あられ　幸水堂」と書き出された茶紙をちらりと燁子は見た。小さなその文字を、暗いあかりの中ではっきり目撃することが出来たのは不思議だった。そしてそれが夫の方向を見た最後になった。燁子はもう姿勢を曲げない。正面をまっすぐに見る。

やがてカリカリという煎餅を齧《かじ》る音が聞こえ、醬油《しょうゆ》を焼いた香ばしいにおいがあたりに漂う。

舞台ではティンパニーが響く。指揮者の右手がさらに高く上がる。けれども煎餅を前歯で折る音も絶えまなく続く。再び紙袋をまさぐる音。

「お前も食わんか」

「いらない……」

消え入りそうな少年の声に、確かな羞恥《しゅうち》と困惑があった。燁子は凜《りん》と背筋を伸ばし、そうしたものはいっさい耳に入らないかのように、ただ舞台だけを見つめる。けれども自分の背や肩がささくれ立ち、肉が割れ、神経がむき出しになっているのがわかる。その神経は眼球となり、横や後ろの席の人々の表情を映し出していく。誰かがしのび笑いをしている。衣《きぬ》ずれの音。あれはより江のものだ。咳払《せきばら》いをこらえるふりをしながら、手を口にあてている。耳鼻咽喉《じびいんこう》科学の権威である美男の夫の傍で、その女は燁子を嗤《わら》っているに違いない。

自分が嫉妬《しっと》しているのだと気づいた時に、燁子の新しい苦悩は始まった。燁子の生まれ育った階級では、嫉妬というものは存在しないものとされているので、燁子は最初、自分のこの不快な感情をどう整理していいのかわからなかった。けれども、より江と会い、彼女と向かい合う時に限って、胸を締めつけられるような哀《かな》しさと苛立《いらだ》ちが起こる。そしてこれこそ嫉妬だと判明した時に、燁子は狼狽《ろうばい》したものだ。

「どうしてあんな女の人に」

より江は趣味のよい着物を身につけ、教授夫人としての品位を身につけているが、それを剝《は》ぎ取ってしまえば、瘦《や》せぎすの平凡な女である。けれども美しさということでいえば、燁子と比較にもならないこの平凡な女が、多くの幸運をかち得ているのは事実なのだ。

彼女の夫は、東京帝国大学を優秀な成績で卒業し、文部省の留学生として欧州で学んだ。新たにつくられた九州帝国大学医学部のため、博多に赴任してきた博士は、まず第一級の知識階級であろう。が、博士が人々から尊敬されるのはそればかりではなかった。学生時代に落合直文《おちあいなおぶみ》の門下に入った博士は短歌をよくし、この地の文学関係者のパトロンとなっている。博士とより江夫人のサロンはあまりにも有名で、中央からの来訪者も多い。つい最近は漱石の紹介状を手にした、長塚節《ながつかたかし》という歌人もやってきて話題となったものだ。彼は『朝日新聞』に『土』という小説を連載したことがあるので、その名は燁子もよく知っていた。

久保夫妻は伝右衛門と燁子のように子どもはいないが、夫婦仲はいたって円満で、しょっちゅう二人で小旅行に出かけたりもする。それよりも燁子が目を見張るのは、『心の花』同人である夫婦が、それぞれに歌を詠み、お互いを批評し合うことである。燁子が冷静に見ても、歌の力は博士の方がはるかに上であるが、それでも彼は妻の歌を臆面《おくめん》なく誉《ほ》める。

「妻《さい》は最近、長塚さんの影響で『アララギ』を読んでいるせいでしょうか、自然描写が大層細やかにうまくなりましたな」

こんな男もいたのだ。こんな世界もあったのだだと、燁子は息苦しいほどの驚きをおぼえる。思えば何と自分は世間知らずだったのだろうか。最初の結婚で、男というものは、みんな癇癪《かんしやく》持ちで、意地が悪いものと決めてかかっていた。離縁して実家に帰ってからも、男を見たり接する機会はほとんどなかったといってもいい。だから兄や兄嫁の言葉を鵜呑《うの》みにしたのだ。

結婚というものは女にとって、もともとつらく苦しいものですよ。まわりを見渡しても、結婚して幸せに暮らしている女などいるものでしょうか。もちろん私も含めてだけれど、と兄嫁は二人きりの時にこっそりと言ったものだ。だから少しでも楽になる方法を考えなくてはいけないのよ。お金はその大きな要素であろうよ。お金がありさえすれば、女はたいていのことが慰められるのですよ。綺麗《きれい》な着物を着て、宝石を身につければ、夫の横暴も不実も見過ごすことが出来るのですよ。

「まあ、燁さんはそんなことで慰められはしないかもしれないけれど」

それでも義妹の気性を知っている兄嫁は、いくつかつけ加える。

いいですか、燁さん、夫に多くのことを期待するから不幸になるのですよ。妻は妻で別の世界をつくればよいのです。それが出来るには、本当にお金と力が必要だけれども、話によると伊藤さんは女学校をお持ちだという。燁さんはそこの女校長となって存分に力を振るえばいいのですよ。もしお嫁入りなさって、伊藤さんが思っていたような人でなくても、燁さんには学校という楽しみがある。それはとてもいいことではありませんか……。

本当に自分は何も知らなかったのだと、燁子はしみじみ思う。そして兄嫁も全く世間知らずであった。世の中には夫から、多くの喜びと満足を得ている妻も、確かに存在しているのだ。夫だけで充《み》ち足りている妻、夫からあまりにも多くのものを得ている妻。そしてその妻が、必ずしも美しかったり、高貴な出であるとは限らない。平凡な田舎出の女が、自分の数十倍の幸福を手にしているのだとつぶやいた時、燁子はああ自分は嫉妬しているのだというぞっとする真実にいきあたる。この私が嫉妬している、しかも自分よりはるかに劣った女に。しかもその女は、この自分に同情しているのである。

あの音楽会以来、燁子にわかったことがもうひとつあった。女を憤怒させるのは嘲《あざけ》りや侮蔑《ぶべつ》ではない。それは同情なのだ。嫌悪や嘲りや侮蔑には、まだ相手が同じ場所に立っていることを認める気持ちがある。けれども同情の視線は常に下に向けられている。憐《あわ》れまれる人間はそこよりも低い場所に立っていると見なされているからだ。

この私が同情されている。憐れまれている。燁子はここで吐き気を感じるほどの息苦しさをおぼえる。そして自分に向けられた粘着性のその感情を振りはらおうと昂然《こうぜん》と頭を上げると、より江への憎しみが湧《わ》いた。そしてその憎しみはさらに燁子を苦しめる。より江は何もしていないのだ。心の底では燁子に同情し、憐れんでいるのは確かであろうが、それだけでは彼女を糾弾することは出来ない。より江は善意の女である。まだこの土地に慣れていない燁子を、やさしく自分たちの世界に導く水先案内人の役割をしてくれている女だ。より江たちのいる岸辺に辿《たど》りつけなかったら、今頃自分がどれほどみじめな日々をおくっていたかということは、容易に想像出来る。今や、より江のサロンで、多くの人々と知的な会話を交わすことは、燁子にとって「女学校」なのだ。ついに幻に終わった伝右衛門の女学校に代わるものを、燁子はより江とそのグループに求めている。

より江を拒否するのは、こうした世界を失ってしまうことだ。そして燁子は自分の内面に発生する、たくさんの膿《うみ》を消去するために、なおさら頻繁により江と会う。彼女と会うことによって、さまざまなものを否定しようとする。けれども、より江に近づけば近づくほど、その膿はさらに大きく拡《ひろ》がってしまう。

おとといも久保邸で、観月の会が開かれた。博多で名高い老妓《ろうぎ》が呼ばれ、月にちなんだ横笛《よこぶえ》の曲を吹いた。

「まさに紀貫之《きのつらゆき》の世界だな」

と久保博士は言い、古今和歌集《こきんわかしゅう》の歌を暗誦《あんしょう》してみせた。いつもは洋装の博士であるが、宴にちなんで色のいい塩沢《しおざわ》の対《つい》を着ている。白皙《はくせき》という言葉がぴったりの博士にその塩沢はよく似合って、燁子は昔、親戚《しんせき》の家にいた美男の書生を思い出した。

久保博士は傍に戻った老妓をねぎらい、盃《さかずき》に酒を満たした。粋人《すいじん》というのでもないが、さりげなく花柳界の女に接することが出来る人柄だ。

会津《あいづ》藩士の出であるから、北国の男らしい端整な顔立ちをしている。選ばれた階級であることを示す髭《ひげ》が実によく似合う。非常におしゃれな男で、帽子は必ず山高帽を被る。これだけ帽子が高いと、上から物が落ちてきても自分の世界的頭脳を保護することが出来るというのが、冗談とも本気ともつかない博士の持論であった。ともかくこの山高帽にステッキという、完璧《かんぺき》な英国紳士風に整えた博士が、ホロつきの人力車で博多の街を通ると、人々は自然に頭を垂れた。博士の名医ぶりはよく新聞でも紹介されていたからである。社会的地位が高く、誰からも尊敬される頭脳。それは燁子の身近にあって、そして燁子の指の間からこぼれ落ちていったものである。

あの頃、学者との縁談もいくつか持ち込まれた。初婚ではなく、妻に先立たれて、子どももひとりかふたりいた相手だったと記憶している。が、そうした縁談は、兄や兄嫁によって一蹴《いっしゅう》されたものである。どうしてあの人たちは、学者というものは気むずかしい、変人が多い、吝嗇《けち》だなどと言いたてたのだろうか。世間の狭い彼らが、学者というものを知っていたとは思えない。それよりも責められるべきはやはり燁子自身で、どうして見たこともないもの、知ってもいないものに早々と結論を出したのだろうか。

学者でも久保博士は宏大《こうだい》な屋敷に住み、大勢の客をもてなす余裕もある。そして知的で文学的素養のある主人がつくり出す、居心地のいい温かい家庭。これこそ燁子がかつて憧《あこが》れていたものではないか。世の中にこれほど素晴らしい男がいる。そしてそのことを結婚前の燁子は知らず、結婚してからの燁子は知ってしまった。

全く皮肉なことであるが、伝右衛門に嫁いでからのほうが燁子には自由があり、そして広い世界を知る機会があるのだ。歌の仲間の集まりだといえば伝右衛門は何も言わず、燁子は好きな風に外出することが可能なのである。

燁子は今や、恋人と同じぐらいの頻度で久保と会っているのである。久保邸の応接間で久保と向かい合い紅茶をすすり、時には舶来のウィスキーの相伴をすることさえある。燁子はほんの嘗《な》めるほどしか酒を飲むことは出来ないが、久保とこんな風な時間を過ごすことは、今や燁子にとってかけがえのないものになっている。

自ら語学の天才と称する久保は、英国、仏蘭西《フランス》、独逸《ドイツ》の書物を原書で読んでいるのである。

「燁子さん、フローベルの『マダム・ボヴァリイ』がこのあいだ発禁となりましたが、あれは翻訳が悪いんですな」

「まあ、あれは田山花袋《たやまかたい》の訳でしたわね」

「そうです。あの小説は確かに良俗に反するところがありますが、私がやればもう少し品よく訳せたはずですよ。自然主義者などというものは、どうも貧乏たらしくていけませんな」

煙草《タバコ》をいっさい吸わない久保の歯は白く、燁子はその笑顔に一瞬見惚《みと》れる。そしてそんな自分の心を怖《おそろ》しいとも浅ましいとも思うのであった。

「まあ、嫌ですわ、あなた。フローベルの『マダム・ボヴァリイ』といったら、人妻の不倫のお話じゃございませんこと。不倫の話をどうやったら品よく書けますのかしら」

こんな時、必ず横合いから茶々を入れるのがより江で、燁子はそのたびにつくり笑いを保つのに苦労する。

「いや、いや、不倫だから品よく書かねばならぬ。人妻の揺れる心をだな、丁寧に書き込んでいれば、良俗だ、道徳だと騒ぐ輩《やから》を黙らせることが出来るのだ」

「まあ、あなたったら、嫌ですわね」

より江は屈託ない笑顔を向ける。

「私たちのような貞淑な妻たちに向かって、よくそんなことが言えますわ」

どうしてこれほどぐだらないことしか言えぬ女が、久保のような男を独占出来るのだろうか。そしてなぜ博士夫人という地位を手に入れられるのか。

より江に対しての苛立ちはさらに昂《たか》まり、燁子は辛抱出来なくなるほどだ。そして燁子はそうした自分の悪意を閉じ込めるために歌を詠む。

「妬みすれば紅《あか》き血汐《ちしほ》のことごとく黒く沸《た》ぎるよ女はくるし」

「おん二人仲にめでにし鸚鵡《あうむ》姫息絶えてける六月なかば」

「一度もあやまたざりし身の悔よそれさへ人の科《とが》と恨みき」

まあ、また恋の歌をお詠みになって。より江の声が聞こえてきそうだ。

「ご主人がいらっしゃるのに、どうしてこんな風に恋の歌をお詠みになるのかしら」

そうしたらまた同じことを言ってやろう。

「だって歌ですもの。歌の世界ではどんなことも許されますもの」

鈍感なあなたは気づかないかもしれないけれど、鸚鵡を歌った歌は、あなたたち夫婦のことですわ。初夏の真昼、白い砂の庭園。じりじりと陽《ひ》が照って、砂のひと粒ひと粒を焦がしているようだ。そこに一羽の鸚鵡が死んでいる。毒々しいほど美しい羽も、この陽ざかりの中では、あと二時間もすれば色を失うに違いない。二人の愛の証《あかし》のために自然死するぐらいならと、燁子が手をかけたのだ。

その鸚鵡は、大層仲のいい中年の夫婦の愛玩物《あいがんぶつ》であった。夫と妻、それぞれの名前を反すうすることを憶《おぼ》え、夫が呼ぶと妻の名を、妻が呼ぶと夫の名を叫ぶ。それを聞いて夫婦はいつも微笑《ほほえ》み合っている。鸚鵡さえ息苦しくなって死んでしまいかねない熱愛ぶりだ。その光景が憎らしくて、燁子は鸚鵡を殺したのだ。

実際の久保夫妻が飼っているのはカナリヤで、燁子はもちろん鳥に手をかけたりはしない。けれども目を閉じると、白い砂の上に自分が殺した鸚鵡が投げ捨てられているのをはっきりと見ることが出来る。

そして燁子は、もうひとつはっきりと目にしたものがあるのだ。『心の花』に鸚鵡の歌が載ってすぐの頃である。燁子は久保邸の応接間でカナリヤの籠《かご》をぼんやりと眺めていた。それは流れるような曲線で出来ていて、遠くから見るとたて琴の先に吊《つ》るされたランプのように見える。おそらく久保が、横浜の欧州家具屋から取り寄せたものに違いなかった。

「気をつけなければ」

男の声で振り返ると、そこにはフロックコートを着た久保が居た。あたりには人がいない。約束した時間を二十分も過ぎているのにより江は外出先からまだ戻ってこず、もうしばらく待っていてくださいと女中が電話を取り次いだばかりである。

「気をつけなくては。あなたは鳥を殺す人ですから」

久保は少し怒っているように見え、そのことは燁子を有頂天にさせる。やはり久保は気づいてくれたのだ。あの鸚鵡が何をさし、誰のことを歌ったものか。より江は理解出来ないまま、どうか久保にだけ感づいて欲しいと燁子の祈ったとおりになった。

「あなたは何て怖い人なんだろう。僕の鸚鵡を殺そうとする」

そしてむっと唇が閉じられる。こんな風な男の表情と物言いが、どんな心理に基づいているか既に燁子は知っていた。ああ、私は恋をしていると燁子は激しく思う。そして相手も私のことを思ってくれている。それがわかる。恋は初めてであるがしっかりとわかる。

「あれは歌の中でのことですわ」

　けれども不思議に燁子は落ち着いてきて、じっと久保の目を見ることが出来た。目をそらしたのは彼の方だ。

「歌に詠んだだけで、私は何もしやしないじゃありませんか」

「燁子さん、あなたはとても怖い人だ。本当に怖い」

「どうしてですの、どうして私が怖いのかしら」

　二人の視線がからまり、やっと余裕が出た男の方も、それをはずそうとはせず燁子もはずさない。幾重にももつれた。

「そんなに怖い、怖いとおっしゃると、私、もうおたくにはうかがえませんわ」

「それは困ります、とても困る」

　久保が一歩足を踏み出し、カナリヤがチチと籠の中を飛んだ。そしてその時、扉が大きく外から開けられた。

「燁子さん、お待たせしてごめんなさい」

　黒のビロオドのショオルを肩にかけたより江だった。

「あなた、もうお帰りになっていらしたのね。ちゃんと燁子さんのお相手をしてくださっていたのかしら」

「ああ、僕も今帰ったところだが」

いつのまにか久保の足は、元の位置に戻っている。

「より江さん」

燁子は言った。

「私たち今まで鳥のお話をしていましたの。鳥を殺すのは罪になるのかどうかって」

「それは罪でしょう」

より江はカナリヤを見るふりをする。

「誰かが飼って大切にしている鳥ならなおさらですわ。罪になりますとも」

そして二人の女はにっこり微笑み合った。

第六話　希　望

燁子は恋の歌を詠む。

「君に会ひ泣かむためとてうつし世に生れあひける此身《この》なりしか」

「君に逢《あ》ひ泣くべき時を命にて秋の七度生きてゐしかな」

「会ひ見ではすねても見たく別れては泣きて哀れをこはむとも思ふ」

同人誌『心の花』の主宰者で、燁子の歌の師である佐佐木信綱も、その大胆さにとまどっているようだ。「燁さん」と、子ども時代からの名で呼びかけて言った。

「歌というのは自分の心のたかぶりですからな、女の方たちは昔からよく恋の歌をお詠みになる。けれども燁さんは人妻になられた。それも人目をひくような結婚だ。口さがない人たちは、夫婦仲がよろしくないのではないかとか、柳原さんには秘密の恋人がいらっしゃるのではとかいろんなことを言う。まあ、誤解を受けないようにほどほどのことをなさった方がよろしいのではないか。あなたは恋を詠まなくても、才がおありだからこんなことを申し上げるのだが……」

そんな時、燁子はとまどったように微笑《ほほえ》むだけだ。少女の頃から教えを仰いで尊敬する師であるが、佐佐木にも決して言えないことがふたつある。

そのひとつは、燁子は決して絵空ごとで恋の歌を詠んでいるわけではない、ということだ。幸袋《こうぶくろ》の家の文机《ふづくえ》の前に座り、燁子は筆を執る。漆に螺鈿《らでん》細工で桜と梅がほどこされたこの文机は、燁子が嫁入り道具として実家から持参した数少ないもののひとつである。今の天皇をお産みになった柳原二位局《にいのつぼね》も、それで手習いをされたという由緒あるものだ。燁子はその前に座り、まず軽く触れる。年代を経た漆の手触りはやわらかく、ひんやりとしていて、燁子はこの文机を使ったであろう祖先の女たちをたやすく想像することが出来た。禁裏《きんり》に生き、小袿《うちかけ》をまとった女性《にょしょう》たちが、燁子の中の熱いものをかきたてる。やがて墨のにおいが燁子をつつみ、女たちはもっと激しく、もっと熱くと燁子をそそのかすのである。

このように溶岩に満ちた心と躰《からだ》に、ひとつでも出口がなくては燁子は死ぬだけではないか。もちろん抜け穴はあった。それはたとえようもなく小さく、陽《ひ》の光がいつか射《さ》し込んでくるとも思えないのであるが、燁子はそれを凝視し、ありったけのものを注ごうと思う。『心の花』の有力同人であり、夫婦ぐるみで親しくつき合っている久保博士こそ、燁子の抜け穴なのである。このところたて続けに『心の花』に発表している恋の歌は、久保に向けたなじりであり暗号なのだ。もちろん人の夫であり、博多きっての名士である久保が、それに応《こた》えるはずもない。ましてや燁子は人妻なのだ。

けれども久保のサロンで、何かの拍子に二人の視線はからみ合うことがある。彼は端整な横顔を燁子の方に向け、軽く頷《うなず》くこともある。それは燁子の歌を解読したという証《あかし》なのだ。燁子は有頂天になる。喜びのあまり胸の動悸《どうき》が早くなる。

が、こんなことを佐佐木に明かすことは出来ない。稚児髷《ちごまげ》で師のもとに通った十歳の時から数えて二十年、燁子は初めて師に隠しごとを持ったのだ。

佐佐木に口を閉ざしていることがもうひとつある。それは今度の上京が、破局を迎えようとしている自分たち夫婦の話し合いのためということである。

今年の春、伝右衛門の養子となっている甥《おい》の金次が嫁を迎えた。相手は佐賀有田《ありた》深川製磁の娘である。ここでつくり出される陶器は全国的にも名高く、皇室の御用を受けている。艶子《つやこ》と名づけられた娘は、本当に白磁のような肌を持つ大柄な美人である。修猷館中学に通う頃から半玉《はんぎょく》に子どもを産ませたりと、伯父譲りの放埓《ほうらつ》さを見せていた金次も、新妻が気に入った様子で今は落ち着いている。昨年明治大学を卒業した彼は、伝右衛門の事業を継ぐべく幸袋に帰っているのだ。

この金次の婚礼に際して、初めて伊藤家の戸籍を見せてもらった燁子は、しばらく声も出なかった。複雑な家といわれる伊藤の家の戸籍は、目に見えるものよりさらにすさまじく、複雑を通り越して奇怪といってもいいほどである。金次の弟で嘉穂中学に通う八郎を、伝右衛門は大層可愛《かわい》がり、以前から養子にしたいと言っていたのであるが、燁子は拒否していた。伝右衛門の妹にあたる彼らの母親も父親も健在なのだ。その息子を二人とも養子にすることはあるまいというのが燁子の正直な感想であった。

ところが戸籍を見ると、なんと八郎は金次の養子となって、ずっと以前に入籍されているのだ。

「あいつらの母親が泣きよるけん。八郎は子どもん時からこの家で育った子じゃ。将来もきちんと伊藤の者にしてくれちゅうてな」

と伝右衛門は平気でうそぶく。

驚くことはまだあった。なんと他の女が養女として入籍されているではないか。この「ツネ」という女の名には記憶がある。伝右衛門の長年の妾《めかけ》だ。

「お前《まん》も仲人から聞いて知っちょるやろうが。お前がここに来る時にすっきりさせた女たい。その女が金だけじゃ嫌だ、俺《おれ》の籍に入れてくれちゅうて泣きついてきたけん、入籍だけさせた」

怒りと驚きのあまり声も出ない煙子に、伝右衛門は畳みかけるように言う。

「仕方なか。お前が嫁に来た時に暇を出した女やけん、そのくらいのことをせんと納得してくれん」

「だったらサキにも暇を出せばいいじゃありませんか」

気がついた時は悲鳴のような大声で叫んでいた。

「あの女中頭のことを、私が何も気づかないとお思いになっていたんですか」

四十がらみの太り肉《じし》の女だ。伝右衛門が風呂《ふろ》に入ると、彼女も襷《たすき》がけで裾《すそ》まくりして入り背中を流してやる。湯あがりの全裸の伝右衛門の体を拭き、下帯をつけさせるのも彼女の役目だ。サキは家計いっさいを任され、伊藤の家に強請《ゆすり》や物乞《ものご》いにやってくる有象無象《うぞうむぞう》の男たちを一瞬のうちに判断し、それぞれ分に応じた金を与える。そんな時のサキは男たちも威圧されるほどの自信と誇りに満ち、女主人といっても信じる者はいただろう。

「サキのことを見逃すことは出来ません。あの女もツネと同じように金をやって暇を出せばいいでしょう」

「それは出来ん」

否定の時に、伝右衛門はいっそう寡黙になる。テコでも余計なことは喋《しゃべ》らないと、その金壺眼《かなつぼまなこ》は光って身構えているようなのである。

「サキが居なくてはこの家はやっていけん。だから他所《よそ》には出さん」

居間での会話だったが、どうやら女中のひとりが聞いていたらしい。その女はサキの遠縁にあたる小娘だったから、さっそく台所へ行って注進し、サキ派の女中たちは凱歌《がいか》をあげたという。それをまた燁子にことこまかに告げる女が伊藤の家には居る。

「奥さま、私はもう口惜《くや》しくって口惜しくってなりません。おサキさんたちは、さすが旦那《だんな》さんだ、ものごとの道理がわかっちょるちゅうて手を叩《たた》くんですよ。私もおヤエさんも泣きました」

そしてあの日が来た。燁子付きの女中がまっ青な顔をして部屋に飛び込んできた。最近『福岡日日新聞』が「博多名流夫人列伝」と銘うって評判の夫人たちを取材している。今日は写真もことさら大きく「麗人といふ名はこの人のためにあり」と燁子を載せたのだ。難解な字は読めないために新聞はいっさい無視する伝右衛門も、美しい妻の写真にまんざらでもなかったらしく、朝食の際にしみじみと見入っていた。燁子もそれが嬉《うれ》しく、戸籍を見た際の激しいやりとりもしばし忘れたような夫婦の朝であった。

給仕をしていた女中からそのことを聞いたサキは、たちまち不機嫌になり、持ってこさせた新聞、それも燁子の写真を上に向けて下駄《げた》で踏みつけたという。

「こんなもんいらん、いらんのはこっちに使お」

と節をつけるようにして、その新聞紙を竈《かまど》の中に放り入れたというのだ。若い女中の手前、燁子は平静を保ち、他の用事にかこつけてサキを呼び出した。

「そんなこと言われても困るわなア」

この地方独特の跳ねるような言葉を発する時、サキは実に醜く唇が曲がる。

「私ら、煮炊きに薪《まき》燃やす時、新聞紙の絵まで見ませんわ。そんなこつ言うなら、奥さんはこれからマッチに火ィ付けるたんびに、新聞紙いちいち確かめろっちゅうんですか」

燁子は言った。私が育った家では新聞紙を使う時、女中が新聞の裏表を隅から隅まで見ましたとも。もしかすると天皇や皇后のお写真が載っていることがある。それはすぐわかるとしても、お名前が出ていることもあるから注意しなくてはならない。陛下のお名前の上に、揚げた天麩羅《てんぷら》を置いたりしたらどうなりますか。昔から写真や名前には魂が宿っているといいます。その人を敬う気持ちがあれば大切に扱うはずではありませんか。

途中からこんな女に喋ってても何がわかるのだろうかと空《むな》しい気持ちになった。サキが卑《ひ》怯《きょう》なのは無知なふりをすることで、

「そげなこつ言われてもなア、私ら学のないもんにとっちゃ、新聞紙に何が出てるかわからんもんでなア」

と、薄ら笑いをうかべている。勝利を信じきっている女の太々《ふてぶて》しさは、燁子に吐き気さ

えもたらす。伝右衛門は昔のことだと否定したが、自分の留守中に今も夫はこの女と寝ているに違いなかった。目尻《めじり》のあたりに小皺《こじわ》が目立つものの、てりのある白い肌だ。もっと深く笑うと笑窪《えくぼ》が出来るやわらかい頰《ほお》は、この女をお人好しにも、淫《みだ》らにも見せることがあった。着物こそ地味な木綿ものを着ているが、刺繡《ぬい》がたっぷり入った半衿《はんえり》はそう安くないもので、あきらかに女中の域を越えていた。伝右衛門が買ってやったものにきまっている。

「妾のくせに」

罵《ののし》ろうとしてその言葉が燁子の喉《のど》の奥で止まった。これと似た嘲《あざけ》りを十六歳の燁子は受けたことがある。養女に貰《もら》われていった北小路家の長男、その年燁子の夫となる資武が吐いた言葉だ。簡単に思うままになると思った少女の燁子が、必死の抵抗を見せた時に男は言った。

「もったいぶるな。妾の子どものくせに。芸者が産んだっていうじゃないか」

自分の出生を初めて知った時の衝撃は、その後の犯された経験とあいまって燁子に深い傷跡を残している。サキは燁子の出自を知っているのだ。妾の子どもが、妾に何を言うかとその目は語っている。燁子が忘れよう、忘れたいと願っているものは、いつもこうして屈辱的な形で目の前に差し出されるのだ。自分の心の奥深くあるものが、いつも下劣な人間に見破られてしまうのだ。

罵りの言葉は勢いを失い、嗚咽《おえつ》になって燁子の喉からほとばしる。この私が使用人の前で、しかも夫の女の前で泣いていると思うと、燁子は気が遠くなりそうになる。けれどもその声を止めることが出来なかった。

その夜、伝右衛門と向かい合っても、燁子はただただ泣いた。恨むことが多すぎるのだ。あれほど楽しみにしていた女学校のこと、伝右衛門の不能のこと、知らぬうちに汚されていった戸籍、伝右衛門の無教養さ、それらの鬱積《うっせき》はただひとつの言葉となった。

「サキをやめさせてください」

それは出来んと伝右衛門は言う。

「あいつが居なけりゃ、このうちのことはまわらんようになる」

その一点張りだ。最後は黙りこくる伝右衛門に、どうか離縁して欲しいと燁子は頭を下げた。ああそうしようとは彼は言わなかったが、こうして二人で東京に来たことを考えると、当然そうなっても仕方ないと思うまでに伝右衛門の決意も固まっているらしい。

おとといも燁子の兄の柳原義光、妻の華子、姉の信子《のぶこ》に、その夫で入江《いりえ》家の当主である為守《ためもり》が加わり話し合いがもたれた。兄や姉、その配偶者たちも多弁ではないが、伝右衛門はさらにもの言わぬ男である。それでもぽつりぽつりと喋り出した。

「正直言って私もほとほと疲れました。この婚礼は華族のお姫さんを貰うから、たいていのことは覚悟していたつもりですが、燁子が来てから伊藤の家はそりゃ難儀しております」

抗議しようとした燁子は、兄に厳しく制せられた。

「うちに古くから居る女中頭とどうしてもうまくいかん。伊藤のうちは出入りが多いですけん、取り仕切る者が居なければどうにもならん。燁子にそんな役が出来るかと言えば、毎日、それ歌の会だ、音楽会だと出歩いている。私はそれが悪いと言っているわけじゃない。あんな田舎で楽しみを見つけなければ、東京育ちの女がやっていけるわけはないでしょう。けれども燁子は自分は外で勝手なことをしておいて、ようやってくれる女中頭は追い出せという。こんな道理がとおるでしょうか」

筑豊訛《なま》りの男の声はこうして聞くといかにも真実味があり、兄の義光などは何度も頷いたものだ。いや、義光はたとえ伝右衛門が何を話そうと、さもありなんと賛同したに違いない。途中で燁子は深い失望のため息をついた。肉親から夫に意見をしてもらおうと考えていた自分は、何と愚かなのであろうか。もうこれ以上は訴えても無駄だ。兄夫婦の肚《はら》のうちはすっかり読めた。彼らが怖れているのは、血を分けた妹が不幸になることではない。妹が再び出戻りとなって、この家で引き取らなくてはならないことなのである。結婚の際、伝右衛門から届いた多額な結納金のことも気がかりなのだ。

あれほどの味方だと思っていた兄嫁の華子でさえ親身そうなふりをしながらこう言いはなった。

「夫婦というものはね、燁さん、それぞれの言い分があるものですが、お互い聞く耳を持たないと、いつまでたってもお客人のままでしょう」

いつのまにか燁子は彼らにじりじりと包囲され、夫にわびを入れろと詰め寄られていた。自分がどんな風な言葉を伝右衛門に告げたのか燁子は憶《おぼ》えていない。ただただ心の中で叫び続けていた。頭を下げろと言われれば百万遍でも下げよう。いま皆の前でかたちだけ取り繕えばいいのだ。いつか自分はきっと逃げてみせる。準備を整え、頃合いを見はからって、きっと自力であの地獄から逃げ出してみせる。もう兄など頼らない。自分ひとりの力でやってみせるのだ。

そんな燁子の心を知ってか知らずか、姉の信子はその夜実家に泊まり、燁子と枕《まくら》を並べて寝た。早く養女に出されていた燁子だったから、姉と一緒に寝たことは何回もない。

「あのなあ、燁さん」

入江家に嫁いで二十年、信子にいつしか身についた京訛りは、闇《やみ》の中でのひそひそ話にいかにも似合っていた。

「燁さんの気持ちもようわかるけど、女は辛抱せんとなあ、私らのおたあさんだって、いろんなことがおありになって、はっきり言えば飾りもんの奥さんや」

宇和島《うわじま》藩伊達《だて》家から嫁いだ正妻の初子《はつこ》は、信子と義光を産んだ。妾腹《しょうふく》の自分は「いろんなこと」の結果なのだと燁子はさらにきつく唇を嚙《か》む。

「そやけどなあ、女はみんなそうしたもんや。おたあさんが前におっしゃってた。夫だと思うから腹も立つし涙も出る。親切な方の養女となった、一緒に暮らしてる男の人は養父やと思えばそうつらいこともないと……。なあ、燁さん、そう思って辛抱出来んことはないか」

そしてまた自分は〝養父〟と共に、あさって九州へ帰る。そしてまた恋の歌をつくり続けるだろう。そんなことを佐佐木にも誰にも言いはしない。不幸な女に対しては人は臆病《おくびよう》になり、遠まきにするだけだ。意見をしても誰も手をさしのべてはくれない。それを知ったことが、今回の上京で特にいちばん大きなことだ。

汽車の中でもほとんど口をきくことなく、二人は幸袋に戻ってきた。駅に到着したとたん、伝右衛門の不機嫌さは頂点に達し、出迎えの者に来るのが遅いと怒鳴ったほどである。こんなことは珍しい。使用人に関する限り、彼は極めて鷹揚《おうよう》な男だったからである。

「こげんたくさんの荷物、自分で運べっちゅうことか」

いつまでも男衆《おとこし》をなじる。燁子は素知らぬ顔をして先に歩き始めた。門番がいる伊藤家の冠木門《かぶきもん》をくぐり玄関に入ると、サキを始めとする女中たちが、出迎えのために式台にずらりと並んでいた。

「旦那さんはもうじきお着きになるよ」

燁子一人だけが草履をさっさと脱いだので、女中たちはけげんそうな顔をしている。けれども夫婦別れのために出かけた旅だ。どうしてのうのうと二人一緒に帰ることが出来ようか。

すぐに自室に入り、女中に手伝わせて着物を着替えた。今日はここから一歩も出るつもりはなく茶も持ってこさせた。女中に尋ねると、伝右衛門も疲れた、疲れたを連発し、いま床をとらせている最中だという。いくら若いといっても、五十過ぎの男に長旅は無理なのだと、燁子は勝ち誇ったような気分になる。

その時、廊下を小走りにくる足音がした。襖ががらりと開いて女中が顔を突き出す。

「奥さま、旦那さまが大変です」

旅装を解いた伝右衛門が、いきなり血を吐いて倒れたという。急いで部屋に駆けつけると、下着姿の伝右衛門が、口のあたりを暗紅色に染めてうずくまっている。

「早く丸山先生に電話をなさい。それから布団に寝かせるから、足の方を持っておくれ」

てきぱきと指示をしながら、自分の背中に驚きが去った後の冷たさが宿るのがわかる。こんな偶然があっていいものだろうか。東京にいる最中、いっそのこと伝右衛門が死んでくれたらどれほどいいだろうかと思ったのは事実だ。それが幸袋に着いたとたん倒れるなどというのはまさしく因縁だ。

天のどこからか見張られているようで怖《おそろ》しい。しかしどこの世界に、本気で夫の死を願う妻がいるだろうか。そうする間にも、伝右衛門はげぼげぼと血を吐き続け、気がつくと燁子は必死に背をさすっているのだ。

伝右衛門は胃潰瘍《いかいよう》と診断された。このところ仕事で無理を重ねていた上に、急な東京行きで胃がまっ先に悲鳴をあげたというのだ。

「命に別状はないといっても、決していい状態ではありません。以前も入院されたことですし、一度きちんと手術をした方がいいかもしれませんな」

燁子という妻が原因だと、たいていの人間が思っているようなのであるが、実は胃潰瘍はもとからのものだ。伝右衛門の父の伝六も生涯これに苦しめられたという。

伝右衛門が入院した丸山医院には、たくさんの人間が押し寄せてきた。死臭を求めて近づいてくる禿鷹《はげたか》のようなものだと燁子は思う。その中には金次と八郎の両親、静子の実の母親、初枝の母親も含まれている。静子の母親のキヨは、もう髪が薄くなった四十女だ。彼女から美しさのひとかけらも発見されないことに燁子は腹を立てる。この女のことも原因となって激しい争いをした自分たち二人はいったい何なのだろうという思いだ。

とにかくこうした人間たちを整理することが肝心であったが、看病をしたいという女たちを家へ帰すのも容易なことではなかった。燁子がそう命じると、皆、鬼を見るような目つきになる。お前のために病んだといわんばかりだ。

「私が看病せんで、誰が看病するですかね。私は旦那さんのお好みをよく知っとるけん、私に任せてつかあさい」

最後は皮肉めいた口調になるキヨに、燁子はきっぱりと言った。

「私が看病いたします。ご心配なく」

そんな自分にいちばん驚いたのは燁子だっただろう。あれほど憎み、逃げ出す算段までしていた夫だ。それなのにどうして看病すると宣言してしまったのだろう。病室に戻ると伝右衛門は眠っていた。無精髭《ぶしょうひげ》が伸びた喉にたるみがあり、起きている時よりもはるかに無防備に老いを見せている。これほどあからさまになった老いに対して、どうして人は憎しみや拒否を示すことが出来ようか。

燁子はシーツを直そうと手をかける。その時、不思議な歓喜が燁子を包んだ。あれほど燁子を苦しめた元凶が、シーツにくるまれて横たわっている。ぐったりと意識がなく、もはや燁子のなすがままになっているのだ。丁重に扱うことも出来るし、一本の紐《ひも》を使って命を奪うことも出来る。すべて燁子に任されているのだ。だから燁子は可能な限り丁寧に看病しようと決意する。それは道徳というよりも余裕の問題なのだ。

その日からの燁子の働きは、丸山医院の看護婦たちをいたく感動させたものである。下の世話はもちろん、伝右衛門が寝ている最中も彼の足や腕をやさしくさすってやる。燁子の様子には芝居じみた一途《いちず》さがあったが、それは本人自身も気づかないことであった。四日たち、伝右衛門がベッドに起き上がるようになると、退屈しないようにと燁子は本を読んで聞かせてやった。

是《これ》を思ひつくと彼は直ぐ実行に取りかゝつた。牢番《らうばん》が去つてからダンデエは僧正の遺物のナイフで袋の口を開け、死体を引ずり出して、例のもぐり穴からそれを自分の窖《あなぐら》へと運んで行つて、丁度自分が睡《ねむ》つてゐるやうな工合《ぐあひ》に寝台の上へ横《よこた》へた。そして再び僧正の窖へとつて返すと、自分は裸になつてナイフを握つて袋の中へ入り、袋の中からうまく袋の口を綴《つゞ》り合せた。

それはもう夜の九時頃であつた。到頭二人の人足が提灯《ちやうちん》を下げた牢番と一緒に入つて来た。袋の中のダンデエは、懸命に手足を突張らせて如何《いか》にも死体らしく装った。そしてぢつと呼吸の音を潜めてゐた。やがて人足は袋を担架に乗せて階段を上り、三十歩程すると、遠く下の方に波の音の騒いでゐる断崖《だんがい》の上へ担架を下した。それから袋の下へ大きな石の錘《おもり》を結びつけ、同時に縄で足をしつかりと結へた。ダンデエは吃驚《びつくり》したが、やつぱりぢつと呼吸を潜めてゐた。

早口だとよく言われる燁子であったから、物語を朗読する時は出来るだけゆっくり、声も低くと心がけた。講談好きな伝右衛門のために、本はわかりやすく面白いものを選んだが、『巌窟王《がんくつおう》』はことのほか彼を喜ばせた。

「さあ、これから自分はモント・クリスト島を自分の住居にして、自分の思ふいろ〳〵な土地へ不思議な旅をしなければならない。金で得られるあらゆる事をやつて退《の》けよう、そして自分を苦しめた凡《すべ》ての人々に復讐《ふくしう》の恐ろしさを見せてやらう。」とダンデエは、大空に向つて誓ふやうに呪《のろ》ふやうに一人豪語した。

快走船がマルセイユに着くと、船をジャコボに托《たく》して、ダンデエは直ぐに何処《いづこ》へとなく姿をかくした。

「なるほどなアー、この男は俺の親父《おやじ》にそっくりや」

伝右衛門が目を閉じたまま言う。そうすると目尻に白い粘っこい目やにが発見出来たので、燁子はガーゼで拭《ぬぐ》ってやる。

「俺の親父もなあ、つるはし一本担いでな、いろんな鉱山《ヤマ》を渡り歩いたもんや。絶対にあたるはずがないとまわりの連中に笑われてもな、そいでも自分の信念を曲げんかった。俺なんか親父に比べるとクソみたいなもんやろ」

伝右衛門が父親のことについて話すのを聞くのは初めてだ。魚の行商人から這《は》いあがり、炭鉱主となった伝六のことを、彼が密《ひそ》かに自慢に思っていることも初めて知った。

「子どもの時は本当に貧乏したわ。もう食べ物がのうなってしもうて、そんな時はどうするかというとだな、とりあえず海岸らしいところへ行くんじゃ。するとな、漁師が網引いとる。そこへ入ってくんじゃ。すると雑魚《ざこ》の一匹や二匹は貰えるからそれに塩ふって焼く。おい、燁子、お前地引網ちゅうのを知らんじゃろう。網をこうしてだなあ……」

「私のこと、何もご存知ではないのね」

燁子は少し怒ったふりをする。

「私は子どもの頃品川《しながわ》で育ったんですよ。乳母のところへ里子に出されていたの。毎日真黒になって走りまわっていました。だから漁師の網なんかしょっちゅういじっていたわ」

「へえー、そうか」

伝右衛門はしんから驚いたように目を丸くする。

「まるっきりのお姫さん育ちだと思うちょった。目のついた魚なんか見たことのないような女だと得能さんは言っていた」

「それを仲人口というのでしょう」

燁子が言い、ふたりはいっぺんに吹き出した。

嫁いで三年と半年、初めての夫婦らしい会話である。伝右衛門は仕方なく笑う、といった感じで片頰だけをかすかに動かす。その動作になんともいえない愛敬《あいきょう》があると感じる自分の気持ちに、燁子は少し照れている。

もしかしたら希望を持てるかもしれないと思う。

「あのなあ……」

窓の景色を見るようなふりをしながら、伝右衛門は妻から視線をはずし、そしてつぶやいた。

「サキに食堂行ってもらおうと思うちょる」

「何ですって」

「会社の食堂主任にサキを行かせようと思うちょる」

「本当なのですか」

希望はさらにはっきりしたかたちをとって、燁子は少し息苦しくなる。

「それでサキは承知するんでしょうか」

「承知するも何も、この俺が言えば、あの女、いっさい嫌とはいえん」

最後に伝右衛門は少しボロを出した。

第七話　初　夜

瞼《まぶた》の裏に何人もの女たちの顔がうかぶ。

伝右衛門と長く関係を続けながら、女中頭としてこの家で采配《さいはい》をふるっていたサキ、そして何くわぬ顔をして燁子を客として迎えるサト。彼女は今なお切れぬ伝右衛門の長年の愛人で、京都で旅館を経営している女。そして亡くなった伝右衛門の前妻、燁子との結婚を機に縁を切られたという妾《めかけ》の一人、静子を産んだというキヨ。毎日この家で顔を合わせていた者、一度だけ偶然に通り過ぎ人に後から教えてもらった者、写真でだけ見る者、そうした女たちが一緒くたになって網膜に映る。何か訴えているようにも、何か嘲《あざけ》っているようにも見え、燁子は思わず「ああ」と叫び声を上げてしまう。そしてしっかりと目を見開いてしまうのだ。

その最中に両目をぱっちりと開ける女ほど不粋《ぶすい》なものはないらしく、夫の伝右衛門は必ず「なんや……」と腹立たし気につぶやく。

二ヵ月ほど前、悪性の胃潰瘍《いかいよう》で倒れた伝右衛門を燁子は心を込めて看護した。それがよほど嬉《うれ》しかったのだろう、伝右衛門は彼にしては非常に珍しい、思いきった返礼を示したのだ。女中頭兼愛人として、本妻と拮抗《きっこう》する勢力を持っていたサキを、本社の食堂主任とすることにして伊藤家から追放したのである。しかも自分のところの会計士と娶《めあ》わせた。

一時は離婚話まで出ていた夫婦に何とか妥協点が見つかり、ようやく情愛らしきものが芽生えようとしていた。仲直りした夫婦が当然そうするように、伝右衛門は夜ごと妻を愛するようになった。芝居で言えば、めでたしめでたし、これで一件落着ということであろう。

ところがどうしたことか、燁子の躰《からだ》はぴったりと閉じられたままだ。長いこと夫に裏切られたことを燁子の心は許しても、燁子の躰はまだなじり続けている。夫の手が最後の紐《ひも》を解こうとする時、燁子の目は固く閉じられ、一刻も早くそのことが過ぎないだろうかと息が止まる。すると必ず伝右衛門と関係した女たちの顔がうかぶのだ。

特にいちばん厭《いと》わしい女の顔がいちばん大きくなる。ついこのあいだまでこの家に居て、燁子に多くの苦悩を与えた女。そのサキと、ひとりの男の指や吐息やその他さまざまなものを共有していたかと思うと、燁子は屈辱のあまり胸が締めつけられる。そしてぱっちりと目が開いてしまうのだ。

目が開くと今度は現実的な苦痛を味わうことになる。大男の伝右衛門は大層重たい。華奢《きゃしゃ》な自分の体の上に一本の丸太が置かれたようだと燁子は思う。胸を締めつけられて窒息しそうになる。そして燁子の体の上をゆっくりと、やがて激しく往復する丸太。それは枯れることなくみずみずしい重みを持っている。

五十をとうに過ぎた伝右衛門の体力と好色さに、この頃燁子は空怖《そらおそろ》しいものを感じる時さえあるのだ。サキを追い出し、サト以外の妾とも手を切った今、ほぼ毎日伝右衛門は妻を抱く。それも一回だけでは済まない。夜更けに一度、夜が白々と明ける頃に伝右衛門はもう一度、傍に寝ている妻を揺り動かすのだ。

半月もたつ頃には、燁子の下瞼にはうっすらと隈《くま》が出来た。過ごした男や女にこういうものが浮くとものの本に書いてあるが、本当にそうなのだと燁子は鏡の前でため息をつく。まるで毎晩瞼にうかぶ女たちの亡霊のなごりのような色だ。

歓《よろこ》びを得ることの出来ない毎夜の性が、燁子に肉体的な苦痛をもたらすまでに時間はかからなかった。その夜も月の障りだというのに、伝右衛門は燁子の躰を開く。やがて目を開けた燁子は、天井の木肌を眺める。この家は大層木に凝っているから、節などはない。けれどもよく見ると檜《ひのき》の樹輪の模様は見つけられる。それを数えながら、燁子はまるで自分は娼婦《しょうふ》のようだと思う。娼婦と呼ばれる女たちもこうして男が果てるのを待ちながら、天井の板で謎解《なぞと》きしているに違いなかった。

娼婦と同じ行為。それならば今、自分が課せられている行為を娼婦が代わってしてもいいことではないかと燁子は思いつく。


「おーい、初枝さん、初枝さんが帰ってきたでぇー」

座番の元吉が大声で合図したのと同時に、初枝を乗せてきたキャデラックが誇らし気にクラクションを鳴らした。

「初枝さん、お帰り」

「お帰りなさい、初枝さん」

中から女中や男衆《おとこし》たちが飛び出してきて玄関に並んだ。それまで東洋英和女学校の休みのたびに帰省していたのだが、このような大仰な出迎えは初めてだ。おそらく卒業ということもあり、義姉の燁子が皆に命じたに違いなかった。

春が早い幸袋の梅はとうに散り、やわらかい羽毛のような緑が樹《き》にそよいでいて、式台に立った燁子は灰桜色のお召《めし》をゆるやかに着ていた。

「お帰り、さぞかし疲れたでしょう。お湯を早くから沸かさせておきましたから、さっそく入りなさい」

すべてのことが初枝に晴れがましさと羞恥《しゅうち》をもたらす。たいていの場合静子と一緒に行動し、帰省も上京も二人揃《そろ》ってであったから、人々の挨拶《あいさつ》も気くばりも家つき娘の静子が最初になるのが常であった。ところが今回静子は所用で大阪に居る伝右衛門と合流し、京都見物をすることになっている。よってこの春の主役は初枝ということになるのだ。

「まあ、ほんまに初枝さんの綺麗《きれい》なこと」

「やっぱり東京に行くと違うなあ」

女中たちの言葉を世辞ととり初枝は赤くなってうつむいたが、それは娘盛りの彼女をますますにおやかに見せる結果となった。もともと大柄で目鼻立ちの派手な娘だったが、色が抜けるように白くなり大きな瞳《ひとみ》が目立つ。洋花の錦紗《きんしゃ》に塩瀬《しおぜ》の帯を締め、まず文句なしの「じょうもんさん」ということになろう。「じょうもんさん」というのはこのあたりで美人の呼び名であるが、この称号をもらう女は久しく出なかったといってもいい。サキをはじめとする伝右衛門の愛人たちは、〝元〟がついてやや年をとり過ぎていた。若い妾もいたが彼女は品というものがまるでなかった。そして燁子は対象外だ。彼女は、その美しさと気品とで土地の者たちを驚かせはしたが、彼らは遠まきにした距離をいっこうに縮めようとはしない。「じょうもんさん」と呼ばれる女には、親しみと愛敬《あいきょう》というものが必要なのだ。だいいち今の天皇陛下の従妹《いとこ》にあたる女を、どうしてそんな風に呼ぶことが出来るだろうか。

ところで初枝は最初気づかなかったが、この伊藤の家にはもう一人「じょうもんさん」と呼ばれる女が加わっていた。玄関から長い廊下を抜け、居間に入ろうとした初枝は出会いがしらに一人の女とぶつかりそうになった。

「あっ、すいません」

その訛《なま》りはこの土地の者ではない。そうかといって既に初枝が慣れ親しんでいる東京の者でもない。実に不思議なイントネーションなのである。初枝は女の顔を凝視した。初めて見る顔である。しかも大変な美貌《びぼう》だ。もうじき完璧《かんぺき》な瓜《うり》ざね顔になるだろうが、それを阻止しているのは女の若さゆえのふっくらとした頰《ほお》だ。薄桃色に光っている。しかし黒目がちのそう大きくない瞳と組み合わさると、ひどく淫蕩《いんとう》な風にも見えた。年は初枝と同じぐらい、いやそれよりもう少し若いぐらいかもしれぬ。彼女が兄に対しどういう形で仕えているかはひと目で見てとれた。着物の柄も生地も女中たちとまるで違っているのだ。

こういう女なら記憶がある。初枝がこの家に引き取られてからというもの、こうした赤味がかかった着物をまとい、手も白く綺麗なままの女は三人はいただろう。いちばん最近までいたのが、博多から伝右衛門が連れてきた女であった。朗らかな性質で、伝右衛門の機嫌をとるのがうまく、サキとも揉《も》め事を起こさなかったのであるが、燁子との婚礼を前に金で始末された。

それなのに兄はまた新しい女をこの家に引っ張り込んだのだ。初枝は足がすくみそうになる。燁子はどれほど傷つき、懊悩《おうのう》していることだろうか。彼女が嘆き悲しむさまを見るのが初枝には死ぬほどせつない。それは燁子を愛し慕っているからというよりも、ひどく重たく厄介なものを背負わされるという思いがするからである。つらい、哀《かな》しい、という感情が燁子の場合、とことん根源的なものになる。それは見ている若い女の気持ちを暗く塞《ふさ》いだ。

「初枝さん、お風呂《ふろ》の前にまずラムネでもおあがりなさい」

燁子の楽し気な声を、初枝は信じられないもののように聞いた。なんと燁子は、その若い女の傍に立ち、初枝を手招きしているではないか。

「これはユウと言って、先月旦那《だんな》さまの小間使いに雇われたのです。私のとてもいい話し相手にもなってくれるのですよ」

燁子はつうと手を伸ばし、ユウの衿元《えりもと》を直してやる。ユウはそれが好みなのか、ことさら衿元を詰めて着ている。喉《のど》の白をカナメに、刺繡《ぬい》が小さく飛んだ黒の半衿が小さな扇をつくっている。燁子の指は瞬時にその扇をほんの少し広げたのだ。

「ユウは本当に器量よしでしょう。やはり京都生まれは違います」

初枝はこの家の近くにある女郎屋の女将《おかみ》をふと思い出した。

「そうかい、あの女を見たかい」

その夜久しぶりに会った母親のユキは、煙草《タバコ》の吸い過ぎらしく、暗い紫色に染まった歯ぐきを見せて笑った。

「あの女が京都から連れてきた淫売《いんばい》だよ」

「そんな言い方およしよ」

ユキは燁子の前では「奥さま、奥さま」を連発するくせに、陰にまわると「あの女」という呼び方を変えなかった。初枝が東京の女学校へ編入すると聞いた時、

「邪魔者は追い出すのか」

と血相を変えたのだが、今では帰省のたびに美しく垢《あか》ぬけていく娘が大の自慢である。そのくせ「あの女」という言葉は改めようとしない。

「いいんだよ。このあたりの者はみんな言ってるよ。伝ネムさんのお床に入るのが嫌で、代わりの女を自分で探してきたって」

「まさか……」

「そうだよ。京都の、ほら、何って言ったかね、伝ネムさんの古い妾で旅館をしてる女が

いるじゃないか。あの女と一緒に探したそうだよ。出来るだけおとなしくて、出来るだけお床上手の娘を選んだそうだよ……」

母親はここで口をつぐんだ。嫁入り前の若い娘に言うべき言葉ではないと気づくより前に、初枝が青ざめてうつむいてしまったからである。

「まあ、呆《あき》れた話だよねえ。あの女は嫁に来た時から伝ネムさんを気に入っとらせんのがようわかっとったが、それにしても自分の手で妾を持たすとはねえ。なあ、初枝、しっかりせんといかんぞね」

ユキが顔を近づけるとかすかにヤニのにおいがした。それに婦人病の漢方薬のにおいが重なる。ひからびた肌のために年よりも老けて見えるが、ユキはまだ四十には間がある年齢である。

「女学校を出たら、今度は嫁入りや」

「私は嫁入りなんかするつもりはない」

「まあ、若い女はみんなそう言うが、世の中の女はみんな嫁入りすることになっとる。お前なんか女学校も出とるし、この器量や」

ユキは再び惚《ほ》れ惚《ぼ》れとひとり娘を見た。桃割《ももわれ》に結った髪に赤い手がら、縞《しま》のセルの単衣《ひとえ》に白い縮緬《ちりめん》の帯を締めているのも気がきいていてハイカラだ。この近在を探しても、これほど綺麗な娘はいないと思う。

「きっといいお婿さんが来るはずや。いいかい、あの女が嫁に行けちゅうても絶対に言うことをきいてはいかんぞ、あんたは婿をもらって伊藤の分家を立てるんだからな」

それから先はもう何十ぺんも聞かされた、揺るがすことが出来ない神宣のようなものである。明治三十二年、初枝の父、伊藤伝六が胃癌《いがん》でこの世を去る時、彼はユキに約束したのだ。初枝は自分が六十近くなってから出来た子どもだ。決して悪いようにはしない。年頃になったら息子の伝右衛門に言って分家をさせてもらうように。そのために二十万という金は用意してある。

「二十万やで、二十万」

ユキは自分の感動を娘に分け与えたいらしく、ことさら大きな声を出す。千円も出せばこのあたりでは立派な普請が出来る。二十万という金額はおとぎ話の締めくくりにまことにふさわしいものであった。

「このことは伝ネムさんもちゃんと承知しとる。私はこのあいだもちゃんと確かめたんや。伝ネムさんは立派な人や、川の改修工事にもたんまり寄付をしなさったし、頭のいい若い者たちが勉強出来るようにお金を出しなさった」

それは伊藤家育英資金のことを言っているのである。このあたりの秀才で、帝大や商大、早稲田に通う学生たちに伝右衛門は奨学金を出していた。それは篤志家としての彼の義務感に、学歴コンプレックスが加味されたものなのであるが、ユキは無償の善行などというものは全く信じてはいない。

「あれはお前や、静子しゃんのお婿探しのためだって専《もっぱ》らの評判や。あんたらのお婿に、まさかそこらの百姓というわけにもいかんやろ。このあたりの出で、しかも学問をしている若い衆の中から、これぞっちゅうのを伝ネムさんがお選びなさるんや。いいか、初枝」

ユキは、ぐいと娘の手首を握る。それは後でくっきりと跡が残るほど強いものであった。

「私はな、十六の時にあんたのお父さんに仕えて、それからずっと生殺しみたいなもんや。お父さんがほんまに惚れてたのは私だけで、私がほんまの奥さんみたいなもんやったんやで。それがお父さんが死んでしもうたらそれこそポイや、あんたという娘がいたから多少は伊藤のうちから貰えるが、それも大したもんじゃない。いいか初枝、私みたいに貧乏籤《びんぼうくじ》をひくんじゃない。あの女の言いなりになるんじゃないぞ。二十万円、伝ネムさんからもろうてな、伊藤の分家を立てるんじゃ、わかったな」

その言葉はヤニくさい息と共に、どれほど娘の心を暗くしているか、ユキは知ろうともしない。

幸袋の邸《やしき》の木々が、濃い影をつくり始めた頃、初枝は燁子から一葉の写真を見せられた。そこには紋付を着た男が写っている。髭《ひげ》を生やした大男、というよりも大層肥満した男だ。初枝は東京の活動で見た、アメリカの喜劇役者を思い出した。

「この方は山澤男爵のご三男で、鉄五郎さんとおっしゃる方なのですよ」

燁子は隠そうとしていたが、どこか得意気な響きがあった。東京の柳原が、親戚《しんせき》の入江が、冷泉《れいぜい》家が、という時と全く同じだ。

「男爵」と発音する時、彼女の舌はややゆっくりとまわるのである。

「あなたももう承知しているかもしれませんが、今年の秋に静子さんが婿取りをします。けれども年齢的に言ったら、あなたの方がずっと上だし、今年の夏が来たら二十歳になってしまう。早く相手の方を見つけなくてはいけないと前々から考えていたのですよ」

「そんなこと、急に言われても」

「初枝さんたら、縁談というのは突然に起こるものなの」

燁子はこの種の話をする時に、女が誰でもそうなるように、高音部から声が出るようになる。自分は不幸な結婚をしているとしょっちゅう歌で訴えているくせに、義姉のこの華やいだ笑いは何だろうと、初枝はじっと燁子の顔を見つめた。雛人形《ひなにんぎょう》のようにとよく人々が形容する美しい瓜ざね顔は、興奮のためにほんのり火照《ほて》ってさえいるのだ。

「私の実家やいろいろなところに相談して、初枝さんにぴったりな方はいないだろうかと随分探しました。この鉄五郎さんはね、爵位は継げませんけれど、とてもご立派な方なの。京都帝国大学を来年卒業なさいます。京都帝大ではね、相撲部の主将をしていらしただけあって、そりゃあ体格のいいスポーツマンでいらっしゃるのよ」

スポーツマンというのは、最近のハイカラな流行《はや》り言葉であったが、その髭の大男にはあまりふさわしいとは思えなかった。このあたりでも秋祭りに、よく奉納相撲が行なわれるが、賞金や一升瓶をかっさらっていく男たちは、たいていこのように肥満している。

「兄さんは何て言っていらすの」

思わず筑豊弁が出た。東京の東洋英和女学校に通うことが決まってから、極力使わないようにと燁子に特訓を受けたにもかかわらず、その後も次々と口をついて出てくる。

「母ちゃんも言うちょらしたけえ、私の嫁入りについちゃあ、兄さんに全部任しとくてなあ」

ユキの声が耳元で響く。死んだあんたの父しゃんは二十万円を残してくれたんや。いいかい、あの女の言いなりになっちゃいけないよ。

「旦那さんはね、初枝さんに養子を貰って分家を立てるっておっしゃっています。そのためにお金も用意してあるそうですね。でも初枝さん、それだけのお金があってよ、今の初枝さんだったら、華族の中から相手を見つけることも出来るのですから」

燁子は目の前の初枝を見つめた。全く何という変わりようだろうか。綿ちぢみに、腹合わせの帯を胸高に締めているのも初々《ういうい》しい。この家に嫁いできた頃、初枝も静子もつんつるてんの筒袖《つつそで》の着物を身につけていた。生地はそう悪くないのだが、身丈を心配してやる者もなく、袖口からも手がにゅっと出ていた。まだ子どもの静子の場合はそれでもよかったが、女学生の初枝も真黒な顔をしていて男のような言葉を喋《しゃべ》った。そのくせ、時折こちらを上目遣《うわめづか》いでうかがうような、いじましい視線は長いこと直らなかったものだ。燁子はあの時、この二人の少女をきっと幸せにしてみせるのだと心に誓った。その手始めに自分の母校へ入れたのであるが、その効果は想像以上だったといってもいい。二人とも見違えるほど美しくなり、品位というものも身につけた。時々方言が出るのが気になるものの、言葉遣いもほぼ綺麗な東京弁を喋る。出来ることなら燁子たちの社会で使われている、京訛りの東京弁を身につけさせたいところだが、それは無理というものだろう。けれども自分の与えたものでこの娘は大きく変わり、いま信じられないような幸運をつかもうとしている。

いくら金があるといっても、こんな田舎の炭鉱主の成金の妹、しかも先代が妾に産ませた娘を、どうして爵位を持つ家の息子が貰ってくれるだろうか、燁子という人間がこの家に来なかったら、当然生じるはずもない縁である。燁子が架け橋となり、華族と呼ばれる人たちと、この家の娘とを結びつけたのだ。燁子はあまりにも明確で善良な自分の成果に、すんでのところで涙ぐみそうになるのだ。

「私は、そんな、華族さんなんて滅相もない……」

うつむく初枝の姿も好ましい。

「でもね、初枝さん、ああいう方と縁組出来るというのも、あなたのご運というものだと思うのよ。よく知った世界の方が、初枝さんのお婿さんになったらどんなに嬉しいかしら。私もきっと心強くなって、この伊藤の家を盛りたてることが出来ると思うの。それにね……」

燁子は奇妙な笑い方をした。

「正直申し上げて、山澤さんのところは男爵といっても成金大名じゃありませんから、そうお金はあるところじゃありません。ましてや鉄五郎さんは三男ですから、爵位はおろか財産もお継ぎになれないはずよ。だからね、初枝さんは少しも肩身が狭くなることはないのよ。素晴らしいお仕度をして、堂々とこの家から嫁いでゆけばいいの」

初枝の左肩の奥、心臓に近いあたりがかたことと小さな音をたてる。燁子に全く悪気がないのはわかるが、それらの言葉はまっすぐに初枝の心に突き刺さっていく。華族と呼ばれる燁子やその実家の者たちの残酷な会話が聞こえてきそうだ。

伊藤の家は今はいくら金があるといっても、田舎の何の家名もない家だ。今をときめく大貴族や、由緒ある家の息子と釣り合うはずはない。金を欲しがっている子爵か男爵の三男ぐらいがお似合いだろうよ。けれどもこれであの娘も華族に連なる奥さまになれる。何という出世だろう。きっと泣いて喜ぶだろうよ……。

「私は――」

ようやく顔を上げることが出来た。

「私はまだ結婚なんかしない。もし好きな人が出来たり、私が貰ってもらいたいと思う男の人が現れたら、そうしたら結婚するかもしれないけど」

「まあ、初枝さんたら子どものようなことを言って」

燁子は目を大きく見張り、そして小さな声で笑った。

「そんなことはね、お芝居や本の中でしか起こらないものなのですよ。結婚などというのはね、多かれ少なかれ、女の人にとってはつらく大変なことなのですよ。それだったら少しでもつらくないほうへほうへといろいろ考えて、男の人を選ばなくてはいけません。私ね、悪いことは言わないわ。すべて私に任せて頂戴《ちょうだい》。私はこの家に来てから、初枝さんや静子さんが幸せになれるようにとそればかり考えてきたわ。それが私の生き甲斐《がい》だったこともあるほどよ。ね、わかるでしょう」

本当にそのとおりだと初枝は頷《うなず》く。最初に抱いた違和感や怯《おび》えは今も続いているものの、燁子がしんからやさしい親切な女だということはよくわかっている。けれどもこの不思議な胸騒ぎはいったい何なのだろうか。燁子の口にしていることは大層矛盾している。金のためにこの家に嫁いできた女が、今度は貴族の称号のために別の女に結婚せよと言っているのだ。結婚とはおしなべてつらいものなのだから、結局は誰としても同じなのだと自分に説く燁子に、初枝は問うてみたい衝動にかられる。

「義姉《ねえ》さんはいま幸せなのですか」

それは愚問というものだ。彼女が詠む歌、日頃の行動にはっきりと表れているではないか。

「それならば、女の幸せなど本当にこの世にあるのですか」

燁子は何と答えるだろうか。その答えを聞くのはやはり怖しく、初枝はそのままおし黙った。

見合いで会った鉄五郎は外見に似合わぬ無口な男で、そのやさしさは気弱と言ってもいいほどであった。後に仲人が言うには、山澤の家は陸軍中将だった父がその功績で爵位を得たもともと堅実な軍人の家だ。長兄が家と爵位を継ぐことになっているが、家屋の他にはわずかな家作があるだけである。長兄の家には既に男の子がいるので、もしそちらがお望みならば、伊藤の姓を名乗ることに異存はない。

これによって話はとんとん拍子に決まり、慌しく結納が交わされた。婚礼の日は六月となったが、籍を入れるのは総領娘の静子の結婚の後で、ということになった。

「いったい二十万円はどうなってるんや」

ユキの形相が日々険しくなっていく。

「私はな、あんたは伝ネムさんが世話しとる貧乏学生の中から婿をとると思ってたとね。そしたら私はあんたの家に入って、孫の子守りでもさせてもらいながら暮らすつもりだった。生まれて初めて誰にも気がねのう、安気《あんき》になれると思ったに、男爵の息子じゃとう……」

涙を噴き出させた。泣きながらも、ちびた煙草を手から離さない。

「私はあんたにもうお母さんと呼んでもらえん。華族の奥さんになったあんたは、私のこと女中扱いしなきゃならんのやろ。私はあんたら若夫婦の女中になって朝晩、手をついて挨拶しなきゃならん」

そして最後は〝あの女が〟という呪詛《じゅそ》の言葉である。

「町の者たちはみんな言うとるたい。伝ネムさんはケツの毛どころか、頭の脳味噌《のうみそ》までみんなむしりとられたちゅうてな。どこの世界に、妹や娘の婿をすべて嫁さんに決めさせるあほがおろうか。あの女はなあ、自分の味方が欲しいばっかりに、自分の息がかかった男を探し出してきたんや」

そんな言葉をすべて信じているわけではないが、初枝は自分の結婚する相手にどうしても慣れることが出来ない。鉄五郎は小さな目をしばたたかせて初枝を見る。東洋英和に通っていた頃、休みの日に盛り場を歩くと袴《はかま》姿の書生に時々付け文をされることがあった。九州に帰省する列車の中で、しつこく言い寄ってきた男もいた。

そういう男たちはそう怖れることはない。どこかの横丁に曲がればよいし、列車はいつか駅に着く。そこで降りればよいのだ。けれども結婚相手から逃れる横丁や、降りる駅はないのだということを初枝は既に知っている。生娘の初枝は袋小路に追いやられ、運命という刃《やいば》を待たなければいけないのだ。

ユキが、

「台風の後の屋根の継ぎはぎみたいな」

と嘆く婚礼の日が近づいてきた。養子を貰うといっても、あまりにも急で質素な結婚式であったが、それでも京都で揃えた婚礼道具や衣裳《いしょう》が、邸の座敷に並べられた。

「あの小さな初枝さんが、こんなに綺麗な花嫁さんになって……」

燁子はひとしきり涙を拭《ふ》いた後、初枝ひとりを座敷に招いた。燁子が手文庫の中から取り出したのは、柳原家に伝わる春画であった。

「私が十六で北小路家へ嫁ぐ時、おたあさんが持たせてくれたのです」

こんな時の燁子の言葉には、かすかな京訛りがにじみ出る。

「ですけどその時は、もう私は力ずくで女にされてましたけど、おたあさんは知ってらしたかどうか……」

燁子は突然にたりと笑った。その笑いは何か記憶を断ち切るために必要だ、と言いたげな強く濃い笑いであった。初枝は驚きのあまり息がとまるかと思った。

「まあ、婚礼の夜は鉄五郎さんの言うなりになって、何でも素直にすることですよ。女の人なら誰でも一度は経験することなのですから、大げさに考えたり、声をたてたりしないことです」

その後、燁子は実に優雅に立ち上がり、桐簞笥《きりだんす》の上から三番目を開けた。両の手で持つ畳紙《たとう》の薄さで着物ではないと思った。はたして中から出てきたのは長襦袢《ながじゅばん》であった。桜色の地に、墨色の文字が躍っている。

「これはね、呉服屋に急いでつくらせた私の心づくしです。初枝さんに婚礼の夜に着てもらおうと思って、私が書きましたの」

細く流れる文字は確かに燁子のものだ。

「ほら、ご覧なさい。万葉集の中でもとてもよい歌ばかり選びましたよ」

燁子は長襦袢を広げ、それをふわりと初枝の肩にかけた。薄絹の思わぬ重さにむせそうになった。

「筑波嶺《つくばね》のさ百合《ゆる》の花の夜床《ゆとこ》にも愛《かな》しけ妹ぞ昼もかなしけ……ね、ぴったりの歌でしょう」

桃色の絹の上で〝夜床〟という文字が舞っている、その時初枝は自分がこれから売られていく女になったような気がした。

第八話　踏　絵

棘《いばら》の冠を頭にのせ、裸の男が悲しげにうつむいている。東洋英和に学んだ初枝は、それがイエス・キリストだということがすぐにわかった。男の傍に「踏絵」という文字が並んでいる。

「これは近頃人気が出てきた竹久夢二《たけひさゆめじ》という人が描いてくれたのですよ。私はちょっと暗いような気がしてあまり好きではないけれど……」

そう言いながらも燁子はその本から手を離さない。木版画らしいその表紙を、ずっと撫《な》でさすっている。これは燁子が初めて世に出す歌集なのだ。

これは家中誰でも知っていることなのであるが、昨年、伝右衛門と燁子の間に離婚話が持ち上がった。燁子は兄のところへいったん帰り、そこで親族会議が行なわれた。皆に説得され不承不承戻ってきた燁子であるが、夫に対し二つの条件を出したという。その一つは、古くから伝右衛門と関係を持っていた女中頭のサキを解雇すること。そしてもう一つは歌集を出版する費用を出させることだった。その代わり、と伝右衛門も膝《ひざ》を進め、特に夜の方面が強い自分のために若い妾《めかけ》をさし出せという要求があった。そして京都からユウが連れてこられたというのだが、その噂《うわさ》は定かではない。

いずれにしても、今日東京から郵送されてきた歌集はさまざまなまぐさい逸話に満ちているのだ。それなのに十字架にかけられたキリスト像の表紙といい、「踏絵」という題名の禁欲的なことといったらどうだろう。まるで日曜学校で配る耶蘇会《ヤソかい》のパンフレットのようだ。

「佐佐木信綱先生が素晴らしい序文を書いてくださったの。『白蓮は藤原氏《ふぢはら》の女なり。〈王政ふたたびかへりて十八〉の秋、ひむがしの都に生れ、今は遠く筑紫の果にあり。〈緋房《ひぶさ》の籠《かご》の美しき鳥〉に似たる宿世にとらはれつつ、〈朝化粧五月となれば〉、京紅の青き光をなつかしむ身の、思ひ余りては、〈あやまちになりし軀《からだ》〉の呼吸する日日のろはしく、わが魂をかへさむかたやいづこと、〈星のまたたき寂しき夜〉に神をもしのびつ。』……」

感きわまった燁子は袂《たもと》の端で目頭をおさえた。雛《ひな》祭りの宴が続いた後だったので、燁子はきちんと丸髷《まるまげ》を結っている。桃の花を小さく染め出した小紋をまとい袂を使っているさまは、まるで芝居の一場面を見ているようだと初枝は眺めている。

「ああ、嬉《うれ》しいわ、初枝さん」

突然燁子は少女のような声を上げる。こちらに向けた目がきらきらと濡《ぬ》れている。

「自分の本というのがこんなに嬉しいものだとは思ってもみなかったわ。これで私は救われるような気がするの」

初枝は反射的にまわりを見た。初枝の他には心やすい〝燁子派〟と呼んでもいいような女中が二人侍《はべ》っていたが、他の女たちにこの先の言葉をあまり聞かれたくないという予感だ。

「いわばここでの生活のひき替えに、この本は出来たようなものなんですものねえ……。歌がなかったら、とても私はここで耐えていくことは出来なかったけれど、こうして一冊の本になったのを見ると……」

ここでまた目頭をおさえる。

「これをつくり出すために、神さまは私に試練をお与えになったような気もするのよ」

今日の燁子はあきらかに興奮していて、激しい言葉をいくつも吐く。初枝はさりげなく話を日常に戻そうと骨を折った。

「まあ、静ちゃんもきっと喜ぶでしょう。今度秀さんの家へ出かける時に、義姉《ねえ》さんの本を土産に持っていくんだって自慢していたもの」

「本当に静さんときたら、もうじき婿とりをするというのに、相変わらず子どもなのだから」

燁子の唇がかすかにほころんだ。伝右衛門が妾に生ませたひとり娘静子は、燁子の骨折りで地元の秀才と婚礼を挙げることが決まっている。最初からすんなりと継母《ままはは》になついた静子は、いわば燁子の秘蔵っ子のような役割を果たしているのだ。

「義姉さん、こんな風に本を出したら、何かお祝いをするものなのでしょう」

「まあ、人によってそれぞれだけれど、私は何も大げさなことをしたくないの。それにこの家がこうしたことに理解があるはずはありませんもの」

燁子は初枝にだけは、無警戒に皮肉や愚痴を口にする。しかしその時、ふと反撥《はんぱつ》したい気持ちが起こった。

「そんなことはない。金兄さんは昔から本がお好きでよく読んでいるし、艶子義姉さんだってお嫁にこらす時に、本棚に本をいっぱいお持ちになったぐらいだもの」

艶子の名を出したのは半分は意識してのことである。金次の新妻を燁子が嫌い抜いているのは、この家の大きな悩みのひとつなのだ。佐賀の深川製磁から嫁いできた艶子はつつましくやさしく、誰から見ても文句のつけようのない嫁なのであるが、燁子は決して認めようとしない。あの底意地の悪さと心の冷たさは私にはわかりますよと言うのを、初枝は何度か聞いたことがある。

今も艶子の名を聞いただけで、燁子の表情が変わった。

「艶さんは本を読んでいるといっても、くだらない講談本か雑誌でしょう。そもそもあの人には教養というものがまるでおありにならないのだから」

東京の三輪田女学校を優秀な成績で出た艶子のことをそんなふうに言う。この一、二年、燁子には不思議な子どもじみた癖が見られるようになった。あの人は好き、この人は嫌いと色分けをした後は、好みを頑として動かさない。使っている女中ぐらいならまだしも、それが嫁や親戚《しんせき》の者たちにまで波及するのには皆、頭をかかえた。どうやら燁子はあまりにも複雑過ぎるこの家の人間関係に悩んだ揚句、ある時からすっぱりと、単純な好悪の情でのみ決めようとする心の働きが生まれたようなのである。その底にあるいたましさを初枝はわかっているつもりだから、自分が聞いた悪口は決して外に漏らしたりはしない。しかし時々は燁子をさらに苛立《いらだ》たせたくなる時がある。こんな風に喋《しゃべ》り続ける時にだ。

「静さんの婚礼が近いっていうのに、あの人は毎日呑気《のんき》にお琴を弾いておいでだ。このあいだも金次さんと二人で、博多までお芝居見物に行ってらしたっけ。いくら血が繋《つな》がっていないといっても、妹がお嫁さんになるというのに、まるっきり知らん顔だ。どうしたらあんなに不人情なことが出来るのかしらね」

初枝の時と同じく、静子の婚礼も燁子が先頭に立って準備を進めている。艶子は手が出せないというのが本当のところだ。

「まあ、あの人のことはどうだっていいのです。今日はこんなに素晴らしい本が出来たお祝いの日だ。嫌なことを言って、口を汚らしくする必要もないでしょう」

燁子は手にしていた歌集をやや高く掲げ、おしいただくように頭を下げた。そういう動作は実にきまっている。

歌集はそれ以外にも二十冊ばかり床の間の上に置かれていた。燁子は下賜品をまた人に譲るかのように、そのうちの一冊を初枝に与えた。

「記念に初枝さんに一冊さし上げましょう」

「まあ、ありがとうございます」

「近いうちに久保博士のおたくに伺って、これをお渡しするつもりです。ぜひ署名入りのものをくださいって、より江さんがおっしゃるのよ」

初枝からみると、燁子と久保夫人より江とは奇妙なところがある。非常に頻繁に会っていたかと思うと、全く音沙汰《おとさた》がない時が二、三ヵ月続いたりする。近寄るべきか、遠ざかるべきか、主導権をもつのはどうやら燁子の方らしかった。

「久保博士のおたくへ伺う時は、初枝さんもご一緒しましょう。より江さんがあなたに会いたがっていてよ。来週あたり、二人で出かけましょうか」

その初枝の答えを待たず、燁子は笑い出した。

「ご免なさいね。人の奥さんに向かってこちらの都合ばかり言って。初枝さんはもう鉄五郎さんの奥さまなんですもの、私が勝手に連れ出せないわ。それなのに私ときたら、まだ初枝さんが女学生のような気がしてしまうのね……」

燁子の口調には、どこかこちらをからかっているようなところがあり、初枝は昂然《こうぜん》と顔をあげた。

「そんなことはありまっしぇん。ちゃんと理由さえあれば、いつだって行かせてもらえます」

「そう、鉄五郎さんがおやさしくて初枝さんは本当に幸せなのねえ……」

燁子はしみじみとした視線をあてる。それは初枝が気恥ずかしくなる類《たぐい》のものであった。

「あなたと鉄五郎さんは仲がよくって、私はこれでひと安心なの。初枝さんが幸せになって、次は静さん。二人がちゃんとした奥さんになってくれたら、これで私も本当に安心っていうものよ」

二階へ続く階段を上がりながら、初枝は無意識のうちに後ろを振り向いた。「おやさしい」「仲がよくって」という言葉と共に、燁子が後を尾《つ》けてくるような気がした。

初枝たちが婚礼を挙げた夜から、金次たち夫婦は階下へ移り、二階を新婚夫婦に譲り渡してくれた。幸袋の邸《やしき》はほとんど平屋づくりといってもいいほどで、庭に面した一部だけに二階がもうけられていた。だから二階すべてといっても、そうたいした広さではない。洋間が二間、そして六畳の座敷と次の間があるだけだ。

いつのまにか初枝にとって二階は、隠しとおしたいもの、覆いたいものが詰まっているところになっている。階下へ向かう時、または階段を上がる時、初枝は自分が身構えていることに気づく。この「取り繕う」という感情は生まれて初めてのものではない。地元の女学校に通っている時、複雑な自分の家の内部を覗《のぞ》かれまいと常に姿勢を正していたところがある。けれど今、初枝が困惑しているのは、階下と二階、どちらが味方で、どちらに気を許していいのかわからないことだ。

いまその片方は、相撲取りのような大きな腹を火鉢にぴったりくっつけ、寝そべって本を読んでいるところであった。本は講談本ではないが、手軽に海外の小説を読めると人気の十銭文庫というものである。しかし彼はそれに身が入らぬ証拠に、腕をひょいと持ち上げ、首すじのあたりを掻《か》いたりする。腕のつけ根にも首にもたっぷり肉がついているためにうまく届かない。彼は身をくねらせ、うまくいかぬために軽い舌うちをする。

この座敷の裏側、家の者たちが西洋間と呼んでいる部屋の暖炉の上には、沈痛なおももちの乃木《のぎ》将軍の胸像が置かれている。鉄五郎の父親の男爵と乃木将軍は大層親しく、学習院に通っていた頃、鉄五郎は将軍のもとに寄宿していたことがあるという。後に日露戦争で戦死する息子たちとも仲がよかったというのが彼の自慢なのだ。しかしあの謹厳な将軍の許《もと》に預けられていたとはにわかに信じられないほど、鉄五郎は行儀が悪い。天衣無縫といえば聞こえがいいのだが、野放図に大きな体をもて余し、他のことにはあまり頓着《とんちゃく》しない性格だ。

しかしこのところ鉄五郎は大層機嫌が悪い。初枝が二十歳になる前にとり急いで婚礼を挙げたまではいいのだが、鉄五郎を迎え入れる伊藤の家はまだ準備が整っていなかった。会社の方は伝右衛門の下に赤間という番頭がいてたいていの用は足りる。昨年明治大学卒業と嫁取りとを同時に行なった金次さえ、見習いといった立場だ。おまけにもうじきただひとりの実子の静子は婿取りをする。相手の秀三郎は神戸高商を今年卒業するが、既に養子の手続きがとられていた。金次と秀三郎、二人の間にはさまれたかたちの鉄五郎が不安になるのももっともで、

「いったい何のために九州くんだりまで養子にきたのか」

と彼は初枝に向かって怒鳴る。今のところこれといって彼の仕事はなく、庭に出て竹刀《しない》を振ってみたり、近くの嘉穂中学まで柔道の稽古《けいこ》に出かけることが多い。初枝は見たこと

はないが、黒帯の彼の腕は大したもので、体育教師も一目置くほどだという。といっても伊藤家の婿が柔道師範になるわけにもいかず、将来の行方もわからないまま鉄五郎は鬱屈《うっくつ》した日々を過ごしているのである。

今年の元旦《がんたん》の席で、盃《さかずき》を受ける順序が、金次、八郎、婚約したばかりの秀三郎、そして自分は最後だったと鉄五郎は血相を変えた。

「いったいお前のうちは、俺《おれ》のことをどう考えているのだ」

夫になじられるたびに、初枝は身の置きどころのない思いでうつむくしかない。確かに若い身空で「部屋住み」となった鉄五郎が可哀想《かわいそう》でたまらぬ。伝右衛門は近いうちにきっと何とかすると約束してくれているが、その日まで夫は耐えてくれるのだろうかと、つい兄を恨みたくもなってくる。それなのに初枝は、自分たちのこの不安や暗い気持ちを階下の人たち、特に燁子に毛ほども感づかれまいと思う。

誰に教わったわけではないが、夫の恥は自分の恥といつしか思い始めていたし、何よりも見栄《みえ》というものがある。結婚をして初枝は初めて知ったのだ。不幸な人妻というのは何とみじめなものだろうか。

いつか燁子は自分に言ったことがある。

「結婚などというのは、女にとってすべてつらく苦しいものなのです。それならば少しでも楽な方に行くように結婚を考えなくてはならないのですよ」

そうだ、結婚などというものはそうだ。けれども世の女たちは皆そのことを隠している。不幸な人妻がみじめなのではない。みじめなのは不幸なことを世の中に知られてしまう人妻だ。さらにおぞましいのは、不幸なことを大声で言いたてる女なのだ。

「『ゆくにあらず帰るにあらず居るにあらで生けるかこの身死せるかこの身』

『女房のふところなれば鬼も棲《す》むなどいふ詞《ことば》ふと覚えけり』

『よるべなき吾《わ》が心をばあざむきて今日もさながら暮しけるはや』……」

次の間で寝巻に着替えていた初枝は、夫の朗読の声にはっと顔を上げた。襖《ふすま》を開けると鉄五郎は寝そべったまま、『踏絵』を手にしている。さっき小机の上に置いたそれに目をとめたらしい。

「『寂しさのありのすさびに唯《ただ》ひとり狂乱を舞ふ冷たき部屋に』……。こりゃあ、何だア」

鉄五郎は口髭《くちひげ》を震わせ、大げさに〝なんまいだ〟と手を合わせてみせた。

「こりゃあ、たまらんなあ。今の暮らしがひどい悲しいっていう恨みの歌ばっかりじゃないか」

「それは昔のことを歌ったんでしょう。義姉さんは若い頃一度結婚されて、そりゃあつらいめにあわれたみたいだから」

「そんなことはないさ。誰のことを歌ってるか、読む人が読めばすぐにわかるじゃないか」

　ここで彼はいかにも意地の悪い笑いをうかべた。

「いくら伝ネムさんが字が読めないからって、女房がこんな本を出すのはちょっとひどいんじゃないのかねえ。そうだ、この本、つくるのに五百円だか六百円だかかかって、その金は伝ネムさんが出したっていうじゃないか。飛ぶ鳥を落とす勢いの伝ネムさんだが、全く女房にはなんて甘いんだろうね」

「兄さんは字が読めないなんてことはありませんよ」

　初枝は小さく叫んだ。

「世間の人が面白がっていろんなことを言うけれど、兄さんは義太夫《ぎだゆう》の本はちゃんとお読みになる。書類だってちゃんと目をとおされるわ。確かに学はおありにならないかもしれないけれど、頭のいいちゃんとした人です。他所《よそ》の人がいろいろ言うのは構わないけれど、あなたまでが兄さんを馬鹿にするようなことをおっしゃるなんて」

「それじゃあお前は、燁子さんが悪いって言いたいのか。お前と仲よしで大好きな義姉さん、あの義姉さんが伝ネムさんをうまく騙《だま》くらかしてるっていうわけかい」

　鉄五郎の挑発に乗るまいと思っていたのに、目頭がかっと熱くなり、涙が溢《あふ》れてくる。

「ひどいじゃありませんか。そんなひどい、ひどい……。兄さんも義姉さんもこの家の人ですよ。どうか後生だから、私がつらくなるようなことを言わないで頂戴《ちょうだい》……」

「馬鹿だなあ、そんなに泣くことはないじゃないか」

鉄五郎の小さな目が狡猾《こうかつ》に光ったかと思うと、初枝の手首がぐいと握られた。そして手加減しない強さでひき寄せられる。

「あっ」

「お前があんまりむきになるから、ちょっとからかっただけじゃないか。それを本気で泣くなんて本当に子どもだなあ」

ちょび髭の下の唇がいつのまにか赤くなっていて、それが初枝の唇を求めてくる。そして同時に彼の右手は、しっかりと初枝の浅黄《あさぎ》のしごきをとらえた。

「本当に可愛《かわい》いやつ」

「女中が来るかもしれないわよ……」

「来たって構やしないさ。俺たちは夫婦なんだから」

若い鉄五郎の健康な欲望は、ほぼ毎夜まっすぐに妻に向けられていく。肥満していたが、柔道や相撲で鍛えられた彼の体は柔軟で、それは丸ごと初枝をつつみ込む。しばらく息が出来なくなるが、少し我慢すると甘美なひとときがやってくる。

少しずつ初枝は知り始めた。昼の夫への不満は夜癒《いや》されるものなのだ。昼の憎しみや苛立ちも、夜、女は許す。けれども夜の夫を得られない女はどうなるのであろうか。夫の床は若い妾のユウに任せ、三十歳になる燁子が全くの孤閨《こけい》をかこっていることを、この家で知らない者は誰ひとりいない。

「まあ、初枝さん、しばらく見ないうちにすっかり奥さまらしくおなりだこと」

久保より江が透きとおる大きな声を張り上げたので、燁子の傍に立つ初枝は恥ずかしさのあまり身がすくみそうになる。学校を卒業し、筑豊に戻ってきて以来、燁子の手引きで上流と呼ばれる人たちとのつき合いを少しずつ始めるようになった。とはいうものの初枝は赤坂門にある久保博士の家に出かけるのが大層苦手である。九州帝大医学部教授である久保博士は、俳句や歌をよくするためにその方面の友人が多い。といっても、この九州の地で歌でも詠もうかという人種はたいてい富裕な知識階級である。帝大の教授たち、中央から派遣された官吏、または博多の老舗《しにせ》の主人、そして彼らの夫人たちがサロンのメンバーであった。

「初枝さんは東京の東洋英和を出ているのです。何も臆《おく》することはないのですよ」

と燁子は言うが、初枝はそんな言葉を信じる気にはなれない。言葉も違うし話題も違う。

ここに集う人たちは完璧《かんぺき》な東京弁で、初枝の全く知らない世界の話をするのだ。

「松井須磨子《まついすまこ》の『カチューシャの唄《うた》』を聴いたかね。よかったらレコードを貸してあげよう。抱月《ほうげつ》の大衆化路線があたったたっていうことだろうね」

「世界大戦はどうなるんでしょうかね。宅《たく》はドイツ留学組でございますから、複雑な思いでそりゃあやきもきしておりますわ」

「タゴールの『暗室の王』を読まれましたか、最近あれほど興奮した戯曲はありませんよ」

が、その日の話題はやはり、歌集を上梓《じょうし》したばかりの燁子に集まった。燁子はサロンの人々のために何冊か持参していたのであるが、既に本屋で求めたという者も何人かいた。

「世の中では与謝野晶子《よさのあきこ》とあなたとを較べる人がいるが、あの女は他の亭主を盗《と》るようなあばずれです。そこへいくとあなたの歌は、何ともいえない品位というものがおありだ」

「さすがに血というものは争えないものですな。白蓮さんの歌には、王朝の雅《みや》びというものがあります」

男たちは長椅子《ながいす》に座って微笑《ほほえ》む燁子の前に入れ替わり立ち替わり現れ、それぞれ考え抜いたらしい賛辞をのべた。

「このご本はさぞかし売れたでしょうな。どこへ行っても評判になっていますよ」

「とんでもございませんわ。田舎に住む普通の女が詠んだ歌集など、人の目にとまるはずがないじゃございませんか。私はただ自分の本が作れただけで満足なのでございます」

「さあ、皆さん。白蓮さんの本のために乾杯をいたしましょうよ」

より江が女中たちに命じて客たちにグラスを配った。おそらく博士が留学の折に買い求めたものに違いない、見事なボヘミアングラスが電灯の光に輝いた。

「さあ、あなた」

より江は何の躊躇《ちゅうちょ》もなく、人々の中から夫を指名し、久保博士もためらいなく前に進んだ。しかし十人ほど男がいる中、地位からしても、年齢からしても、久保博士がいちばん乾杯の音頭にふさわしい人物であることは確かであった。

「それではこの筑紫の地に、神が遣わしたもうた美しき歌詠みの女王、柳原白蓮女史に乾杯」

初枝が赤面するような文句であったが、欧州生活の長かった博士はてらいもなくその綺《き》羅《ら》に満ちた言葉を口にした。

「まあ、おそれ入りますわ」

初枝は義姉の横顔を一瞬見た。燁子の頰《ほお》は赤く火照《ほて》り、目はグラスよりも強い光をたたえている。燁子の喜びが祝ってもらった喜びなのか、それとも別の喜びの光なのかととっさに考え、すぐに顔を伏せた。

人々のグラスに赤い葡萄酒《ぶどうしゅ》が満たされていた。燁子はそれをひと息に飲む。人々の間から拍手がわいた。

「まあ、燁子さんたら本当にご免あそばせ。私、つい遅刻いたしましたわ」

その時、背の高い男たちをかきわけるようにして入ってきた女がいた。華やかな目鼻立ちに女優髷がよく似合う。これが福岡鉱務署署長夫人、野田茂重子《のだもえこ》だと初枝は見つめる。

燁子、久保より江、そしてこの野田茂重子の三人が、福岡を代表する才色兼備の女性と言われているらしいが、初枝が彼女に会うのは初めてであった。

「ちょっと軽々しいところがおありになる方よ」

と燁子が評していたのを聞いたことがあるが、なるほど登場の仕方といい、燁子への声のかけ方といい、良家の人妻風ではなかった。より江もそうであるが、子どもを持たない女というのは、奇妙にてらてらと光る若さを持っているようである。年齢と心もちとが微妙にずれている、と言った方が正確かもしれぬ。重みの違う絹の布はぴったり二枚重ねて縫い合わせても、どちらかが突出するようになる。野田茂重子の場合は、言葉の端々に娘時代そのままのあつかましい無邪気さが顔を出した。

「まあ、この方がご主人の妹さん……。わかったわ、お聞きしたことがあるわ。東洋英和をお出になった方でしょう。私は女学館を出ておりますの」

日本橋《にほんばし》あたりの大店《おおだな》の娘が通い、華美な校風で知られる女学校の名を挙げる頃には、初枝の横に腰をおろしていた。

「噂には聞いていたけれど、とてもお綺麗《きれい》な方ね。燁子さんがお可愛《かわい》がりになるわけだわ」

どうもこのサロンで、燁子は伊藤さんと呼ばれていないらしい。

「燁子さんって我儘《わがまま》なところがおありになるでしょう。燁子さんはね、男でも女でも綺麗な方がお好きなのよ。小間使いでも不器量なのは腹が立つっておっしゃることがありますもの」

「まあ、嫌な方ね。出鱈目《でたらめ》ばかりおっしゃって」

燁子が気安い同性に時々する、茶目っ気のある流し目をくれた。

「だって燁子さんはもともと久保博士を贔屓《ひいき》じゃありませんこと。久保博士は本当に美男子でいらっしゃいますものね」

茂重子は胸元から扇を出し、それを少し拡《ひろ》げ口元を隠した。どうやらこれから内緒話をします、という合図らしい。そのようなしぐさは、花柳界の女がするものだと思っていた初枝は目を丸くして少し腰をひく。しかし茂重子は全くそれを意に介さないようで、初枝を通り越し、扇の陰で燁子にささやいた。

「ねえ、皆さんが噂してらっしゃるのをご存知？　『踏絵』に出てくる激しい恋のお相手は、ひょっとすると久保博士じゃないかしらって」

「まあ、とんでもないことをおっしゃるのね。それにあなたも歌詠みだったらおわかりでしょう。私たちは架空の相手に恋をして、そして恋の歌をつくるもんじゃございませんか。歌集にひとつふたつ恋の歌があったからって、相手を詮索《せんさく》なさるなんて、茂重子さんとも思えないわ」

「私が言ったんじゃなくってよ。男の方がやっかみ混じりに面白おかしくおっしゃったのよ。前から久保博士の燁子さんを見る目が違っていたって」

「まあ、馬鹿なことおっしゃって」

初枝の顔の前に少し扇が移動し、そして初枝に関係なく二人の女の生暖かい息がいきかった。燁子も茂重子も真ん中の初枝を全く無視していた。

「より江さんは賢夫人でいらっしゃるから知らん顔しているけれど、本当は居ても立ってもいられないんじゃないかしら。今度も燁子さんが先にご本をお出しになったから、きっと愉快ではないはずよ。あの方は松山の生まれで漱石に可愛がってもらったというのがご自慢ですもの」

「あの方はお幸せだからよろしいのよ」

燁子の凜《りん》とした息が、正面を向いた初枝の鼻先にかかる。

「ご立派なご主人がいらして、そのご主人と仲よくお暮らしになっている。より江さんにとって俳句や歌をおやりになるのは、ほんのご趣味でしょうけれど、私は違いますもの。私は歌がなかったら生きていけませんわ」

さすがの茂重子もすぐに返事は出来ない、燁子の強い口調だった。

「私は不幸な女ですもの、だから本をつくることも出来ますの。神さまが私をあまりにも憐《あわ》れんでくださって、だから私に歌をくださったのよ。より江さんやあなたに私の気持ちなんかおわかりにならないと思うわ。私、歌がなかったら、本当に一日も生きていけません。歌だけが私のたったひとつの生き甲斐《がい》で、慰めなのですもの」

「そんなに不幸にお酔いになることはないのに」

それは茂重子ではなく初枝の声であった。口にした本人がいちばん驚きぽかんと燁子の顔を見つめる。燁子は一瞬呆《ほう》けたようになったかと思うと、軽く初枝を睨《にら》んだ。

「まあ、幸せな奥さまの言いそうなことだこと」

第九話　醜聞の後

大正七年の初夏、燁子からの手紙を前に初枝は思案に暮れている。

大阪も下町のこととて、夕暮れになるとしじみや野菜売りの声があちこちで飛びかう。下が三間、上が二間の借家は陽《ひ》あたりがいいのだけが取り柄で、あちこちに節が目立つ安直なつくりだ。藤田組に勤めるようになった鉄五郎が、趣味で育てた万年青《おもと》が、狭い露地にみずみずしい緑を見せている。

初枝は手紙を再び取り上げようとし、やはりやめて膝《ひざ》の前に置いた。今年も替えられなかった黄ばんだ畳に、流麗な巻紙の手紙はどう見ても不似合いのものだった。そして中に書かれている内容もまた、今の初枝の暮らしとはかけ離れたものだ。

京都の鮎《あゆ》が美味《おい》しい季節になった。伝右衛門と一緒にしばらく京都に滞在し、買物や食事を楽しむつもりだ。初枝もぜひ京都に来て自分たちと合流するように……。

初枝はため息をつく。自分たちが幸袋《こうぶくろ》の家を出る際のごたごたを燁子はすっかり忘れてしまったというのだろうか。

婚礼を挙げたものの、全くの「部屋住み」の身分で毎日なすすべもなかった鉄五郎は、毎日のように声を荒げて初枝をなじったものだ。自分は百万長者の妹のところへ婿入りし、さぞかしいい身分だろうと世間の者には思われている。ところが実際の生活ときたらどうだ、伝右衛門の会社の経営に参加するというのはいつのまにか反古《ほご》にされ、養子の金次がもはや後継者と目されているではないか。金次の弟の八郎もちゃんと籍に入っている。それどころではない。伝右衛門の総領娘の静子も式を挙げた。相手の秀三郎は学生時代から伝右衛門が奨学金を出していた秀才だという。何年も前から家のためにしっかり地固めをしていたというのに、どうしてこの俺《おれ》と縁を結んだ。俺の名字はそこいらの炭鉱成金とはわけが違う。山澤といえば日露戦争の武功高く、男爵の名称をいただいた名字だ。それを捨て去って伊藤の姓を継がせたからには、それなりの考えがあってのことだろう。おい、俺のことをいったいどう考えているのだ。

夜な夜ないたぶられ、初枝の精神が限界に達するかに思えた頃、夫婦は伝右衛門に呼ばれた。大阪の藤田組に就職の口がある。そこでしばらく修業してみないかと言うのだ。

「これからは石炭ばかりではなく、建築もやってみようと思っとるたい。本社は金次や秀三郎に任せるとして、近い将来きっとお前のために会社をつくってやる」

その言葉を懐に抱いて、二人はこの大阪にやってきたのであるが、いつのまにか三年の月日が流れた。その間に静子が女の子を出産した。初枝の実母が癌《がん》で死んだ。実家からの援助が何もないことで初枝の不安はさらにつのる。世の中には金満家の娘と結婚し、一介の勤め人でありながら御殿のような家に住んでいる男もいる。が、鉄五郎の給料だけで成りたっている生活は、それはそれでつましい若い夫婦の暮らしといえないこともないのだが、つらいのは夫がなじることだ。

世の中は戦争景気で沸き立っていて、それこそ成金たちの目をむくような贅沢話《ぜいたくばなし》を聞くじゃないか。口惜《くや》しいのは世間の人たちに、自分もそういう仲間に連なっていると思われることだ。同僚たちからは絶えず皮肉られたり、羨《うらや》ましがられたりする。全くそういう連中に、この借家暮らしを見せたいと思うよ。

そんな夫に対して、どうして京都へ遊びに行きたいなどと言うことが出来るだろう。おそらく鉄五郎はたっぷり肥満した体を小刻みに揺らしながら、唇をゆがめて笑うだろう。そして、

「呑気《のんき》なことだなあ。そりゃあ俺は養子だが、あんたは一応あの家の娘だからなあ、使う金はそっちには廻《まわ》るだろう」

ぐらいのことは口にするはずだ。それは何とか耐えることが出来る。ねちねちと言いつ

のるくせに、しばらく喋《しゃべ》ったら後はけろりとしてしまう夫の気性も既に知っている。それよりも初枝にためらいの気持ちを起こさせるのは燁子と会うことである。筑豊の伊藤伝右衛門夫人燁子は、今やこの大阪においても有名人なのだ。

大正六年から七年にかけての日々、初枝はこの大阪の地でどれほど不安と悲しみの中にいただろうか。六年の暮れ八幡《やはた》製鉄所の鋼材払い下げをめぐり、大疑獄事件が起きたのだ。鉱山主である兄の伝右衛門も証人として召喚された。それだけではない、野田茂重子の夫である鉱務署署長野田勇にも大きな嫌疑がかかった。野田は最近、博多大圓寺《だいえんじ》町に七千円かけたという大邸宅を新築したのであるが、それが賄賂《わいろ》で建ったと噂《うわさ》されていたのである。憤慨した彼は、株の手腕によるものだと明細を見せたが、それでも数々の疑問は残った。中でも検事や判事の目をひいたのは、伝右衛門の妻である燁子から贈られた二百円の呉服券である。野田はこれはあくまでも中元であり、その証拠に妻の茂重子も返礼として高価な品を贈っているといきまいた。しかし、いくら伊藤家が有名な富豪だといっても、中元に二百円という大金を使うものだろうかというのが裁く側の言い分である。

このため燁子も証人台に立つことになった。いつもより小ぶりの束髪に結い、地味な縞《しま》お召《めし》に身をつつんだ燁子であるが、そのほっそりとたおやかな姿は、薄暗い法廷の中、人々の目を見張らせるには十分であった。

「あれが金で買われてきたという華族のお姫さんだ」

「伊藤とふたまわり以上年が離れているそうじゃないか」

声にならないかすかなざわめきは、特に記者席の男たちの帽子の陰から起こったが、それが一週間もたたぬうちにあのような形になるとは、燁子自身も想像も出来なかったことである。「筑紫の女王」と銘うった連載が、『大阪朝日』で始まったのだ。結婚以来人々の間で噂され、半ば伝説化しているものが活字になると、さらにどぎつさを増した。

「燁子の生涯は斯《か》くして一転したが、この結婚が燁子の心にどんな悲しみを与へたかどんな憤りを与へたか」

「燁子は常に自分の部屋に鍵《かぎ》をかけてゐる。そして伝右衛門氏が夜中、すゞろ心の禁《と》め難く、ノックすると燁子は厳しくこれを咎《とが》める」

おい、これは本当のことなのかいと、鉄五郎は卑しい笑いをうかべながら新聞を差し出したものだ。初枝は顔をそむける。筑豊の幸袋に居たら目に触れることもなかったはずの『大阪朝日』が、毎朝届く町に住んでいる偶然を思った。

「あなただってご存知でしょう。新聞などというものは面白おかしく、ありもしないことを書くんですよ。義姉《ねえ》さんがお嫁にいらしてからずっと、伊藤の家は目立ってばかりいるからいつもこんなめにあう。兄さんも義姉さんも本当にお気の毒だ」

「でも今日はこんなことも書いてあるぜ。『夫人の身の上に不祥な疑ひの雲がかかつたことがある。某博士との交はりあまりにも親密なりと』……。この博士というのは久保博士のことなんだろう。俺もそういえば、と思えなくもない節があるよ」

「まあ、嫌らしい」

大きな声で叫んだとたん、鼻の奥が不意に熱くなった。

「あなたまで何てことをおっしゃるの。義姉さんがどんなにつらい思いをしているのか、家族だったら少しは考えてくださいな」

東京弁でなじることに初枝は慣れていない。東洋英和女学校での生活で、その言葉はすっかりなめらかに発することが出来るようになったと思っていたが、やはり激してくると筑豊の訛《なま》りになる。そのたびに鉄五郎は薄笑いをうかべる。気まぐれに彼は妻に濃い愛情表現を見せる時があって、一途《いちず》な妻の真面目《まじめ》さや幼さをいかにも可愛《かわい》くてたまらぬようにからかうのだ。しかし今の笑いはそれではない。あきらかに蔑笑《べっしょう》というやつだ。

「家族ねえ……」

皮肉な響きさえある。

「片や御殿のようなうちに住んで、その上に御殿のような別荘を建てる人の家族が、こうして借家住まいをしている。考えてみるとこりゃあ滑稽《こっけい》な話だよなあ」

「仕方ないでしょう。兄さんが言いなすったけど、初枝んとこはいずれ幸袋に帰ってくるし、まだ子どももいない。こちらで家を買うこともないと。兄さんも義姉さんもちゃんと私らのことを考えてくださっとる」

つい筑豊弁を発したとたん、初枝は暗い予感に襲われる。自分たち夫婦はこの先、このまま共に暮らしていくのだろうか。自分たちより後に婚礼を挙げた静子、秀三郎の夫婦にはすぐに子どもが出来、親子三人の円満な暮らしが続いている。同じように結ばれてもすぐなめらかに歯車が動き始める夫婦もいるというのに、鉄五郎と自分とはまださまざまなことがぎこちない。子どもが出来ないこともそのひとつだが、初枝は新婚の頃から絶えず気を張り、夫の顔色を窺《うかが》ってばかりいる。

もしかすると伝右衛門が未《いま》だ家のひとつも買ってくれないというのは、自分たち夫婦に不安なところが見えるせいかもしれない。いくら三年たっても、鉄五郎と自分の心も仮住まいのままだと、兄は見抜いているのかもしれなかった。

「初枝、お前一回、幸袋へ帰ってきたらどうだ」

「えっ」

鉄五郎の不意の言葉に初枝は顔を上げる。

「京都へ行くよりも幸袋の方がいい。あっちへ帰って、それとなく金次さんや秀三郎と話し合うのが先決だ」

「それならあなたも一緒に行ってください。私はそんな話は出来ません」

「何を言ってるんだ。俺はしがない勤め人だ。九州に行って帰れるほどの休みが取れるわけがない。それに……」

鉄五郎は唇をゆがめる。大男で童顔の彼だが、いつのまにかそんな表情をつくるのがうまくなっていた。

「俺はあの家と血が繋《つな》がっていない。養子やら妾《めかけ》の子やらがごろごろ居るあのうちじゃ、血が繋がっている者しか信用されんし、歓迎されんのだからな。俺は余計者の半端者だ。家族のお前だけが行ってきてくれ」

家族という言葉を最後に吐き捨てるように言った。


迎えの車がゆるゆると別府《べっぷ》の坂をあがっていく。夏の陽《ひ》ざしは海に反射し、再び細かい粒子となって空中に飛び散っているようだ。別府の町は明るくきらめいていて、木々の緑まで色濃く力強い。

「どうせ来るなら、幸袋よりも別府になさい。あそこに行くと気持ちがせいせいして、そりゃあ元気になれるわ」

電話での燁子の声がよみがえってくる。

伝右衛門が別府に広大な敷地を求め、建設に取りかかったのはおととしのことだ。総《そう》檜《ひのき》づくりのまるで天子さまの家のようだと別府っ子たちが噂するその家を、初枝はまだ一度も見ていない。家が完成したのは昨年の暮れだが、

「私も静子さんもすっかり気に入って、もう四度も行っているのよ」

と燁子は言ったものだ。

町の通りから入り百メートルほどいくと、やっと門が見えてくる。石垣と松の木をうまく配置したそれは、別荘の門というよりもどこかの城跡のようだ。広い道幅がその奥に建っている建物の豪壮さを示しているようで、初枝は何やら空怖《そらおそろ》しいような気分になった。八幡製鉄所疑惑については一応のお咎めなしになった伝右衛門だが、第一次世界大戦以降の炭鉱景気は、どうやら相当荒っぽい利益を彼にもたらしているようだ。車はやがて玄関に到着した。

やはり松の大木を左右に配し、わら葺《ぶ》きの屋根で数寄屋《すきや》風の枯れた雰囲気に仕立てようとしているが、左右に延びている建物の壮大さは、どのように木で覆っても隠せるものではなかった。式台の一枚板といい、瓦《かわら》屋根の細かさといい、素人の初枝にもはっきりとわかるほど贅沢な普請だ。

初枝は車から降りようとして、草履の裏がこわばっているのを感じた。完璧《かんぺき》に気後れしている。幸袋の家も豪邸と呼ばれているが、それでも町中の家であるからこれほどご大層な門はない。通りから玄関も見える。ところがこの家ときたら、門から玄関までがおそろしく長い。どうしてこれほど馬鹿大きな別荘が必要なのだろう。何よりも幸袋の家は初枝が育った家だ。炭鉱《ヤマ》が次々にあたるにつれ、家が改築され、屋根が葺き替えられていくさまもこの目で見ている。

けれどもこの家は違う。初枝の全く知らないところで建てられた家だ。知らない間に建てられた家が自分を冷ややかに拒否するのは当然の話で、だから自分はここに佇《たたず》んだままなのだ。鉄五郎が言う「家族」という言葉を思い出した。自分は本当にまだ伊藤の家の家族なのだろうか。

「まあ、初枝さん、ご免なさいね」

式台の後ろの薄闇《うすやみ》から、燁子が姿を現した。白地に藍《あい》の明石《あかし》ちぢみを着た燁子の夏足袋は、女中よりも早く小走りにこちらに向かってくる。

「もう着く頃だと思って待っていたのに、この家は奥に居ると車の音が少しも聞こえないのよ」

この広さならそうだろうと意地の悪い言葉を頭の中で思いついた頃、初枝はやっと落ち着きを取り戻していた。

「まずはお湯をお使いなさいな。ここのお風呂《ふろ》は船大工に造らせた、そりゃ見事なものなのよ」

燁子は初枝の手をとる。真夏だというのに燁子の手は相変わらず小さく冷たい。

「貴族の女の手は、決して温《ぬく》くならんのや。気性だって決して温くならん」

そんなことを言ったのは、今年の正月に癌で死んだ初枝の母だった。

廊下はどこまでも続く。途中いくつもの座敷を見た。どこもたっぷりと陽の光が入るように、縁側に面して高価なガラスがはめられていた。思わぬところに階段がある。斜傾を利用して段々に部屋がつくられているのだ。

「まあ、何て大きな家なんでしょう」

皮肉や非難を込める間もなく、思わず大きなため息が出た。

「私もこれほど部屋数が多くなくてもいいと思っていたのだけれども、お客さまのことを考えるとね。この別府というところは昔からとても別荘が多いところで、皆さん大きな家をお建てになる。行ったり来たりすることが多いから、宴会も開ける広さにしないとね」

燁子の横顔が全く窶《やつ》れていないことを初枝はすばやく見てとった。白い肌は汗こそかいていないものの、季節の火照《ほて》りを内側に蓄《たくわ》えぴんと張っている。鬢《びん》がほんの一筋貼《は》りついているのもなまめかしい。伝右衛門も燁子も法廷に立つ経験をしているのだ。おまけに燁子の親友、野田茂重子の夫、野田勇はさんざん新聞に追いまわされた結果、辞職の憂き目にあっている。疑獄事件の余波は続いていて、「筑紫の女王」の連載以降も、燁子の動向は記者たちの好餌《こうじ》となっているのだ。美しい貴族の女が、いくら金のためとはいえ、父親ほどに年が違う男のところへ嫁いできた。それだけでも記者たちの心を駆り立てるものは十分あるのに、この女はなかなかの才女で歌を詠み、本まで出版している。しかもその歌は、恋への憧《あこが》れ、満たされぬ心を必死に何かで埋めようとするものが多い。

「彼《か》の女《ぢよ》もまた多情多恨の人、恋を謳《うた》ふこと既に幾十百首、頑屈な儒家などにその歌の一つ一つを見せたなら、彼の女既に空《むな》しといつて、摺鉢《すりばち》のやうな眼を剝《む》かう」

湯に入っている最中、『大阪朝日』の連載の一節を初枝は思い出した。もしかすると自分は、燁子の憔悴《しょうすい》した姿を期待していたのかもしれないと一瞬思い、必死でその考えを打ち消した。

湯から上がり浴衣に着替えて部屋へ行くと、燁子はおととし創刊された『婦人公論』を読んでいるところであった。

「平塚らいてうのことが書いてあるけれど、『青鞜《せいとう》』とかああいったものを、私はどうも好きになれないわね」

「女の人が男のようになるのはあまり見よいものじゃありませんものね」

「そうですとも、女ががみがみと怒鳴りたてていいことなど何もありませんよ。私のまわりでもあの人たちの考えにかぶれた人がいて『青鞜』に歌をお出しになった。佐佐木先生がとてもお怒りになって、一時期は破門になるならないの騒ぎだったのですよ」

燁子は手元にあった団扇《うちわ》を取り上げ、手首を軽くまわしてあおぎ始めた。こうすると自分にも初枝にも風がくるのだ。かすかに膝をゆるめ団扇を手にしている燁子は、上流夫人というよりも、どこかの料亭の女将《おかみ》のような粋《いき》があり、時々初枝は面喰《めんく》らうことがある。

それにしても燁子はますます美しくなった。笑い方、小首の傾《かし》げ方に、今まで見られなかった艶《つや》が加わったようだ。

「時に鉄五郎さんとはうまくいっているの。大阪に行ってからあんまり手紙も貰《もら》わないし、どうしているのかといつも案じているの。このあいだもあなただけでも京都に来るようにと言っても来なかったじゃないの」

なじるような目つきは、女が男にするものだと初枝は思い、通りいっぺんの綺麗《きれい》ごとを口にする気が失《う》せてしまった。

「うまくいっているということが、どういうことかわかりませんわ。義姉さんは婚礼の時に私に言ったじゃありませんか。結婚などというのは、女にとってもともとつらいものだって。それでも女は結婚しなくてはいけないから、せいぜい知恵を使って、少しでもいい方向に行かせるようにしなくてはならないって。私、あの言葉、今さらながら肝に銘じています」

「まあ、それじゃあ初枝さんは鉄五郎さんとうまくいっていないということなの」

「そう取られては困りますわ。鉄五郎さんはとてもいい人だし、女遊びもしません。ただこのまま日が過ぎていくのかと思うと、ちょっと淋《さび》しい気がして……」

「まあ、初枝さんたら小娘のようなことを言う」

燁子は団扇を持っていない手を口元に持っていって笑った。踊りの所作のようなかたちが、時々大層決まる。

「楽しくなりたかったら、ちょっとしたきっかけをつかめばいいのですよ。それはどうすればいいのか、もう少したてばわかるようになりますとも」

ちょっとご覧なさいと言って、燁子は手元にあった文箱《ふばこ》を開けた。中から「伊藤燁子様」とあて名がある封筒が何通も出てきた。太い筆跡で男文字だということもわかる。

「『大阪朝日』の連載、読んだでしょう」

初枝は顔を伏せる。そこまで燁子を傷つけるつもりはなかったのだ。しかし驚いたことに燁子は低くふふふと笑い始めた。

「あれが出始めた頃、自分がおもちゃにされたようで、そりゃあ腹が立ったわ。ところがどうでしょう、新聞社気付けでこんなにたくさんの手紙が届くようになったんです。美しき筑紫の女王燁子さまって、そりゃあ歯の浮くようなことばかり。でも読んでいてとても面白いわ」

燁子は何通かを取り出し、トランプのカードのように並べた。毛筆もあれば、几帳面《きちようめん》な万年筆の字もある。

「中には学生や役人なんていうのもあってね、しっかりした手紙だと、時々返事をあげます」

「義姉さんたら……」

「でも誤解しないで頂戴《ちようだい》。ちょっとしたことを書いて送るぐらいだから。あのね、私は昔、そりゃあ忌み嫌っていたものだけれど、新聞記者の中にもよい人はいるのよ。あの中にも私の信奉者は何人もいて、時々は手紙をやりとりします。どうしたの、初枝さん、私のこと、まるで犯罪者のような目つきで見て……」

燁子の笑い声で、初枝はこわばっていた肩を元に戻した。

「あなたも知っていることだから、もう隠しとおすつもりはないけれど、七年前、伊藤の家に嫁いできた時分、私はとてもつらかった。毎日泣かない日はなかった。でも今は歌のおかげで友だちも出来たし、こうして手紙を寄こす人たちもいるの。今はやっと毎日を面白楽しく暮らすすべを見つけた、というところかしらね」

「だって他所《よそ》の男の人たちと文通をするなんて、そんなことを兄さんが知ったら……」

「ただ手紙を書くだけじゃありませんか」

初枝の潔癖さに、燁子はいささかうんざりした声を出す。

「いい、これは内緒のことだけれどいいことを教えてあげます。夫にいろいろなことを望むからつらくなったり、悲しくなったりするのです。楽しいことは他の男の人とすればいいの。もちろん不貞を働いたりはしません。そんなふしだらなことをして傷つくのは女ですからね。肉欲というものは——」

燁子はふっと遠いところを見る目つきになる。

「その時は夢中になっても、醒《さ》めた後のつらさといったらとても耐えられるものではありませんからね」

初枝は人々のささやきを思い出した。燁子は伝右衛門、そして自分が見つけてきた若い妾のユウと三人で寝所に入るという。そこでは口で言えないほどの痴態が繰り拡《ひろ》げられるというのは本当だろうか。けれども初枝は「肉欲」と発音する時の、燁子の暗い表情を確かに見たと思った。

「肉欲に陥るのは愚かな女のすることですよ、賢い女だったらどうやったら精神的なつき合いだけで、男の方とつき合うことが出来るかまず考えるものです。初枝さんも鉄五郎さんだけが唯一の人だと思わずに、もう少し世間を広くご覧なさい。そうして自分の楽しみを見つけたり、男の方とおつき合いをすればいいのですよ。これは内緒のことだけれども」

内緒、内緒と悪戯《いたずら》っぽく繰り返しながら、燁子は男たちの手紙の入った文箱の蓋《ふた》を閉じた。その時ほど初枝は、あまり字に明るくない兄を哀れだと思ったことはない。

初枝が来て二日めの夜、燁子は月見の宴を開いた。博多からは久保博士夫妻と驚いたことに野田茂重子の姿も見えた。

「いろいろつらいことがおありだったから皆でお慰めしようと思って」

と燁子は言いわけしたが、夫婦であのような目にあったというのに、茂重子は全く変わってはいない。少々暑苦しく感じるほどの厚化粧に衿《えり》をゆるく抜いているさまは、三年前に博多で会った時のままだ。

近くの別荘の主人、久留米絣《くるめがすり》で大儲《おおもう》けをした繊維会社の社長、九州電力の社長なども顔を揃《そろ》えた。異色なのは北尾という大阪から来た新聞記者だ。燁子が新聞記者などという職業の男とつき合うことに、初枝はたまらぬ嫌悪をおぼえる。北尾は他の下品な輩《やから》とは違う、ちゃんとしたインテリだから安心するがいいと燁子は言うが、近づく気にもならない。

食事の後、皆で庭をそぞろ歩いた。別府港に見立てたという築山《つきやま》と池が燁子は自慢なのだ。

「来年はここに蛍でも放しましょう。さぞかし風情《ふぜい》があるでしょうな」

燁子の傍に寄り添っているのは久保博士である。真夏だというのに喉《のど》の上までぴっしりとカラーのボタンをつけ、汗ひとつかく気配もない。新聞で話題になった二人がこうして並んで立ち、その傍に彼の妻がいるのも、初枝にとっては不思議な光景だ。

「まあ、いいですわね。そうしたら皆で連歌でもいたしましょうよ。私、その時は趣向を凝らして素晴らしいものにしましてよ」

心なしか燁子の声も甘い。月影の下、早くも鈴虫のすだく声がする。

「それにしても立派な別荘じゃありませんか。確か六千坪とおっしゃいましたかな。これだけ庭が広いと、まるで山の中にいるようなものだ。ここだったら燁子さんも歌をたくさんおつくりになれるでしょう」

「ご自分のうちのようにお使いくださいまし」

薄闇の中、博士の後を追う燁子の帯が少女のように揺れた。

「この家は皆さん方に来ていただいて、皆さんにゆっくり寛《くつろ》いでいただくために建てたものですのよ。だからいつでも来ていただいて、長くいらしてくださいませ」

より江と茂重子は池を眺めながら久留米絣長者と何か喋っている最中であった。燁子の媚《こ》びを込めた声を聞いているのは自分だけだと初枝は思いながらも、何とはなしに振り向いた。

すぐ後ろに長身の男が立っている。久保博士とは対照的に、シャツのカラーをだらしなくゆるめた男、北尾だ。

初枝と目が合ったとたん、彼はにやりと笑った。それは共犯の笑いというものであり、彼もまた燁子と博士との会話を聞いていたに違いなかった。

肉欲という言葉が頭のどこかで走る。精神的という言葉も走る。燁子はその危うさを本当に知っているのだろうか。

それでも燁子の白い夏帯は闇の中を進んでいく。

第十話　待ち人来たる

毎日のように新聞を賑《にぎ》わせた米騒動や焼き打ち事件はやっと下火となり、穏やかに大正九年の年は明けようとしていた。

やわらかな冬の陽《ひ》ざしの中、初枝は車から降りた。手にした信玄袋《しんげんぶくろ》の中には、何冊かの新刊書が入っている。別府に居ると本が手に入りにくいと燁子から頼まれたものだ。

久しぶりに見る別荘はさらに重々しさを増した。何度来てもこの豪壮さには慣れることが出来ない。庭づくりはほぼ完成したようで、見事な枝ぶりの松の大木が、ふたつみっつ増えている。中では絵師が二人の弟子を指図して、板戸に絵筆を走らせている最中だ。阿《あ》部春峰《べしゅんぽう》といって、京都でいま売り出し中の画家だと燁子は初枝に説明した。

「旦那《だんな》さんの普請道楽もますます念が入って、天神の家などはそりゃあ大変な凝りようなのよ。なんでも屋根を全部赤銅《あか》にするって言っている」

「まあ、赤銅に」

世間に疎《うと》い初枝でもそれがどれほど豪華なものかわかる。今住んでいる大阪でも屋根を瓦《かわら》ではなく赤銅で葺《ふ》いている家などほとんど見たことがない。全く無学と言われている伝右衛門であるが、どこでどう身につけたのか洗練された建築の趣味を持っている。彼の建てる家はどれも途方もなく大きかったが、数寄屋《すきや》の精神を生かした落ち着いた品のいいものである。現在建築が進んでいる天神の邸《やしき》にしても、たまたま手に入れた桃山《ももやま》時代の襖絵《ふすまえ》を生かすために設計されたものだ。普通の瓦屋根にするとその重量があり過ぎて家全体、ひいては貴重な文化財に負担がくるのではないかと、銅板屋根が考え出されたという。京都の寺社専門の建築家がその任にあたり、おそらく新築のあかつきには博多の名所になるだろう家が出来上がるはずだった。

「世間の人は——」

燁子は言う。この前触れがある時は彼女が愚痴を口にする時である。

「私のための御殿だと噂《うわき》しているようだけれどそんなことはない。旦那さんが自分の趣味で建てているのよ。あの人の楽しみで家をつくるのに、いつも私が引き合いに出されてはかなわない。私はこの別府の家があれば十分、他には何もいらないわ」

この別荘を燁子が大層気に入っているのは、豪華なつくりや、心地よい別府の気候だけではない。ここに滞在している限り、燁子は伝右衛門と離れて完璧《かんぺき》な女主人になれるからである。博多からしょっちゅう久保より江、野田茂重子といった友人を招き、歌会や月見の宴を張る。それればかりでない、二冊の歌集を出してすっかり著名人の仲間入りをした燁子には、とみに崇拝者が増えている。この別府の別荘は、燁子の新しいとりまき、新聞記者だの、歌を詠む学生だのが集うところになりつつある。本人は大嫌いな言葉だろうが、そういう人々に囲まれ、座敷で床の間を背にして笑う燁子にはいつか新聞が名づけた「筑紫の女王」という表現がぴったりであった。現に今、いかにも正月らしいしぼの高い小豆色の縮緬《ちりめん》をまとった燁子は、不思議な貫禄《かんろく》が身についている。ほっそりとした体つきは以前のままであるが、他を圧するような華やかさが漂っていた。

「まあ、どうしたの、初枝さん、そんなに私をじろじろと見て」

「そんな……」

初枝はうろたえる。もしかすると自分の視線の中に、燁子を咎《とが》める棘《とげ》のようなものがうっかりと混じっていたかもしれない。ここは正直に言ってしまった方がよさそうだ。

「いいえ、あの、義姉《ねえ》さんはどんどん変わられる。この別府で見る時はとても幸せそうで楽しそうだ」

「幸せねえ……」

燁子はかすかに鼻を鳴らしたが、昔そうであったような皮肉めいた意地の悪さはない。

「初枝さんにまでそう見えるとしたら、私もいろいろとお利口になったからだろうかね。確かにここに居れば、いろいろと嫌なことを忘れることは出来るわ」

この後、燁子はことこまかに「嫌なこと」をいくつか話し始めた。義理の息子となる金次の嫁、艶子が大層気が強い。伝右衛門が艶子のことを気に入っているのをいいことに、家の中の采配《さいはい》を振るおうとする。それに静子の夫、秀三郎の不甲斐《ふがい》ないことといったらどうだろう。もっと気概のある青年だと思って跡とり娘の婿にしたのに、伝右衛門や金次の言いなりになっているのだ。この頃は三人で連れ立って夜の街へ行くことも多く、あの真面目《まじめ》な青年がいつか悪く染まっていくのではないだろうか……。

久しぶりで聞く伊藤の家の揉《も》めごとは、むしろ懐かしさを初枝にもたらした。慣れない大阪の町で夫と二人、気を張りつめて暮らしている身からすると、伊藤の家の喧騒《けんそう》は温かいにおいがする。かつては養子や妾《めかけ》の子たちの寄り合い世帯であったが、それぞれが配偶者を得、伝右衛門を盛り立て、曲がりなりにも形を整えてきた。その中から燁子はぽんとはじき飛ばされたことになる。が、はじき飛ばされた先が、このような風光明媚《ふうこうめいび》な場所に建つ豪邸なら文句はないではないか。ここで燁子は自由に友人を招き、その中には男さえ混じっているのだ。

「これ以上、何をお望みなのですか」

という問いがふと初枝の脳裏にうかんだ。しかしこれを口に出せるはずはない。だから初枝はこんな風に言ってみる。

「義姉さんは、いいお友だちがいっぱいいらっしゃるじゃありませんか。それが何よりのお慰めでしょう」

「初枝さんだから言うけれどもね」

燁子はいくらかもじもじとしていたが、やがて意を決したように口を開いた。

「私はなんだかこの頃、あの方たちと会うのが億劫《おっくう》になってきたのよ。こんなことを申し上げるのは失礼だけれども、あの方たちは狭い博多のことしかご存知ない。おっしゃることもいつも同じこと。新聞に出ていたことをお話ししても、手ごたえがないといおうか、あら、そんなことがありましたのと平然と言うのだから驚いてしまう」

燁子の意図を初枝は理解した。つまり燁子は、もはやあの二人は自分の相手ではないと言いたいのだ。九年前、この九州の地に嫁いできた燁子には、ほとんど選択の余地というものがなかった。彼女の自尊心を満足させる友人として、とりあえず上から二人、名流夫人が選ばれた。それが九州帝国大学教授夫人の久保より江と、鉱務署署長夫人の野田茂重子である。が、名流夫人といっても所詮《しょせん》は博多で、という前置詞がつく。かつて新聞等で「九州の三名華」とうたわれるたびに、かすかに露《あら》わになった燁子の不快な表情を初枝は忘れることが出来ない。華族の女であり現在の帝《みかど》の従妹《いとこ》にあたる自分が、どうして博多の一教授の妻と一緒にされるのかとその目は語っていた。

しかも今は状況が変わっている。『踏絵』を出版して以来、閨秀《けいしゅう》歌人としての燁子の名は全国に知られるようになった。この頃ははるばる東京から雑誌社や新聞社が燁子を取材に来ることも多い。『大阪朝日』に連載された「筑紫の女王　柳原白蓮」は、いい意味でも悪い意味でも燁子の名を広く知らしめたのだ。九州ばかりでなく、東北や北海道からも賛美に満ちた手紙が届く。中には恋文めいた手紙を寄こすどこかの中尉がいて、燁子は面白半分に返事を書いたりするのだ。そんな中にあって燁子はそろそろより江や茂重子から離れたがっている。今の自分に合った友人を欲しているのだ。

「最近、佐佐木先生が、しきりに九条武子《くじょうたけこ》さまに会いなさいと勧めてくださるのですよ」

「まあ、九条武子」

初枝は目を見開いた。九条武子ととっさに呼び捨てにするほど、彼女は誰でも知っている有名人である。西本願寺法主の令嬢として生まれ、仏教婦人会の総裁代理の重職にあるというだけではない。その美貌《びぼう》と聡明《そうめい》さで信者から生き仏さまのように崇《あが》められている武子は、しばしば女性雑誌にも登場する。昨日も大阪から乗った列車の中で、初枝が開いた『婦人画報』のグラビアにも、新春の装いに身をこらした武子の姿が載っていたのである。

世の女たちの憧《あこが》れの的になるにふさわしい﨟《ろう》たけた美しさである。

「武子さまも『心の花』の同人でいらっしゃるのよ。それで先生は前々から二人を引き合わせたいとおっしゃるの」

燁子はうっすらと微笑《ほほえ》んだが、その口元のあたりに得意さがうかんでいる。

「でも私も東京にはなかなか行けません。武子さまが上京なさる折に一度と言われているけれど、そううまく都合がつくものでもないしね。あの方は九州にもよく講演にいらっしゃるようだから、その時にでもお会い出来たらいいのだけれど」

「それだったら」

思わず叫んでいた。

「うちの人がご紹介出来ますわ。鉄五郎さんは京大に通っていた時分、あの方と親しくさせていただいていたと聞いたことがあります。何でも西本願寺に剣道の奉納試合に行った時に知り合ったそうです。だからきっと義姉さんにご紹介出来ますわ」

けれど初枝のはずんだ声は、燁子のしのび笑いの前にすぐに消えた。

「まあ、鉄五郎さんがあの方と。まあ、期待しないでお待ちしましょう。鉄五郎さんは時々ホラをお吹きになるからね」

屈辱で初枝は言葉を失う。確かに夫はその肥満した体そのままの大言壮語を口にする時がある。だがそれは身内の笑い話で済む範囲のことだ。ぴしゃりとした燁子の否定に、いま自分たち夫婦の置かれている立場があるような気がした。結婚から六年たつというのに、未《いま》だに幸袋へ戻って来いという話は持ち上がらないのだ。

「でもね、人との出会いは縁だと言うから、ゆっくりお待ちすることにします」

燁子も初枝の表情に気づいたのだろう。取りなすように声をかけた。

「私はこの頃予感がするの。もうじき待っている人が現れるって」

謎《なぞ》のような言葉に初枝は顔を上げる。待っている人というのは武子のことなのだろうか。

「夜眠っているとね、目が覚める時がある。もうじき、この暮らしを根こそぎ変えてくれるような人が現れるってね」

それは予感というよりも燁子の願望ではないか。義姉はなんと大胆なことを口にするのだろうかと、初枝は目を見開いて相手を見た。燁子も夫の妹相手に、はしたないことを言ったことに気づいたのだろう、慌てて次の言葉をつけ足した。

「それは多分、九条武子さまでしょうよ。あの方にきっとすぐに会える。いや、お会いしたいという気持ちでこんなに胸騒ぎがするんでしょうね。それはそうと今夜は〝魚すき〟にしましょう。初枝さんが来るというので、いい魚をどっさりと買いに行ってもらったのですよ」

女中を呼ぼうと向きを変えた燁子の横顔に、もはや何の動揺も見られなかった。

その夜燁子は、『解放』という一冊の本を貸してくれた。読書好きの初枝は、どれほど疲れていようと寝しなに本がないと眠れない。そのことを知っているからである。けれども白地に肉厚の文字で『解放』とだけ書いてあるそれははなはだ武骨な装幀《そうてい》だ。今流行の社会主義の雑誌だとわかる。どうして燁子がこのようなものを持っているのだろうか。

「まだあまり人に言ってはいけませんよ」

燁子は口から歯磨きの薄荷《はっか》のにおいをさせながら、恥ずかし気にささやいた。

「私はこの頃、歌ばかりでなく小説や戯曲も書いているのですよ。初めての戯曲を佐佐木先生にお送りしたら、この本にご紹介くださったのですよ」

初枝は寝巻に着替えてから、文机《ふづくえ》の上にその本を置いた。ひどく気が進まない。燁子の書くものを読む時はいつもそうだ。いくら誇張されたものとはいえ、心の奥の暗く冷たいものに触れるからだ。その原因をひとつひとつ思いうかべせつない思いとなったり、義姉の知ってはいけない願いを垣間見《かいまみ》て空怖《そらおそろ》しい気分になったりする。それにしても物書きというのは、どうしてこれほどまがまがしい言葉を記すことが出来るのだろうか。戯曲の中で、老いた夫を裏切り、青年に狂乱の恋を仕掛ける女は叫ぶ。

「私は生む事なき懐妊に苦しみながら、昼と夜との合に悶《もだ》ゆる」

「私の愛欲は何の味もしらず、悶えは斯《か》うして答へる」

燁子の昼間の言葉が蘇《よみがえ》る。

「もうじき待っている人が現れるような予感がする」

それは男に違いない。世間で噂されているように久保博士のことだろうか。それとも戯れに恋文めいた文通をしていると打ち明けた中尉がやって来るというのだろうか。ページをさらにめくる。『指鬘外道《しまんげどう》』という戯曲は、人妻の求愛をしりぞけた青年が、彼女の策略にあって殺人を重ねるという物語である。殺した人間の指を切り、それで首飾りをつくる。指が百本になるまで人を殺さねば罪は許されない。「心の渇きを女の唇に潤す事をせぬそなたは、我手にかけた人の血で咽喉《のど》の渇きが止《や》むと見える」「そなたをその怖ろしい生きながらの羅刹《らせつ》には誰がした、誰ぢや、恋の恨みの呪《のろ》ひの血ぢやわ」。途中で息苦しさのあまり初枝は本を閉じた。仏話に材を得たと燁子は話していたが、なんという怖しい話だろうか。今夜は嫌な夢でも見そうである。

渡り廊下で繋《つな》がれて九棟ある別荘は、広い建物だけに漂う巨大な闇《やみ》と静寂とが支配していた。しんとして物音ひとつしない。隣りの棟の二階にある自室に燁子は眠っているはずだ。こんな物語を書いていても燁子は常に安らかに眠ることが出来るのだろう。初枝も見たことのある白絹の寝着。貴族の女の証《あかし》のようなその寝着にくるまれ、燁子は寝息をたてている。もしかするとその部屋に忍び入る男がいるかもしれない。その男は今日の戦利品である指をパラパラと布団の上に落とすのだ。真白い女の指もあれば、黒いふしくれだった男の指もこぼれ落ちていく。そしてその気配で目覚めた燁子はにっこりと微笑む……。初枝はその夜まどろむ最中、夢とも空想ともつかぬ光景を見た。

一週間滞在するうちに、一月の日めくりは残り少なくなっていった。大寒が過ぎても、別府のまろやかな陽ざしは変わらない。初枝は燁子と一緒に舟を出してもらい魚釣りに出かけた。二人合わせて五匹の雑魚《ざこ》がかかっただけの貧しい漁であったが、別の漁師が獲った鯛《たい》を目の前で料《りよう》ってもらい皆で舌鼓をうった。伝右衛門の吝嗇《りんしよく》さをよく燁子は口にするが、別府での暮らしは日頃の初枝のそれとはほど遠い贅沢《ぜいたく》なものだ。

朝はゆっくりと起き、女中が整えてくれた朝飯を食べ、燁子ととりとめもないお喋《しやべ》りをする。そしてその後は本を読んだり、別府の町を散歩する。夜になると燁子の客が来ることも多く、近くの別荘に遊びに行くこともあった。そうした社交の日々を冷ややかに見ていたこともあったのに、いつのまにか快適さは否応《いやおう》なく初枝の体に沁《し》みていく。小さな借家で気むずかしい夫に仕える大阪とはまるで別天地だ。伊藤家の娘として一応自分はこうした生活を享受出来る立場にいる。けれどもそのことを誰もが忘れていることが初枝には不思議だった。燁子にしてもこんな風に長く留守をして大丈夫か、鉄五郎はどう思っているのかと聞いてくれてもよさそうなのに、全く無関心だ。ひとときの楽しみを褒美のように与えていればそれでよいと思っている。初枝はすべてのことを打ち明けたい衝動にかられた。鉄五郎と自分とは決してうまくいっていない。自分はもう夫に怯《おび》える日々に疲れている。が、そんなことは言いやしない。夫に愛され、夫に存分に甘える妻を演じることが初枝に残されたわずかな矜持《きょうじ》なのだ。少女時代から燁子のことは好きだったが、そのみじめさをどれほど軽蔑《けいべつ》したことだろう。

「よるべなき吾《わ》が心をばあざむきて今日もさながら暮しけるはや」

などと詠んだ燁子を憎んだことさえある。自分はいつか夫婦の情愛を知る妻になるのだとぼんやり信じていた。どうしてやすやすと燁子にすべてを打ち明けたりするものか。夫を恨み身の不運を嘆くことは、燁子と同列に並ぶことになる。

その夜は幸袋からぶらりと八郎がやってきて、初枝と一緒に鯛の刺身をつついた。彼は生意気にも自分好みに燗《かん》をさせた酒を飲んだりもする。関西学院を受験することになっている八郎は、十八になったばかりだというのに既に酒と女の味を知っているようだ。子どもの頃から美少年と言われていたが、背がすらりと伸びた今では美青年といってもよい。

伊藤家が裕福になってから引き取られ、坊ちゃんと呼ばれて育った彼は、兄の金次にも見られなかったおっとりとした品がある。

「関西学院に入ったらな、毎日のように野球を見に行くんや」

八郎は大変な野球狂なのである。ひ弱なところがある少年だったのが、嘉穂中学に入学してから野球部に入りぐんぐん背が伸びた。そもそも関西学院を受験するのも、初枝の家に遊びに行った折、近くの競技場で神戸一中と関西学院の試合を見たのがきっかけだというから笑ってしまう。

「だけどこの頃はゴルフも面白いと思うちょる。秀三郎兄さんにこの頃連れていってもらうが、あれは本当に面白いでぇ。ねえ、初枝姉さん、大阪にもゴルフ場あるやろうか」

そう言ったかと思うと突然立ち上がり、ゴルフのクラブを振る真似《まね》をした。

「おお、ナイスショットやー」

その格好がおかしくて、腹をかかえて笑う初枝に燁子がそっとささやいた。

「あんな子どもっぽいことを言っているけれどもね、半玉《はんぎょく》とつき合っているのよ。金次さんの時とそっくり同じなのよ」

伊藤の家の男たちの好色さをあざ笑う燁子に初枝はこう言ってみたくなる。伝右衛門は確かに人並はずれて女好きだ、けれどもそんな夫に若い妾をあてがったのはいったい誰なのだろうか。嫌なことはその女に押しつけ、自分は好きな時にこの美しい土地に遊ぶ。そして世間のちりや埃《ほこり》は何ひとつつかぬ涼し気な風情《ふぜい》で燁子は歌を詠むのだ。

「義姉さん――」

けれどもいつもそうだ。非難するよりも逃亡することの方を初枝は選んでしまう。

「私はそろそろ帰るつもりです。あさってにでも発《た》とうと思うの」

「まあ、もっと居ればよいのに。初枝さんと一緒だと何をするのも楽しいのだもの。もっと長く居て頂戴《ちょうだい》よ」

黒々と濡《ぬ》れた目を初枝の方に向ける。燁子は女を見る時にも、哀《かな》し気な救いを求める目になる時がある。

「でも帰りますわ、そろそろ家のことも心配ですもの」

「そうよね、あなたの大切な鉄五郎さんがもう淋《さび》しがっている頃ね」

燁子のこうした鈍感さに初枝は苦笑いしたいような気分になった。けれどもこれも自分の日頃の努力の賜《たまもの》というものだろう。

「でも本当に残念だわ。もうじき徳子《とくこ》さんがやってくるの、久しぶりだからあなたと会いたがっているわ」

これを聞いて初枝は出発を早くしてよかったと思った。初枝は燁子の姪《めい》にあたる徳子が苦手である。苦手、というよりも全く理解出来ないといってもいい。伯爵令嬢というからには、それなりの品位やたおやかさがあってもいいはずであるが、徳子は男のような乱暴な口をきく。それだけでなく、着物の袂《たもと》をしょっちゅうひっかけてはほころびをつくるだらしなさだ。

「文士に憧れているからその真似をしているのでしょう」

と燁子は言ったことがあるが、自分や静子の行儀にはあれほどやかましかった義姉が、徳子の奔放《ほんぽう》さに極めて寛大なのは不思議だった。貴族の女というのは本当にわからぬ。そして貴族の男というのも本当にわからない。男爵の息子である夫の鉄五郎は、勤め人生活にみきりをつけようとしているのかと思えば、出世に固執する面も見せる。おそろしく誇りが高いくせに、金のためならめめしいことを口にする。このままだと島流しのままだから、お前はしょっちゅう実家に顔を見せろと命じているのも夫なのだ。

初枝は目の前でゴルフのパットの真似をし、一座を笑わせようとしている八郎がたまらなくいとおしくなった。金次にも伝右衛門にも会いたいと思う。いくら好色だ、品がないと軽蔑されようとも、彼らは初枝の家族なのだ。血が繋がっている一族なのだ。初枝はその時、自分の中に鉄五郎と別れ、実家へ帰りたいのだという本音を見つけ、小さくあっと叫び声をあげそうになった。

その気配に八郎は振り向き、初枝を強い目で見た。

「初枝姉さん、まだ帰っちゃ駄目だよ。静子姉さんと約束していただろう。俺《おれ》が出てくる時、静子姉さんは嬉《うれ》しそうに荷物をつくってたぞ。別府で初枝姉さんとカルタをとるって楽しみにしていた」

「そうよ、徳さんと静子さんと初枝さん、三人揃《そろ》ったらこんなに嬉しいことはないわ」

徳子という変わり者の女と会ううとましさの方が、夫の許《もと》へ帰るうとましさよりもまだ耐えられそうで、初枝は逗留《とうりゅう》をのばすことをついに約束させられてしまった。

大正九年一月三十一日、客間の柱時計が四時をうったとたん、燁子はあっと叫び声をあげた。

「いま思い出したわ。徳さん、悪いけれども活動には行けないわ」

「えっ、どうして」

「今日は東京からお客が来るのよ」

燁子は外出するために肩にすべらした臙脂《えんじ》の羽織の紐《ひも》をゆるく結ぶ。脱ごうかどうしようかと迷いながらも結局は結んでしまった。この深い臙脂は、燁子の顔をさらに白くやさしげに見せるために大層気に入っているものだ。今日の客が誰であれ、この羽織は着ておくべきだと結論を下した。

「ほら、あなたにも見せたでしょう。『解放』という雑誌に書いた戯曲。あれをね、ちゃんと出版して舞台にもかけたいから許可をくれという人が来るのよ。まあ、学生さんのことだから本当にやるのかどうかもわからないけれど」

「ふうーん、学生が東京からわざわざ。この頃の学生ってお金があるのね」

徳子は突然映画館行きを中止された不満を表すかのように、着物の裾《すそ》を乱してどさりと椅子《いす》に身を投げ出した。柳原の家の女にしてはふっくらした頬《ほお》を持つが、それが現代的で快活な印象を与えた。

「上京した時に打ち合わせをと言われても、このところそんな予定はないの。だからこちらに来てくださいと旅費を送っておいたのよ」

「でも燁さん親切ね、そんな書生っぽにまでちゃんと会うなんて」

「そうは言っても私の本を出してくれるなんて嬉しいことじゃないの」

いつのまにか羽織の紐を結び直していた。徳子には詳しく言う必要はないと思うが、今日やってくるのは東京帝大法学部の学生なのだ。世の中の人並には、燁子も彼らに対して尊敬と好奇心を抱いている。学習院出身者は、国立大学入学を優遇されているが、ほとんどは文学部である。法学部に入るからには、特別の頭脳と学問に対する真摯《しんし》さがなくてはならない。その彼らが自分の書いた戯曲に目を止めてくれたというのは、燁子の自尊心をかなり満足させてくれる。それにしても今日は若い三人が居てくれてよかった。自分一人だけなら学生と二人きりでどう対応していいのかもわからないだろう。せっかく東京から来てくれたのだ。話をして茶だけで帰すわけにもいくまい。夕食ぐらい出すべきだろう……。

女中の足音がする。広いこの家では、女中たちは能役者のように足袋を滑らせて早足で歩く。そうしなければ用が足りない。

「奥さま、東京から宮崎《みやざき》さまがお見えでございます」

「宮崎……？」

燁子は首をひねった。

「おかしいわね。手紙では山崎さんという方がいらっしゃることになっているはずよ。宮崎さん本人がそう手紙を寄こしたのだけれど」

「宮崎だろうと山崎だろうとたいした違いはないわよ。どうせ羊羹色《ようかんいろ》の服着た学生なんでしょう。あいつらみんな同じ顔してて、みんな同じことを言うじゃないの」

徳子がくっくっと笑う。やがて女中とは全く違う足音が近づいてきた。この家で唯一の洋間のドアは厚いマホガニーだ。それが難なく外側から開いた。背の高い男がそこに立っていた。羊羹色の学生服の代わりに、彼は灰色の背広を着ている。仕立てもなかなかなので学生というよりも、若い教授といういでたちだ。燁子はしゃれ者の久保博士をふと思いうかべた。

「初めまして。私は『解放』編集部の宮崎《みやざき》龍介《りゅうすけ》と申します」

「よくいらっしゃいました。どうぞお座りくださいませ」

燁子は長椅子を手で示した。その隣りの椅子にはさきほどからニヤニヤ笑い続けている徳子がいる。おとなしくしなさいと燁子は目で制した。

「ご紹介しますわ。私の姪で柳原徳子と申します。しばらくこちらに遊びに来ておりますの」

「どうぞよろしくお願いいたします」

徳子は立ち上がり、それだけは貴族の優雅さで軽く頭を下げる。しかしすぐどさりと椅子に座り込みぞんざいな声をあげた。

「ところで今、『解放』っておっしゃったけど、それって何なの」

「私たちが学内につくった『新人会』というグループの、『解放』はその機関誌です」

宮崎という学生の口元には、あきらかに憮然《ぶぜん》とした表情がうかんでいる。

突然女二人に囲まれ、どうしてこんな質問をされなくてはいけないのだという表情だ。

美男というには少し顎《あご》がなかったが、目のあたりに勝気と甘さが同居していた。いかにも負けん気が強そうな若者は徳子をぐいと見返す。が、それを徳子は若い女だけに許されるコケティッシュな無礼さではね返した。

「ねえ、ねえ、その『新人会』っていうの、いま流行の社会運動をおやりなのね」

「流行かどうかはわかりませんが、我々は日本無産階級の運動を続けています」

「それって楽しいのかしら。私、社会主義っていうのは怖しくって。だってロシア革命のパルチザンって人をどんどん殺す悪い人たちなんでしょう」

「徳さん」

燁子はあまりにも無邪気過ぎる姪を制した。

「あなたちょっとお部屋にいってらしてよ。私はこの宮崎さんとお話があるんですから」

「わかったわ。でも宮崎さん、夕食までいらっしゃるんでしょ、じゃその時にね」

太い縞《しま》の裾が翻り、その揺れるさまがふと妬《ねた》ましいと思った。徳子を部屋から出したのは、本当に彼女の無礼さを咎めるためだったのか。徳子と男との会話を聞いているのが息苦しくなったからではないか。若い男と女の言葉の戯れを目の前で聞いていることほど嫌なことはない。自分がもう若くはないことを思い知らされる。その結果、自分は嫉妬《しっと》にも似た気持ちを一瞬でも持ってしまうのだ。相手がこんな若い学生だというのにだ。

「失礼いたしました。さあ、お話を聞かせてください」

燁子は年上の女の威厳を見せすっくと背を伸ばした。

第十一話　往復書簡

初枝がその男を初めて見た時、彼は床の間を背に蜜柑《みかん》を食べているところであった。皮をむくのももどかしそうに、爪《つめ》でざっくりと割ると筋もとらずに口の中にほうり込む。二月だというのに、まくり上げたワイシャツの肘《ひじ》のあたりに若さが匂《にお》うようだった。腹が空いているのだろうか、真黄色に熟した蜜柑を次から次へと口の中に入れ、漆の卓の上には皮の小山が出来上がっている。

「今日東京から来た書生さんよ。帝大の学生なんだけれど出版社の番頭さんもしているそうよ。燁さんの本を出したり、お芝居にかけたりするんで来たんですって」

紹介するというのでもない。襖《ふすま》をがらりと開けると立ったまま、徳子は男の説明を始めた。

「そうなんです。お邪魔しています」

徳子の不作法に驚く様子もなく、男もにっこりと笑った。もっとも彼も手から蜜柑の袋を離さない。

「後で皆さんでカルタをやりましょうや」

初枝と静子は反射的に頭を下げ、そして慌てて立ち上がった。初枝は長い廊下を小走りに進む。気づくと後ろから静子も従《つ》いてきていた。頬《ほお》が紅潮していて、肩が小刻みに震えている。人妻の二人がすっかり女学生に戻り、顔を見合わせてくっくっと鳩《はと》のようにしのび笑いをした。

「面白い人」

「素敵じゃない。帝大の学生ですって」

目を輝かせている静子の髪に、リボンが揺れていないのが不思議なようだ。母親になっても、家つき娘の静子から少女らしさは消えていない。

「出版社の番頭さんもしているっていったけれど、どういう本をつくっているのかしら。『婦人画報』ならいいわ。なぜって私、あれをいつも月ぎめにして読んでいるのですもの」

静子は興奮を隠さない。それほど今、座敷で見た男は新鮮な雰囲気をかもし出していた。帝大生というのだから知的なのは当然としても、ゆるめたネクタイや髪型がいかにも都会の男という感じだ。そうかといって軟派な学生という風でもなく、くだけた中に涼し気な固いものもはっきりと見てとれた。初枝や静子が今までほとんど目にすることのなかった種類の男だ。

その夜宮崎という学生は少し酒を飲み、そして蜜柑を頬張るのと全く同じリズムで、鰈《かれい》や鯛《たい》の刺身を頬張った。九谷《くたに》の大皿に盛ったそれはまたたく間に彼の胃の中に消え、その健啖《けんたん》ぶりは女たちの微笑を誘った。

「宮崎さんって、帝大生っていってもろくなものを食べていないのね」

徳子が不遠慮な大声を上げる。このあたりでだけ獲れる城下鰈《しろしたがれい》は彼女の大好物なので、さきほどから宮崎に箸《はし》を奪われることにむくれているのだ。

「そりゃあそうですよ。僕らは本当に貧乏ですからね。自分たちが儲《もう》けた金はそのまま会の資金になってしまう。こんなにうまいものはめったに食べられません。アハハ」

「会って何ですの」

おそるおそる初枝は尋ねた。食事の最中も、この青年に話しかける時はある緊張と晴れがましさが初枝をつつむ。そのたびに相手は闊達《かったつ》にすべてのことに答えるのだが、その明《めい》瞭《りょう》さに初枝はますます身がすくむのだ。夫の鉄五郎とまるで違う。金次や秀三郎でもない。皮肉や露悪的なものはいっさい含まず、青年は率直に語り始める。自分の知識のありったけを相手に与えようとする善意に彼の顔は輝くのだ。

「僕が属している会は『新人会』といって、僕たちのような若い者で世の中を変えていこう」という趣旨でつくりました」

まず『解放』という雑誌をつくり、出来るだけ多くの人々に社会主義を知ってもらおうと思っていること。雑誌の『解放』という名前は、労働者たちを貧苦から解放しようという願いからつけられている。そのために世の中の人々をまず豊かにしなければいけない。精神の自由というのは、物質的自由の上に成り立つものだからだ……。

宮崎の喋《しゃべ》ることの半分も初枝には理解出来ない。おそらく傍の静子にしても同じことだったろう。けれども静子の目は大きく開かれ、彼女のふっくらとした顎《あご》はうんうんと時折小さく上下する。ついには盃《さかずき》を置いて語り始めた宮崎の姿は、一徹な青年だけが得ることの出来る爽《さわ》やかな媚《こ》びに満ちていて、初枝さえもそれから目を離すことが出来なかった。宮崎に全く無関心なのは徳子で、箸をぐさりと里芋に刺してそれを振りまわしている。全く彼女の行儀の悪さというのは初枝にとって驚異の的だ。華族のお姫さまの天衣無縫さといえないこともないが、他人の話を聞くことさえ出来ないのだ。宮崎の話にすっかり飽き、途中から茶々を入れたりする。それなのに燁子は破天荒の姪《めい》の行為に注意ひとつするでもないのだ。

そしてその燁子の行為がさきほどから初枝には不可解である。近くの料理屋から何品か運ばせ、このような豪華な料理を並べたからには、目の前の男を決して歓迎していないわけではないだろう。けれども燁子のさきほどからのしぐさには、何ともいえぬ物憂い風が漂っている。とりまきの男たちによく見せるあの笑顔もないし、初枝には大層甲高く聞こえる東京弁の、

「そんなことなくてよ、そんなこと知りませんわ」

はしゃいだ声も聞こえない。自分の客であるにもかかわらず傍にまわり、若い静子や初枝と青年との会話を静かに聞いているだけだ。黄色い電灯の下、卵色のお召《めし》はやわらかく顔をうかび上がらせ、燁子はいつもより淋し気に見える。ほっそりした瓜《うり》ざね顔と小さな目鼻は、昔の絵草子から抜け出してきた姫君そのままだ。義姉の美しさに一瞬見惚《みと》れそうになった初枝だが、意地の悪い声がそれを遮る。

「この人はもう年とっている。おとなしくしているのがあたり前なのだ」

宮崎という男の年ははっきりとわからないが、まだ学生というからには、二十代前半だろう。それにひきかえ燁子はもう三十五歳になろうとしているのだ。久保博士や新聞記者の北尾といった連中に対してなら、娘のようなしぐさをしてみせることも出来るだろうが、相手が学生ならばなすすべもあるまい。子持ちといっても二十歳そこそこの静子が今夜の女主人だ。

「まあ、警察に追われるなんて怖しいこと。それならば宮崎さんのおやりになっているこ

と泥棒みたいじゃありませんの」

大げさに眉《まゆ》をひそめて身をよじると、むっちりとした静子の袖口《そでぐち》から緋《ひ》の鹿《か》の子《こ》の長襦長襦《ながじゅ》袢《ばん》がはらりとこぼれた。

「泥棒はよかったなあ」

宮崎はそれでも楽し気に笑う。

「僕たちは世界の最も大きな泥棒に立ち向かっているんですよ。せめて義賊とか言ってください」

「ねずみ小僧だろうと泥棒だろうと、そんな話はもういいわ」

宮崎の説く初歩の社会主義にすっかり退屈しきっていた徳子が叫んだ。

「早くカルタをやりましょうよ。私、今年のお正月はひどい風邪《かぜ》をひいてしまって、どこのカルタ会にも行けなかったの。ここで思う存分しようってそりゃ楽しみにしてきたのよ」

「まあまあ徳さんたら」

燁子はさすがにたしなめる口調になった。

「宮崎さんはまだお食事がお済みになっていないのよ。お食事を召し上がったら遊んでいただこうと思って、隣りの部屋にちゃんとカルタを用意していてよ。お若い方々で一晩中でも楽しんで頂戴」

「燁さんがいなくては嫌よ。だって私の得意な札、ちゃんと取らせてくれるのは燁さんだけなんですもの」

徳子の言葉に皆がどっと笑った。初枝も可笑《おか》しさのあまり口を押さえたが、燁子が漏らした「お若い方々で」という言葉がいつまでも快く耳朶《じだ》に残っている。燁子は完璧《かんぺき》にすべてを放棄しているらしいのだ。

「それじゃ、ひと勝負いきましょう」

宮崎が盃を置いた。話題になった新聞小説『金色夜叉《こんじきやしや》』の主人公たちはカルタ会で出会うことになっている。良家の若い男女が大っぴらに夜どおし遊べる場所といったら正月のカルタ会をおいて他はなく、それは明治を過ぎた大正九年になっても同じことなのだ。

いちばん年長の燁子が読み手にまわり、三人の女と宮崎は向かい合って座った。柳原家の紋がついた蒔絵《まきえ》のカルタは幸袋の家に置いてある。別府の駅前で買った安手のものですがと燁子は断わり、札を畳の上に並べた。

「朝ぼらけ有明《ありあけ》の月と見るまでに吉野《よしの》の里にふれる白雪」

まず作法どおり燁子は空札を読んだ。いつもは早口の燁子なのであるが、ゆっくりと独特の節をつける。初枝には奇妙に聞こえる、長く音をひっぱる節だ。燁子がかねてより自慢している貴族の血、あの冷泉家《れいぜい》にも繫がる華族の女だということをその雅《みや》びな節は語っている。反射的に初枝は目の前の男を見た。男は目を伏せているが、しっかりと結ばれた唇が燁子の声を全身でとらえようとしているかのようだ。いや、それは考え過ぎというものだろう。男は単にこれから始まる競技に闘志を漲《みなぎ》らせているだけなのだ。

「もろともにあはれと思へ山桜……」

「はい！」

徳子が子どものように戦利品を高く掲げた。

「まあ、よかったこと。徳さんお得意の札をさっそく手に入れたわね」

燁子の言葉に、徳子がくっくっと照れた。

「絶対に人には取られたくない札ってあるでしょう。これはそのひとつよ」

「いいわ、その札は徳子さんに差し上げてよ。その代わり、私のは取っちゃ嫌」

静子の声が今夜はひときわ高い。何という不思議な光景だろうかと初枝は夢から醒《さ》めたような思いになる。燁子、静子、自分と、徳子を除いて三人の女はすべて有夫の身の上なのだ。それなのに当然のように若い男は今夜ここに泊まり、女たちはカルタに戯れながら身も心もたかぶらせている。浅ましいと思いながら、初枝はすぐそこに置かれた男の手を見る。労働者のための世界をつくると言うその男の指は、すんなりと長く、あきらかに汗したことのない知識階級のそれである。が、やや角張っていて甲のあたりにわずかに毛が生えている。今夜だけ、偶然のようにそれに触れてみたいと願っている自分の心に気づいて初枝は息を呑《の》む。自分はなんとはしたないことを考えているのだろう。

「秋風にたなびく……」

「あら、口惜《くや》しい！」

静子の嬌声《きょうせい》がとんだ。彼女の手と宮崎の手は一枚の札の上で交差したかと思うと、静子の手がはじき飛ばされてしまったからである。

「また取られてしまったわ。でも今度こそ絶対にいただくから」

母になっても静子の手には四つの笑窪《えくぼ》がある。が、初枝が怖れているのはその手ではなかった。自分がよく知っている燁子のあの手、青白いそれはそれは小さな手。あの手がこの中に混じらなくて本当によかった。あの手がもし宮崎と同じカルタをつかんだとしたら、自分はあっと叫び声を上げてしまっただろう。

馬鹿げた話だ。燁子は競争相手でも何でもない。ましてや自分や静子は男の対象でもない。男はたったひと晩のカルタの相手ではないか。自分はいったい何を考えているのだろう。

「初枝さん、どうしたの」

徳子の苛立《いらだ》った声に顔を上げる。

「ちゃんとやってよ、ちゃんとね」

「ご免なさい、皆さんがとても早いので」

おずおずと手を空に上げる。他の三人と違い、女中を使うことの出来ない自分の手は、既に節が高くなっているはずだ。それが泣きたいほどつらかった。

二晩めは雨が降った。二月の雨といっても、温暖なここ別府に降るそれは春雨と同じだ。細くぬるい雨の音がいつまでも続く。今夜もカルタをしようという徳子を燁子はたしなめた。

「宮崎さんは明日、早くお発ちになるのよ。あなたたちのお相手をしていたら列車に乗り遅れてしまう」

宮崎は一日かけ大阪へ行き、明石《あかし》をまわって倉田百三《くらたひやくぞう》を訪ねるという。

「これは脚本の邦枝完二《くにえだかんじ》君とも考えたのですが、あなたの『指鬘外道《しまんげどう》』に『みどり丸』を加えたとしても上演時間があまりにも短過ぎる。それに倉田さんの『俊寛《しゆんかん》』を入れたらどうかと思うのです」

「私は構やしませんが、倉田さんはなんとおっしゃるのでしょうか」

「邦枝君がちょっと手紙で打診したところ、色よい返事を貰《もら》っています」

会話が仕事のことに移っていったので、三人の女たちはそれとなく部屋を出ていってしまった。燁子はほんのかすかな勝利感を味わう。自分の書いた戯曲の上演の打ち合わせに来たはずの宮崎なのに、すっかり静子が独占しようとしたのだ。おまけにあのおとなしい初枝が静子と張り合うさまには驚かされた。宮崎は確かに彼女たちが初めて目にする種類の男に違いない。それにしても学も家柄もある夫を持ちながら、静子や初枝ののぼせようといったらどうだろう。それをまだ若い彼女たちの無邪気さだとは思うものの、燁子は鼻白んだような思いになる。伊藤の家に流れている男たちの好色さが、女たちにも一筋流れているのだろうかと疑いたくなってくるではないか。

「倉田さんは、あなたともとても親しくされていたと聞いていますけれど」

「ええ、あの方が療養のためにしばらく博多にいらしていたことがあったので、その時におつき合いをいただいていましたの」

燁子は倉田から貰った恋文めいた手紙を思い出した。いつもそうなのだが、しばらく文通すると男からの手紙はいつしかねっとりとした色を帯びるようになる。それは半分以上燁子の責任なのであるが、そこに至ると燁子の気持ちはすっかり醒めてしまう。手にしたカルタをすべて投げ出したいような気分になるのだ。

「ところで『みどり丸』の衣裳《いしょう》についてなのですが、柳原さんの方でご希望のものを用意してもらえませんかね」

それにひきかえ、この男の歯切れよさといったらどうだろうか。初めて二人きりになった気まずさを感じているのは自分だけなのだと、燁子ははぐらかされたような気分にさえなった。

「東京の里の方に、古い着物が何枚かございますから、『みどり丸』の衣裳はそれでつってもようございますわ。あれはわが家にとって大切なものですから」

『みどり丸』というのは、柳原家に代々伝わったとされた伝説の人形の物語である。他愛《たわい》ない話と発表した当時は話題にもならなかったが、宮崎の側はそれと『指鬘外道』とを一冊に収録し、ついでに上演もしたいと言っているのだ。

「本は初版千五百部ぐらいにするつもりです。少なくてご不満かもしれませんが、様子を見てすぐに重版致します。戯曲が話題になれば、売れゆきもかなり違ってくるはずです」

機関誌を出してくれる大切な後援者の出版社だから、自分が人質となって番頭をしているのだと、昼食の時に冗談めかして言った宮崎だが、本の仕事はしんから好きらしい。装幀についてもあれこれ細かい自分の考えを口にする。

「京都の南座の前に、井澤屋という小物屋があるでしょう。あそこで革の表紙について相談してくるつもりです。値段はかかるかもしれませんが、革の表紙というのは相当しゃれていますからね」

喋りながら宮崎はシャツのいちばん上のボタンをいじる。昨日とは違うシャツだ。貝ボタンの光り方からして決して安いものではない。出版杜の番頭以外にも法律相談をいくつかしているという。今年の六月に帝大の法科を卒業し、弁護士になるという彼の前には、確かに黄金色に輝く未来が用意されているのだ。眩《まぶ》しいそれを見せつけられたようで燁子は一瞬不愉快になる。本が出版され、戯曲になったとしてもほんのいっときのことだ。自分はほんのいきずりで、学生時代の思い出として終わってしまうのだろう。

それが不満なのかと問われれば困ってしまうのだが、この男と若い女たちとの交歓はかすかなものではあるが、はっきりとした痛みを燁子にもたらした。自分のためにここに訪れた男が、他の若く綺麗《きれい》な女たちと楽し気に語り合う時、自分はやはりとり残された気分になる。もうとうにわかっていることであるが、自分がもはや若くないことを思い知らされるのだ。

「僕はあの本が、とても評判を呼ぶと確信を持っているのですよ。とても怖しくてとても哀《かな》しい本ですからね」

「あれは仏話に基づいているのですよ。もしあなたが怖しいとお感じになったら、仏の教えが怖いんですわ」

　そっけなく言う。

「『指鬘外道』に出てくる男や女たちは、みんな肉の欲に負けてしまいますが、柳原さんはその心を怖しいと思ったのですか」

　燁子は目を見張った。肉の欲という言葉をこれほど明るく口にする人間を見たことがないからだ。

「人を動かすのはもちろん心ですが、肉の欲というものも確かにある。それが男と女をひき寄せたり近づけたりするのでしょう。それをすべて否定していったら、情知らずの人間になってしまうと僕は思うのですがどうでしょうか。人間はどんな時も消極から積極にならなくてはなりません。肉の問題にしても同じです」

　これは学生たちがよくする議論だということに燁子は気づいた。宮崎はどうやら作者の自分と青っぽい文学上の対話というものをしたいらしいのだ。雨の音はまだ聞こえている。燁子はもう少し彼につき合ってやることにした。

「それはあなたのような若い学生さんのお考えでしょう。私のように長く生きていますとね」

　燁子はここでかすかに微笑《ほほえ》んだ。

「肉の欲などというものはとるに足らないものだと思ってしまいますわ。とるに足らないもののくせに過大評価されて、人間の足を引っ張る困り物だ。あなたのように心がどうの、肉の欲がどうのとお考えになっているうちは、まだまだ何もお知りになれないわ」

「いやあ、柳原さんがプラトニックラブ主義者とは思いませんでした。まるで白樺《しらかば》同人誌ですね」

「そんなことは申してませんわ。ただ肉の欲の是非論を言っていては、本当の心がどこかへ行ってしまうということなの」

書生論の相手になるまいと思っていたのに、燁子はいつしか快活に言葉を重ねていく。宮崎はそれに負けまいとややむきになる。白い歯を見せて笑う。その若さがまたもや燁子の胸を刺した。それを払いのけるために、燁子は年上の女の切り札を出すより他なかった。

「肉の欲は当然だなんてはしゃいでいらっしゃると、きっと後で後悔してよ。宮崎さんに真の恋人が現れて、その方とご結婚することになったらどうなさるの」

「後悔するんだったらとっくにしてますよ」

若い男はゆるんだ衿元《えりもと》の貝ボタンにまた手をやる。

「ラブの経験が多かったとしても、決してそれは後の僕の夫としての責務に関係しませんからね」

燁子は狼狽《ろうばい》する。さきほどから自分を刺す刃の正体にやっと気づいたからだ。それはまがうことなく嫉妬《しっと》というものであった。息苦しさのあまり燁子は自分の喉元《のどもと》に手をやったから、ボタンをいじっている宮崎とはからずも同じ格好になった。自分たちはいま見つめ合っている。何のために。それは十分わかっているではないか。男のこんな風な視線を、お前は見たことがないとでも言うのか。いや違う、燁子は自分の声を慌ててふり払う。この若い男は、自分を著者として憧憬《どうけい》の目で見つめているだけなのだ。これが噂《うわさ》に高い柳原白蓮かと。美貌《びぼう》の閨秀《けいしゅう》歌人、金で買われた女というもの珍しさが、男をしてこんな風な眩しげな目の細め方をさせるのだ。

柱時計が十一時をうった。

「もうお寝《やす》みになった方がよくってよ」

「もっとお話をしていてはいけませんか」

男は甘えるためにわざと礼儀正しく言う。

「いけませんわ。もうこんな時間ですもの。その代わり明日は小倉までお送りしますわ。私もここを発って家に帰りますから」

燁子は自分の策略を思った。ここで別れを告げれば、自分は本当に通りすがりの女になる。しかし三時間でも一緒に列車に揺られれば、自分は思い出よりもさらに強い女になるはずだ。若い男は数日自分のことを考え、甘い悩みに陥るはずだ。しかしそれは罰というものだ。自分をあんな風な視線で見つめ、わずかな時間とはいえうろたえさせた罰をこの男は受けなければならなかった。

四日後、早くも燁子は男からの手紙を受け取った。燁子と小倉で別れ、夜行で大阪に着いた日に書かれたものらしい。燁子は赤面した。実は昨日の夜、東京の龍介に宛《あ》てて電報を打ったばかりだったからである。

「あの十二月号の私が最初に沢山書き入れて誤植をなほした他にまだ大分誤植があると友人から注意をうけました。成《なる》べく本にする時誤植のない様願います」

もちろん友人から指摘を受けたというのは嘘《うそ》で、礼の電話ひとつ寄こさない宮崎に対する苛立ちが、電報となったのである。宮崎も燁子によく似て、手紙のはじめは取り繕った文章が並んでいる。

「大変にお邪魔を申し上げました。でも私には頗《すこぶ》る面白うございました。また殊の外の御迷惑を相かけましたが、心窃《ひそ》かに深く深く感謝致しております」

ところが途中からすべてをかなぐり捨てる。

「小倉以后《いご》、私の頭には様々な幻が往来致しました。淋しげに見ゆるあなたの魂の傷、人間苦に悩むあなたの心臓の囁《ささやき》、疲労したやうなあの体軀《たいく》の歩み……、私はぼんやりし乍《なが》ら関門海峡を渡つて了《しま》ひました」

「私には一つの憂《うれひ》が加はつたような気がします。そして最大の憂が。然《しか》し私は常に憂は救だと考へてゐます。私が消極より積極へと中上げたのは、憂より救へといふ意に外なりません。では救とは何でせうか。それは愛でせう。愛とは何でせうか、それは詩でせう。それでは詩とは何でせうか。それは心と心と、心と自然と此《こ》の二つの抱擁を云《い》ふのではありますまいか。人間に一つの尊いものがあります。それは涙です。アア心行くばかり泣いてみたい。心臓の破れて了《しま》ふまで」

幼いといってもいいほどの宮崎のロマンティシズムに燁子は半ば呆《あき》れ、何度も手紙に見入る。事務的な報告の中に、唐突に告白は挿入されているのだ。そして最後の文字、「白蓮尼」という宛て名が、四角い文字で記されていた。これはどういう意味なのだろうか。夫との不和を揶揄《やゆ》しているのか。燁子が考えあぐねている間に、また次の手紙が届いた。日付けは五日となっている。最初の手紙の次の日に書かれているのだ。

明石で会った倉田百三の消息を詳しく伝えた後、手紙は前にも増して抒情的な詩で締めくくられていた。

「寒い空と月と雲と

そして青白い光
小松のかげが冷たく揺らぐと
恐ろしい幻が立ち昇る
ゆんべみた暖かい夢を抱いて
ひとりの旅人は淋しく立ち止る
戦さと風と
やがて雲が流れて
真暗い闇がおりてくる
人と夢と闇と
そしてそれは涙に繫がつてゐる」

そしてまた次の日届いた東京へ向かう車中で書いたという手紙は、揺れのためにところどころがゆがんでいた。燁子はくすりと笑って葉書を取り出す。こんな時に長い封書を出そうものなら若い男はたちまち舞い上がってしまうだろう。出来るだけ短い葉書を出すに限る。

「いそがしいいそがしいお手紙、汽車中よりの有難拝見、まるで水草のやう。表紙ハ何でもお好きなのに御まかせ致します」

そう書いた後で、最後の一行が燁子を裏切ってしまう。

「けふも気楽さうな二人からの手紙、宮崎さん宮崎さんつて、彼女たちが結婚してゐてまあよかつた」

女中を郵便局へ行かせた後で、燁子は自分の行為を恥じた。初枝と静子から立て続けに別府での礼状が届き、どちらも中に宮崎のことが書いてあった。本当に愉快な人、頭のいい方。義理の娘と妹の邪気のない親しみを、こんな風に利用する自分を何と卑しい女かと思う。

しかし追っつけ届いた宮崎からの手紙は、燁子を落胆させるのに十分であった。

「『指鬘外道』に誤植の無いことは私も篤《とく》と承知致しております。実は昨日半日程かかって私自身二校の校正を致しておきました」

燁子の小さな企《たくら》みを冷笑しているかのような文面である。忙しくて初枝と静子にまだ葉書一本書いていないという文章も、何かを暗示しているような気がしてならない。

「これからチャプリンの端書《はがき》を出さうと存じてゐるところです。おついでの節はあなたからもどうぞよろしくお伝へください。ダンテの神曲二篇《へん》、三部曲一篇、一昨夜発送致しておきました」

おそらく二泊の宿をしてやったこと、交通費を渡したことのお礼なのだろう。燁子はしばらくぼんやりと自分の膝《ひざ》を眺めた。若い男の気持ちは本当にわからぬ、汽車の中から、旅の宿からなにかに憑《つ》かれたように毎日手紙を寄こし、その中には吹き出したいような詩さえ入っていたではないか。それなのに東京に戻り、大鐙閣《だいとうかく》『解放』編集部の机に座ったとたん、彼はこのような事務的なものしか送ってこなくなるのだ。

年上の女に小さな火を点《つ》け、そしてそれを置きっぱなしにする。気まぐれな男のやり方に燁子は腹を立てた。今までも熱心な崇拝者の男たちと手紙のやりとりをしたことがある。相手の心を激しくかき立て、そして素早く逃げるという勝者の立場は、いつも燁子が楽しんできたものだ。その権利をあの男は無造作に掠《かす》めとったのだ。

燁子は文机《ふづくえ》の引き出しを開ける。四枚の写真は久保より江から送られてきたばかりのものだ。新春の歌会に出席した時のものだから、燁子は小豆色の五ツ紋にぐったりと丸帯を締めている。こうした礼装に身を包むと、自分がますますたおやかに見えるようで大層満足している一枚だ。自分が気に入って写っている写真などそうありはしない。ましてや美人と言われる女ならなおさらだ。

燁子はこの貴重な一枚を宮崎にやろうと決心する。それはもう一度あの男にきっかけを与えることでもあるのだ。葉書を取り出し、ゆるゆるとした文字でほんの五行ほど書いた。

「ほんとにお筆まめに書いて下さるのを嬉敷《うれしく》存じます。『みどり丸』人形のきものは早速たのみました。本を沢山送つて下さいましたつて有難う存じました。お慰みまでに、私が此《こ》の間大阪でうつした写真が今来ましたから差し上げます。

宮崎龍介様　　あき子」

〃今来た〃という文字を書きながら、燁子はこの男のためにまた嘘をついたと華やいだ不快さの中で思うのだった。

第十二話　京の雨

燁子はいま困惑と幸福を味わっている。

といっても、その困惑は幸福と言いかえることが出来そうな、その幸福は困惑と紙一重であるような、極めて曖昧《あいまい》な気分の中にいる。ただひとつ確かなことは、男からほとんど毎日のように届く手紙を待ちわびていることだ。芝居に使う人形の衣裳《いしょう》はどうなっているか、出版する際、本の扉に燁子の自筆を使いたいだの、男はこと細かな連絡事項を小出しにしながら、自分の日常をも綴《つづ》る。

上野精養軒で行なわれた九州青年党の発会式で挨拶《あいさつ》をしたこと。近郊の鉱山へ演説をしに行くはずだったが、『解放』の校正が出たので代人をやったこと。校正というのはご存知のとおり、文字や文章の誤りを直すことなのであるが、我々のやっている雑誌となると少し違う。警察権力の網にかからぬよう細心の注意を払っているのだ。原稿を持ち、朝から晩まで博文館印刷所の二階で校正作業をする時の気苦労といったらない。もしも発禁処分になったりすると大変だから、目を皿のようにして文字を見つめる……などという文字から、燁子は最新の思想と知識を身につけた、都会の青年の瀟洒《しょうしゃ》な暮らしぶりをたやすく想像することが出来た。

燁子にとって知性というものは、今もなお最も憧憬《どうけい》に価するものであり、かつ劣等感に苦しめられるものである。最初の結婚の頃、学習院に在籍していたもののほとんど学校に行くことも、本を読むこともなかった夫のことを、どれほど口惜《くや》しく軽蔑《けいべつ》した目で見ていたことだろう。高等学校、帝大へと進む男たちが本当に眩《まぶ》しく、もしやり直せるものならば、ああした男たちと結ばれたかったと、張り裂けるような気持ちで制服姿の彼らを見つめたことがある。

しかしどういう運命の皮肉か、いま燁子は前よりもさらに恵まれてはいない。二番目の夫は文字を解さないと世間で噂《うわさ》されている。実際は講談本ぐらいは読めるのであるが、書くとなるとその字を恥じていっさい筆は持たない。伝右衛門のあの人並はずれた好色さの原因のひとつは、無学からくるものではないかと燁子は思う。

燁子は久保博士のことを思い出す。九州帝大の医学博士という立場は、この地で最高級に属する知識階級である。権力と金を手に入れている。しかし久保博士は平凡な、燁子の半分ほどの美しさも才も持たない妻に対し、ひたすら品行方正だ。一時期、そのことがどうにももどかしく腹立たしいことがあった。そんな感情は、あきらかに何かの始まりであったのに、久保博士はそれに火を点《つ》けることもなく、未《いま》だに燁子のまわりをさまよっているだけだ。なお人々に噂される博士と燁子であるが、燁子の方はとうに博士の小心さに気づいている。

しかしその小心さこそ、教養が生み出すものなのだ。燁子の心は博士のような男たちとつくり出す関係を「優雅」と名づけてそれでこの数年来満足しようとしていた。

それにひきかえ、宮崎龍介という男の率直さといったらどうだろうか。事務的な手紙を装っているが、こうしょっちゅう寄こすのではすべてが露見してしまうではないか。

「白蓮さんのところから帰つたといふので皆が大騒ぎして困つてゐます」

といった一行ははっきりと燁子の心にしみついている。

今日も届けられたばかりの手紙の封を銀の手鋏で切り、まずひと息に読む。その後、行間に隠されたものを探そうと二度も三度も読み返す。それが最近の燁子の何より楽しみであった。

しかしその日、燁子の眉《まゆ》は大きく曇る。

「新人会のK君が進水式をやりたいと言ふ要求（お写真の祟《たた》り）をもち出しましたので、致し方なく九段《くだん》の或《あ》るところへ案内して厳《おごそ》かな式典を行ひました。私が一昨年の秋から進水式をさした男はこれで丁度五人目です」

進水式というものがどういうことか、もちろん燁子にもわかる。燁子が龍介に与えた写真に騒々しく嫉妬《しっと》した学生が、童貞を捨てるために遊廓《ゆうかく》へ上がったのだ。

その時燁子を襲ったものは、社会主義を標榜《ひょうぼう》しながら女を買う学生に対しての怒りなどではなかった。自分の歓心と妬《ねた》みを呼ぼうとして、ぬけぬけとこんなことを書いてくる龍介の手の内ははっきりと読める。口惜《くや》しいのは、自分がまさに龍介の思う壺《つぼ》にはまっていることだ。

四枚目の便箋《びんせん》には、おそろしく下手な歌がいくつか添えられている。

「思ひ出は青き燈影《ほかげ》と雨と夜と緋絹《ひぎぬ》の夜具と蘭蝶《らんてふ》がことと（曾《かつ》てのんだくれの女に苦しめられた時の私の思出）」

「粉黛《ふんたい》の褪《あ》せたり、女心乱れ、流連《いつづけ》の朝男は泣きぬ（酒に疲れ女に飽きて冷静な自分に曾て帰つた時の私の心持）」

虚勢を張る、若い男の稚気だと笑ってすませようとするのに唇が乾くばかりだ。

やや撫《な》で肩ではあるが、上背のある龍介が女を抱いている光景が、怖《おそろ》しいほどまざまざとうかび上がってくる。彼が女を抱いたことに嫉《や》いているのではない。その女が多分若い女で、むっちりとした胸やももを持っているだろうことが燁子を苦しめている。

「私はもう若くはない」

つぶやかずとも、その声は自然にはっきりと自分の内に響かせることが出来た。自分は美しいけれどももう若くはない。選び抜いた趣味のいい着物をまとえば、ちらりと会った若い男の心を十分に惹《ひ》きつけることが出来る。けれどもそこまでだ。男の欲望をかき立て、そのまとっているものを脱がそうとさせるところまで至るはずはない。また自分も紐《ひも》をほどく勇気はなかった。

燁子はこの数年、伝右衛門にほとんど接していない自分の躰《からだ》を思った。それがつらいはずはない。夫の床へ行くのが嫌さに、若い妾《めかけ》をあてがったのは自分ではないか。男に抱かれることがなくなったのでそれで心を乱し、龍介の手紙に怒っているのでもなかった。何人もの女を知っていると胸を張る年下の男に、三十六歳の女は微笑《ほほえ》むかたしなめるしかないではないか。それがつらいのだ。

燁子はのろのろと筆をとる。文通が始まって以来、いつも躍るような文字が、力を入れ過ぎたため墨が不様に滲《にじ》んだ。

「新人会のK様のあれにお立ち会ひだつて。いくら写真の祟りだつてほんとに酔狂なお人。そして去年の秋からこれで五人目の洗礼式をやつたつて。本当にいやになつてしまふ。その度にあなたも何《ど》うなるんでせうね。あんまりおいたがすぎはしませんか。男といふものは、もしも好きな人にあつたとき、すでに誰かに初めを許した身で、悔も何もないものかしらん。これからハ本当にうぶな可愛《かはい》いよい人があつたら、本当の恋を知るまで、そのままに保せて上げて下さいまし。未《いま》だ見ぬ美しい女性の為《ため》に」

初めて会った夜に龍介にした、年上の女らしい忠告だが、こうして文字にするとみじめさはさらにつのった。「未だ見ぬ美しい女性の為に」。龍介はどんな女と結婚するのだろうか。帝大出の法学士だったら、いくらでも良縁はあるだろう。大振袖《おおふりそで》に身をつつんだ可憐《かれん》な令嬢を燁子はたやすく想像することが出来る。

けれどもそういう女に対しては胸が騒がない。当然のことだと思う。燁子が考えるだけでせつなくなるのは、娼婦《しょうふ》であるということだけで、若いということだけで、龍介の仮そめの愛を得た女たちである。あのようにきらめくばかりの知を持った男が裸となり、極めて単純な欲望を謳歌《おうか》する。そこには燁子はいない。脇役《わきやく》としてもいない。憧憬の相手として恋文めいたものを寄こす気持ち以上のものは何もない。

燁子は正直についこう漏らしてしまう。

「貴方《あなた》のお手紙にハともすれば私の魂を脅《おびや》かすものがある。でなくてさえ微《かす》かなひびきにもをののきやすい私の魂を、どうぞもうこの上に脅かさないで下さいまし」

「本当にいつまでもいつまでも永久の春に別れ度《た》くない。死ぬる日までも、貴方ハさうであらう。尼僧のやうに冷い私の胸にも、ふところに抱く冷い念珠にも、悲しや、人肌のやうなぬくみを持つ時がある。香のけぶりに身を包ませ、菩薩《ぼさつ》のみかほ拝む日も、この偽り者奴《め》がと、自分の心ハ鳴りひびく。私は人世の春を怖れて居《を》りまする。私ハそれハ、いやな人なんですよ」

これは燁子の敗北宣言というものであった。

「こちらの主人が三月三日に東京に出立《しゅったつ》します。一緒に行かぬかと申します。私が参るにはちと早すぎると存じますが、後からだと、又お供だの何のと面倒だから、一緒に行って、後に残って来てもよいとのこと故、早すぎは致しますが参らうかと存じます。

途中は京都に一、二泊の上、一緒のうちは

日本橋スキヤ町　嶋《しま》や旅館

その頃お電話下さいまし。何《いづ》れ私の方からも沙汰《さた》申上ます。

もしこの手紙見て、けさのお返事下さいますなら

京都市新橋縄手東入

野口サト方へ　二月二十八日

燁子」

龍様

久しぶりに見る東京は、大変な不況にもかかわらずさらに華やかさと賑《にぎ》やかさを増していた。つい先日、普通選挙を求める大行進が行なわれたということで、銀座《ぎんざ》を歩いていても突然ビラを手渡されたりする。

そうかと思うと、いたるところで『ゴンドラの唄《うた》』というやたら甘ったるいメロディが聞えてくる。

いのち短し
恋せよ乙女
朱《あか》き唇あせぬ間に

銀座のデパートはどこも驚くほど売り場を拡《ひろ》げていて、呉服、貴金属はいうにおよばず、ちょっとした小物の類《たぐい》まで博多のものとは比較にならない。三越などは米国パッカード式のサービスバスを客のために仕立て、至れりつくせりである。燁子は博品百貨店と伊東屋でそれぞれ封筒と便箋を買った。龍介もしゃれ者らしく、文通にはいつも凝った紙を使うのだ。その他に伝右衛門に言われて、初枝にいくつか反物を選んでやった。自分の都合で大阪へ追いやった妹のことをやはり彼は気にしていて、上京の折などに時々呼んでやることがある。そのたびに初枝はいそいそとやってくるのだ。

この頃の初枝は兄や義姉から誘いがあると、非常に身軽く別府だろうと東京だろうとやってくる。

「鉄五郎さんは大丈夫なの」

燁子が女中を置かない家のことを心配すると、

「うちは子どもがいない分、手がかからなくていいのです」

という返事が返ってくるだけだ。今日も二人で銀座の街を歩きいろいろと買物をした。白牡丹やゑり久、御木本《みきもと》装身具店をのぞき、千疋屋《せんびきや》でお茶を飲んだ。

初枝の上京は燁子にとって非常に歓迎すべきことであった。最初の夜もそうであったが、初枝や静子の存在は、自分と龍介との間をなめらかにしてくれるのである。

「明日の午後、宮崎さんがいらっしゃることになっているのよ」

と告げると、

「あら、素敵」

初枝は目を輝かせた。

「あの方はとても感じのよい方ね。静子さんはすっかり熱をあげて、あの方にしきりにお手紙を差し上げているのよ」

「まあ、そうなの」

そう言えば龍介から聞いたことがある。初めて会った別府の別荘で、床の間に飾ってあった赤い花を押し花にして、静子が手紙を書いてきたという。その時は気にもとめなかったが、もしかすると静子と龍介は文通でもしているのだろうか。いや、そんなはずはない。龍介は若い女の自分への好奇心を多少面白がっているだけだろう。しかしそれにしても、刺激の少ない生活をしている女たちへ龍介が落とした波紋は大きかったようである。

伝右衛門が所用を済ませて九州へ帰った日を選び、龍介を旅館に呼んで三人で食事をした。再会する時、どんな顔をするのだろうという燁子の期待は裏切られた。龍介は手紙のことなどこの世に存在しなかった顔でまず別府での礼を長々とのべた。

しかし燁子はその方が都合がよい。

そもそも燁子が東京に残っているのは、出版と上演の打ち合わせをするという理由なのだ。初枝の手前、燁子はしばらくしかめ面で事務的な話を口にする。龍介もいつしか燁子に合わせ配役のことを相談し始めた。

「なかなかいい女優を、飯塚君が見つけてくれましたよ。なんでも松下軍治《まつしたぐんじ》という代議士の娘さんですが、柳原さんはご存知ですか」

「いいえ、私は政治にはまるで疎くって……」

『やまと新聞』というところの社長をしていた人物ですよ。もう亡くなりましたが、なかなかの傑物だったということです」

龍介は暑がりなのだろうか。酒が入ると必ずといっていいほど上着を脱ぐ。真白い綿のシャツはきちんとプレスがかかり、カラーも糊がきつめにきいている。少し髭《ひげ》剃《そ》り痕《あと》の残る喉《のど》仏《ぼとけ》が上下するさまを、いつのまにか燁子はきちんと記憶にとどめている。

「……雨と夜と緋絹の夜具と蘭蝶がことと」

「粉黛の褪せたり、女心乱れ、流連の朝……」

この男のカラーのはずされた喉を一度燁子は見てみたいと思い、そんな自分を恥じてしばらく言葉が出ない。

龍介がいけないのだ。あの手紙は自分への挑発なのだ。けれどもずっと年上の人妻の場合、挑発は当然、からかいと同じ意味を持つ。自分はこの若い男にからかわれているのだ。しかしそれが何だろう。男は次第に熱っぽい視線を持つ。それを見るのはいけないことだろうか。

「もうじき稽古《けいこ》が始まったら、そりゃあ忙しくなりますよ」

龍介が沈黙を破るように言った。

「ついこのあいだ有楽座で、メーテルリンクを演《や》りましたけれどもね」

「新聞で見て知っていますわ。『青い鳥』でしょう」

「そうです。僕も仲間が関係しているものですから稽古風景を見に行きましたが、いやあ大変なものでしたよ」

「どんな風に大変なのでしょうかしら」

初枝が眉《まゆ》をひそめるようにして尋ねる。いつのまにか龍介の話し相手になっているのは彼女で、地味な鉄色の銘仙《めいせん》を着ているが、刺繍《ぬい》のたっぷりした半衿《はんえり》から若さが匂《にお》うようだ。その半衿は、昨日銀座で燁子が買ってやった新《さら》のものである。

「演出家や女優といった個性が強い連中が集って、そりゃあ喧々囂々《けんけんごうごう》やるわけですからね、穏やかに済むはずがない。なにしろ長いこと、この国には歌舞伎《かぶき》しかなかった。今は毎日が芝居の実験みたいなものですから、喧嘩《けんか》だって起きますよ」

「まあ、こわい」

初枝が大げさに顔をしかめた。

「あの、お稽古場で本当に喧嘩が起きるんですの」

「まあ、喧嘩みたいなもんですかね。けれどいかにも新しいことをやっているんだという意気込みに溢《あふ》れていてなかなかいいものですよ」

「呑気《のんき》なことおっしゃるのね」

「そんなこと言ったって、初枝さんも白蓮さんと一緒に稽古場へはいらっしゃるんでしょう。だったらいくらでも見られますよ」

「えっ、そんな」

これには燁子も驚いて顔を上げた。打ち合わせに東京へ来るのもこれが最後で、後は初演の日ぐらいに顔を出すものだと思っていたのだ。

「だってあなたは原作者なんですよ。お稽古には毎日つき合うのがあたり前でしょう」

なおも目を見開いている燁子に向かい、龍介はおかしそうに続けた。

「例えば俳優がどうしても言いにくいセリフがあったりする。あるいは演出家の方で、ここはこう変えて欲しいと思うことが出てきたりする。そんな時、原作者のあなたがすぐ近くにいないことにはらちがあかないでしょう」

燁子は思いがけない幸運に息苦しくなった。今までもかなり自由に別府や京都に出掛けているが、やはり夫や周囲に気を遣う。けれども芝居の稽古に立ち会うという大義名分が出来るのだ。夫の伝右衛門は決して口に出しては言わぬが、妻の世間での名声や活躍がまんざらではない。そう嫌な顔をせずに送り出してくれるに違いなかった。

芝居の稽古というのはどのくらいかかるのだろうか。半月か、それとも一ヵ月だろうか。少なくともその間、燁子は東京で自由気儘《きまま》に過ごせるはずだ。しかも龍介や俳優たちといった今までは全く縁のなかった面白い連中と一緒なのだ。燁子は娘のように心が昂《たか》ぶった。ここは初枝にどうしても従《つ》いてきてもらわなくてはならないだろう。

　貧しいといえども華族の家に育った燁子は、ひとり歩きをしたことがない。学校に通学する時には女中がつき添っていたし、女中がつかない時は、親しい女友だちや姉妹たちと一緒だった。

「白蓮さんと初枝さんは〝お神酒《みき》どっくり〟なんでしょう」

　それをとうに気づいている龍介が言った。

「白蓮さんがお稽古場に通うとなれば、当然初枝さんも一緒でしょう。だからこれからはしょっちゅうお二人に会えるわけです」

　龍介の言うとおりだ。上京するとなれば誰かがついてくることになるが、女中などより初枝の方がはるかに都合がよい。嫁いで十年、味方と思われる女中たちは何人かいたが、燁子はすべて信用しているわけではない。伝右衛門に告げ口しないまでも、女中同士の噂話《うわさばなし》にはあれこれ出るだろう。これからさまざまなことが起こりそうな予感がするのに、そうした女中がすぐ傍にいるのはやりきれない。

　その点初枝は、伝右衛門の妹といっても少女の頃から燁子が可愛がってきた、素直なごくおとなしい女である。何よりもいいのは、子どもがいないせいか多分にねんねのところを残していて、男女の機微というものには全く無頓着《むとんちゃく》だ。初枝なら自分の傍においておいてもきっと邪魔にならないに違いなかった。

燁子はその時、はっと息を吞《の》む。何ということだろう。自分は龍介とのことを心待ちにしているのではないか。きっと何かが起こると思い、初枝という味方まで用意しようとしているのだ。自分のことをからかっているのだと思う心と、きっと男が何かを仕掛けてくると待っている心。なぜその二つが自分の心の中に屹立《きつりつ》しているのか。

燁子はどうしようもないほど男を試したくなってきた。あまりにもそのことばかり考えるので、言葉が出ずむっつりと押し黙ったほどだ。

「お疲れのようですね。これでもう僕は失礼しましょう」

龍介は立ち上がる。それを制したのは初枝であった。

「ちょっとお待ちになって。車を呼んでもらえるかどうか、お帳場で聞いてもらいましょう」

旅館の座敷に二人は残される。龍介は突然とっくりをつまみ上げ、拗《す》ねたように揺すってみせた。

「怒っているのですか」

燁子は歓喜に包まれる。東京に来ていちばん見たかったのは、こうして感情をあらわにする男の顔だ。

「どうして私が怒らなきゃいけませんの」

「失礼なことをいろいろ書いたからです」

「進水式とかそういうことかしら」

「そういうことではなくて……」

龍介は眉をきっと上げる。怒る男の顔は、なじる男の顔より燁子がさらに見たかったものである。

「あなたはどうして僕をこんなに苦しめるのですか」

「まあ、私がいつそんなことをしまして」

「そうじゃありませんか。あなたは僕にやさしい手紙をくださった。だから僕はあなたの写真とお手紙を毎日、何千遍も何万遍も見返した。それでも僕を苦しめていないというのですか」

「親切心ですわ」

すっかり冷静さをとり戻した燁子は答える。さらに男をいたぶる言葉を投げかけようと口を開きかけた時、階段を上がってくる音と初枝の声がする。

「ええ、そうなんです。明日の朝、私たちも駅に行かなきゃなりませんので……。ええ、そう、車を頼んでますの」

階段を上がりながら宿の女中と話す初枝の声は、せわし気で燁子はそれに背中を押された。声をおとし、自分でも信じられぬほどの早口で言った。

「私たち明朝ここを発《た》って、初枝さんは大阪へ帰って、私は京都へ行きます。旅館は前にお知らせしたところですわ」

男の目は怒りを含んだままだ。しかしそれは情熱へもうすぐ姿を変える怒りである。

「あなたがもう一度私に会いたいと思うのならいらしてください」

雨が降っている。瓦《かわら》屋根も枯れた柳も灰色に見せる早春の京都の雨は、生まれて初めて男に賭《か》けた燁子にはまことにふさわしいものであった。昨日から日がな一日香をたきしめて燁子は机の前にいる。女将《おかみ》の野口サトなどは、部屋に閉じ籠《こ》もりがちの燁子を不審がって声をかける。

「奥さま、お買物のお伴《とも》いたしましょうか。南座にも沢正《さわしょう》がかかってますし、見にお行きやしたらどうどす」

そういう誘いをすべて振りきり、燁子が手にしているのはダンテの『神曲』である。それは先日、龍介から送られてきたものであるが、ページを広げてみても全く身が入らない。

いたずらにページをめくるだけだ。

京都に来てもう三日になる。あの後、龍介がすぐに東海道線にとび乗ったら、もう到着してもいい頃である。しかしまだ電話ひとつない。燁子にしてもいつまでも京都に居られるはずもなく、明日か、あさっては九州へ帰らなければならなかった。燁子は障子を開けて空を眺める。雨のせいだと思った。雨が降っているから相手は現れないのだと考える。すると少し燁子は慰められる。

もし来なかったら――。

もうじき始まる稽古はどうなるのだ。あれほど楽しみにしていた稽古だが、これほど屈辱を受けた身でもう龍介と会えるはずもない。燁子は「空虚」という言葉をふと思い出して、雨空になぞってみた。

「奥さん……」

サトの声がする。いつもと違うひそやかな声だ。

「奥さん、お客さんがおいでやした」

小柄なサトがひざまずいている後ろに、茶色の背広の龍介が立っていた。薄暗い廊下の中で、彼はいつもよりはるかに大きく見える。燁子は下から見上げ頷《うなず》いた。一分前の苦悩と疑いはすべて消え、この男がここにいるのは当然とさえ思う。二人のただならぬ気配を察したサトは、声もかけず静かに立ち去った。後は二人が残される。このあいだの東京の夜と同じだ。違っていることといえば、龍介と燁子の間ではっきりと確認が取れ、もう後戻り出来ないところに来たということだ。

雨は降り続けている。龍介はまだ言葉を発しない。ここで燁子は相手が身構えていることに気づいた。それはサトのせいだ。

「あの人なら気にしないでください。もう身内のような人ですから」

日が翳《かげ》ってきたため、部屋の香のにおいは一層濃密となった。伽羅《きやら》の混じった重たい気品ある香りだ。

「どうしてこんなにお香をたいているのですか」

「今日はある女《ひと》の百ヵ日なのです。綺麗《きれい》なものが好きな女でしたから、供養のつもりでたいています」

「その人はお身内なのですか」

「そういうことになるかしら」

燁子は窓の方に顔を向ける。

「夫の若い妾です。今出ていった女将の実の妹ですよ。二年前、私が九州へ連れて帰ったのですが、好きな人が出来たというので逃がしてやりました。けれどもやっと添いとげることが出来たのに、流感で昨年の暮れに逝《い》ってしまったのですよ」

燁子はなおも続ける。

「ユウといいました。とても可愛い、いい娘でしたよ。あの女将も夫の妾ですけれど、姉妹揃《そろ》って気立てのいい女たちです」

「信じられない……」

顔を戻すと龍介は唇を噛《か》んでこちらを見ている。若者らしい潔癖さに頬《ほお》がこわばったままだ。けれども目は、香と目の前の美しい女に酔っているのがわかる。事実、夕暮れに近い部屋の中、白い障子を背にした燁子はこの世の者とは思えない美しさに満ちている。そしてこの美しい女は不幸と数奇な運命を、まるでドロップのように次々と唇からこぼして若者に投げかけるのだ。

「あなたがそんなことをする人とは思いませんでした。若い妾を夫にあてがうなんて、そんな不道徳なことをするなんて……」

「不道徳ですって」

歌うように燁子は繰り返す。

「だって私は、あの夫に抱かれるのが死ぬほど嫌でしたもの。あの人の手が伸びると、私の肌は粟《あわ》が立ったのですよ。おわかりになります。嫌な男に抱かれることがどんなにつらいか。だから私は別の女に頼んだのです。ねえ、憶《おぼ》えてらっしゃいます。初めて別府でお目にかかった時、肉と精神とは結びつけなくてはいけないってあなたはおっしゃった。けれどもそんなことが出来るのは、とても幸せな人ですわ。だからねえ、もう私のことをそんな目で見ないでくださいまし。軽蔑なさるのは自由だけれど、そんな目で見ないで。後生だから……」

「あなたっていう人は」

龍介は突然獣のような咆哮《ほうこう》をあげた。

「あなたっていう人は可哀想《かわいそう》すぎる。なんて不幸な人なんだ」

獣が自分に飛びかかったと思った瞬間、燁子は男の胸の中にいた。唇が激しく吸われる。信じられないことに男は涙を流しているのだ。

「なんて不幸な人だ！」

燁子の知っている限り、不幸という言葉が、かつてこれほど甘美につぶやかれたことはなかった。

第十三話　芝居の日

「今日飯塚君と出会ひました。お芝居をいよいよ六月二日から六日まで市村座でやることに決定しました。役者の顔ぶれはほぼ従前通り、二、三変更を見るかもしれません。もしご都合が出来たらご上京なさいませんか。

山田耕筰《やまだかうさく》氏に会ひましたらまだ楽譜の原稿が出来てゐませんさうで、至急書いて貰《もら》ふことに致して置きました。指鬘外道《しまんげどう》の方は着々進行してをります。

日暮れてから夕立が車軸を流すほど激しく降つてゐます。轟々《がうがう》と電雷が閃《ひら》めき怒つてをります。だんだん暖かくなるしるしでせう。蛙《かへる》がよろこんで啼《な》いてゐます。愈《いよいよ》夏の気分が致します。やがて蛍も飛ぶでせう。私は毎日夏の来るのを楽しみにして明け暮してゐます。こんなに一途《いちづ》に思ひ焦がれるやうには誰がしたのでせう。私にはこんなことは今迄《いままで》にないこと、不思議な運命だとひとり存じてゐます。まるで赤児が母さんの乳房を欲しがるやうに……。あなた毎日どんなことを考へていらつしやるのですか。時々はこちらのことも考へて下さるのか。

龍介」

「私の今日までの事は何もかも貴方《あなた》に言つてしまつた。もう何もありはしない。人魚の如《ごと》く刺された人がもしあるとすればその人が悪いのです。貴方は私を裏切る事はしますまいね。こんどもしも貴方までが男といふものはこんなものだと憎むべきものを私に見せたら、私でもなく人魚の如くに古草履よりもた安くはふり出してしまふかもしれない。否《いな》それよりももつと恐ろしい事をやるかもしれない。私にもし悪魔的な所があればそれは皆男が教へたのです。又会つて話は山ほどあります。私は貴方を信じてゐますよ。わかりましたか。

　やつぱり六月はゆきますまいね。山田さんもいやに待ち焦がれてゐる。他にも誰がゐるやら。何しろなぜか私にはなぜこんなに人の誘惑が強いのやら。人の情けと世の無情が悲しくつらい。どうぞ私を私の魂をしつかり抱いてて下さいよ。あなた決して他の女の唇には手もふれては下さるなよ。女の肉を思つては下さるなよ。あなたはしつかりと私の魂を抱いてて下さるのよ。きつとよ。少しの間もおろそかな考へを持つて下さるなよ。

　夏にはあひませう。今はあまり人々の視線が強すぎて私は目がくらみさうですから。そして妬《ねた》みの焔《ほのほ》の中に貴方を入れ度《た》くないから。貴方が卒業してしまつたら或《あるい》はその嫉妬《しつと》の焔の中になげ出して見て、これ見ろと人々に見せつけるかもしれない。覚悟していらっしやいまし。こんな怖《おそろ》しい女、もういや、いやですか。いやならいやと早く仰《おつしや》い。さあ何《ど》うです。お返事は？

龍さま　　　　　　　　　　　　　　　　　　　　　　　蓮」

初枝は義姉を見た。一ヵ月ぶりに見る燁子は、長旅でさすがに疲れているように見える。目の下のあたりがうっすらと黒ずんでいるのは、月のもののせいかもしれぬ。燁子はいつもそうだ。毎月この頃になると、いつも淋《さび》し気な影が差すのだった。

佳人よ、美人よとうたわれても三十六歳になる大年増なら仕方ないことだ。そこへいくと大阪から夜行でやってきた自分の若さはどうだろう。煤《すす》で額や耳のあたりが汚れていたが、風呂《ふろ》を浴びてへちま水をはたきつけると、内側から肌が照り輝いているではないかと初枝は鏡に向かいにっこりと笑う。

それを自分へ話しかけたと燁子は思っているようだ。今、彼女は九州から連れてきた女中に髪を梳《す》かせている。白髪もなく、まだ十分に艶《つや》を持っている燁子の髪であるが、近頃めっきり抜け毛が多くなったと、たった今燁子は義妹に向かってこぼしたところだ。旅館の浴衣の胸元から懐紙を出し、胸元に落ちた髪をひと筋つまみ上げた。それをまるで茶の作法のようにゆっくりと垂らす。白い紙の上に幾重もの円が出来ると、燁子は紙を折ってまた懐にしまい込んだ。自分の老いをしっかりと封じ込めようとでもするかのように、胸元の奥深く入れる。

「今度の東京行きはとてもお許しが出ないと思っていたのよ」

「あらどうして。義姉《ねえ》さんのお芝居がかかる大切な時じゃありませんか」

「そりゃあそうだけれども、冬の間、私は別府にばかりいたからね」

燁子はその時、かすかに微笑《ほほえ》んだ。

「でも丁度よかった。徳さんの婚約が決まったから婚礼の打ち合わせということで、私も口実が出来た。あのお転婆の徳さんも、たまにはいいことをしてくれる」

燁子の姪《めい》の徳子は最近売り出し中の歌人、吉井勇《よしいいさむ》との婚約が調ったばかりだ。よく言えばおきゃんな、悪く言えば奇矯《ききよう》な行動が目立つこの風変わりな娘に、普通の貴公子は無理であろうとまわりの人々が配慮した結果であった。吉井勇も伯爵の嫡子ではあるが、京都の色里に若い時から馴《な》じんだはぐれ者のように世間からは言われている。

「徳さんはずっと文士に憧《あこが》れていたから、本当にいいご縁だったの。これであの人もおとなしくおさまるでしょう」

初枝は彼女の男言葉や、ぱっと長襦袢《ながじゆばん》を見せながら歩く姿を思い出した。どんな風になっても、徳子がおとなしい人妻になるとはとうてい思えなかった。

「今度のお稽古《けいこ》も、徳さんは来たい、来たいと言っていたんだけれど、私が断わったら案外素直に引き退《さ》がったの。あんなことは前になかったことだけれども」

燁子から一緒に東京へ行ってくれないかという手紙があったのは十日前だ。ひとりでは心細いが女中を連れてああいうところへ行くのも気が進まない。こういう時、本や芝居のことがわかる初枝さんが居てくれたら、どれほど楽しかろうというのがその口上であった。そして燁子はこんな風に書き添えている。

「宮崎さんも、ぜひあなたにお目にかかりたいとおつしやつてゐます」

宮崎という二文字が目に入ったとたん、羞恥《しゅうち》がひと息に自分の首筋を熱くしたのがわかった。二月に別府で、三月に東京とたった二回しか会ったことのない男であるが、その顔つきやしぐさははっきり思い出すことが出来る。学生だというから自分よりはるかに若い男だと思っていたのであるが、肺を患《わずら》ったことがあり留年を二年もした。今年やっと卒業だというのにもう二十八歳だという。自分より年上だとわかった時に、初枝は許されるような気がした。何を許されるのか。思慕することをだ。自分は有夫の身の上であるが、密《ひそ》かに男を思慕することは許されていいはずである。それは罪といえば確かに罪であるが、目に見えない罪だ。人の心の中までは誰にも裁くことは出来ない。

そして燁子はじっと初枝に視線を注いで言った。

「静子さんも、宮崎さんは素敵な方といって騒いでいるが、あなたたちのような若い人にとって、ああいう学生さんは本当に面白いものらしい」

初枝は宮崎という二文字を目にした時と同じ羞恥が、自分を染めないように細心の注意を払った。もしかすると燁子は、自分が龍介に手紙を出したことを知っているのかもしれない。いや、そんなことはないだろうと必死に打ち消す。燁子と龍介とは今のところ原作者と出版社の番頭という間柄なのだし、二人が会ったのは三月が最後だろう。それに手紙を出したといっても、自分はごく簡単に再会の礼を述べただけだ。何も考えていない年若の女のふりをして、茶目っ気のある文章をところどころに挿入したが、思わせぶりな言葉は何ひとつ書いていない。それに対して龍介は簡単な葉書を一枚呉《く》れただけだ。今活動写真で人気のチャップリンの絵葉書だったのが愛敬《あいきよう》で、どうということもない内容である。けれども初枝は十分に幸せだった。

考えてみると男から手紙を貰ったのは初めての経験である。地元の女学校や東洋英和に通っていた頃、時々袂《たもと》や鞄《かばん》の中に付け文を入れられたことがある。汚らわしい思いで泣きたくなり、すぐに焼き捨ててしまったから、あれは手紙と言えないだろう。夫の鉄五郎は、書く必要性もない。

男の筆跡をまじまじと見つめ、語尾や文字の大きさから何かを読みとろうとするのは、あきらかに思慕というものであるが、燁子にそれを知られてはならなかった。

「宮崎さんは本当によい方だと思いますけれど」

初枝は言った。

「ああいう帝大に通うような頭のいい方は、内心何を考えているかよくわからないわ」

「そうだねえ、ああいう方はお腹《なか》の中はいったい何を考えているのだろう」

あいづちをうつ燁子はどこか遠くを見ていた。


髪を梳いてフケを落とした後燁子は髪を洗い、髪結いを頼んだ。旅館の帳場に呼んでもらった車が来る頃には、藤納戸《ふじなんど》のお召《めし》に着替えていた。陽《ひ》ざしが急に強くなる季節であるが、その色はいかにも五月にふさわしく燁子の顔色を明るくひきたてた。さきほどまで疲れきってくすんでいた燁子の肌が、透けるような白さを取り戻していることに初枝は驚く。目の下のくまもすっかり消えていた。

「さあ、まいりましょう」

と旅館の玄関に立つ燁子の背後から燦然《さんぜん》と初夏の光が降りそそぎ、本当に綺麗《きれい》な人よと廊下を行く女中たちもささやいている。初枝はまたしても騙《だま》されたような思いになる。全く燁子は魔法でも使うのだろうか。

今日の稽古が行なわれる神楽坂倶楽部《かぐらざかクラブ》は、文字どおり神楽坂の途中にある。車は省線の線路に沿ってしばらく走り左に折れた。夜はさぞかし賑《にぎ》わうに違いないが、昼間の料亭はどこもひっそりと表を閉ざしている。湯屋帰りの若い妓が、ふたり三人と連れ立っているのを初枝は珍しく見た。

倶楽部は二階が集会場になっている。黒板が置かれ、コの字型に机が配置してあった。原作者の燁子は敬意をはらわれ、正面の黒板の下に座らされる。初枝は遠慮しようとしたのだが、

「あなたも側に居て」

と燁子がしきりに袂をひっぱる。仕方なくひとつ開けた隣りの席に腰をおろした。文字どおり女優髷《まげ》に結った女が燁子の前に座り、軽く頭を下げた。西洋女のような高い鼻と大きな目をしている。

「松下菊枝さんという方よ」

燁子は体をぐにゃりと曲げ、初枝にささやく。

「本当はね、主人公の女の人の役だったんですけれどね、ここに来て急に変えられてしまったんですって。母親役になるようよ」

しかし燁子の方がその女優よりもはるかに人々の好奇の目を集めていた。あれが噂《うわさ》に名高い白蓮女史か。美貌《びぼう》で有名だがなるほど色香は衰えてはいない。九州の大金持ちに金で買われた女らしいが、それにしては高慢そうだと、下座の男たちの目は語っている。

「筑紫の女王　柳原白蓮」という連載読み物の威力は掲載地の大阪以外にも拡《ひろ》がっているらしい。おまけにあの商売上手な菊池寛《きくちかん》が、白蓮をモデルにした『真珠夫人』という小説の連載を始めると大きく新聞で予告したばかりだ。燁子の知名度は、なまじの新人女優などを遠くおよばないということをつくづく思い知らされる集まりであった。

三揃《みつぞろ》いの背広を着た、演出家の土方《ひじかた》がまず挨拶《あいさつ》をした。

「本日はお忙しいところ、はるか九州の地から原作者の白蓮女史においでいただきました」

ぱちぱちと好意と困惑の混じった拍手が起こった。こんな時燁子は決して立ち上がったりはしない。優雅に体を傾け、かすかに頭だけを下げる。他のどんな女にも出来ないお辞儀の仕方だ。

「白蓮さんからこの素晴らしい原作をいただいて、まず我々が創《つく》り出さなければならないのは、日本で初めてのイマジネーションのための劇であります。既にモスクワ芸術座におきましては……」

その時だ。ドアが開いて茶色の背広の龍介が入ってくるのが見えた。

「すまない、遅れてすまない」

という風に前かがみになり、片手を上下させる。初枝が何度も想像していたのとは違う滑稽《こっけい》な登場の仕方であった。彼女の夢の中では龍介は白麻の背広をまとい、颯爽《さっそう》と現れることになっている。背ももっと高かったはずだ。

龍介はごく当然のことのように燁子と初枝の間、丁度空いている椅子《いす》に腰かけた。初枝に向かい「やあ」とにっこり笑いかける。白い大きめの歯がこぼれ、そのとたん汗ばんだ若い男の体臭がした。急に暑くなった日だ。龍介は鼻の頭に細かい露をつくっていた。そして龍介は燁子の方を向き直り、

「今日はお忙しいところ、わざわざありがとうございます。こんなに早く本読みにまでつき合ってくださるとは思っていませんでした」

頭を下げた。初枝からは彼の後頭部だけで表情が見えない。しかし義姉よりも自分に先に挨拶をしたことで初枝の誇りは守られ、歓びは湧《わ》き出ている。だから男と燁子のやりとりなどとるに足りないことだと思い、初枝は配られた脚本に目を落とした。挨拶に答える燁子の声がする。

「いいえ、どういたしまして。お誘いのお手紙、ありがとうございました」

初枝が不審に思ったのは、義姉の口調があまりにも冷ややかだったからである。三月に会った時は、かなり打ち解けて食事も一緒にした仲ではないか。どうして急に龍介に対し、こんなぞっとするような声を出すのだ。

本読みが始まった。『指鬘外道《しまんげどう》』というのは仏話から材を取ったものだ。学識といい品性といい文句のつけようもない美僧がいる。その美しさゆえに、彼は彼の恩師の妻から激しく求愛されるのだ。潔癖な若者は驚いて拒否する。恋に狂った女は自分と美僧とは通じていると夫に報告する。怒り狂った老師は弟子の美僧に次のことを命令するのだ。

百人の人間を殺し、その指を繋《つな》げて首飾りをつくれと。そして美僧は怖しい殺人鬼となり次々と人を殺していく。そして百人めになんと自分の母親を手にかけるのだ。老師の妻役の若い女は、そう抑揚をつけることなく台詞《せりふ》を読み始めた。

「そなたに恋を強いた日から、そなたの身に私の人生の真の意義は輝いているものを。私の心の閃きも、からだも、愛の流れも、皆そなたの身にあって他にはないのじゃ」

初枝は恥ずかしさに身がすくみそうになる。いくら女優とはいえ、人々の目の前でよくこんな大胆な言葉を口に出来るものだ。以前雑誌で戯曲を読んだ時も、なんとまあ現実離れした女よと驚いたことがあるが、人間の肉体を借り、息と共に吐き出されるとさらに生々しい。けれども演出家や龍介をはじめとして何人かの男たちは全く照れることもなく、女の言葉に聞き入っている。

「私の夜々の夢に呼ばれていることをお知りやらぬか。哀れにも私の胸に抱かれるものは楽しそうな思いの影ばかりがぴったりと沁《し》み付いている。私の恋人は形を持たぬ影なのじゃ。私の愛欲は何の味も知らず、悶《もだ》えはこうして答えるその言葉に……」

こんなことが実際に起こるはずはない。日本には姦通罪《かんつうざい》というものがあり、他の男と情を交わした女は共に厳しく罰せられるのである。だがごく時たま、現実の世の中でこうしたことを仕出かす女もいるらしい。最近もある伯爵家の娘が、嫁ぎ先の運転手と心中して新聞を賑わせたことがあったが、なんとまあ愚かなことをと初枝はため息をついたものだ。何人かの崇拝者を持ち、彼らと文通をしている燁子にしても、言葉の遊びの域を出ないはずだ。時たま男からの手紙を初枝に見せ、

「こちらは夫がいる身で、もうこんな年だというのに、よくもこれほど歯が浮くようなことを書けるものだこと」

と笑っているではないか。初枝はその時のことを思い出し、何気なく燁子の横顔を見つめた。息を呑《の》む。燁子は脚本を見ているのでなくあらぬ方向に視線を向けているのだ。台詞を語る女優の方かと思ったがそうではない。燁子は見えない何かを見ていた。唇がほころんでわずかに白い歯がのぞいている。初枝が一瞬、義姉の気が狂ったのではないかと思

ったほど呆《ほう》けた表情だ。そのくせ目が光っている。

「私の胸には常にうつつに見る夢の世界があった。こうして今こそそなたを目の前に置くは、恋の光明に輝かされて酔心地。心の波はそなたの胸にも音を立てていようもの。さあ、夢をうつつに還《かえ》して、私から騙《かた》りとった魂を戻しておくりやれ」

そしてさらに信じられないことに、そんな燁子の横顔を龍介が喰《く》い入るように見つめている。それは奇妙な光景であった。すべての人が脚本を見つめている中、燁子だけが胸を張り、龍介がその彼女から目を離さない。

「まさか、まさか……」

初枝の心臓が早鐘をうつ。そんなことがあり得るはずはない。燁子は龍介よりもはるかに年上で、そして夫がいる身ではないか。なのにどうして龍介はそんな目をして燁子を見るのか。おまけに初枝の位置からだとよくわかる。彼の肘《ひじ》は不自然に張られ、燁子の体に少しでも強く触れようとしているようだ。

「日中もうつつなく夢を見ている私は日数というものを数えはせぬ。恋を呪《のろ》ううめきの声は、怖しい焔に油をそそいで、そなたの体も名誉も焼きつくさないではおかぬぞよ。でもない事じゃ。大きな声を張り上げてあの男が嫌がる私を無理やりに存分にいたしたのじゃと、嘘八百《うそはっぴゃく》を言っておこう」

女優の台詞は次第に熱が入っていく。となると対する美僧役の男も深く大きな声を出す。

「何とでもなさりませ。三障十悪の女人が男のためのわざわいとは、そも昔からの言い伝え。私とても覚悟なくてはいられぬこと。いざご免をこうむります」

ついに初枝が負けた。もう何も見るまいと脚本につっぷすように体を倒したのである。

今日もまた髪を洗った。女中に手伝わせて椿油《つばきあぶら》をすり込みながら燁子は昨夜のことを思い出している。

第一回めの本読みの後、龍介は初枝に向かってこう言ったのだ。

「演出の土方君たちと打ち合わせをしようと思ってます。白蓮さんは後でちゃんと宿屋までお送りしますからご安心ください」

土方がその場にいなかったからよかったものの、そんな嘘を土方本人が聞いたらどうしようかと燁子はひやひやしたものだ。それほど龍介は若い男の性急さに溢《あふ》れていて、燁子は困惑と嬉《うれ》しさのあまり気が遠くなりそうになる。

省線で神田《かんだ》へと向かった。電車に乗ったとたん龍介は大層寡黙になった。むろん燁子も話しかけたりはしない。肌を合わせた後の男女が、初めて顔を合わす気まずさと幸福感の中に二人はいた。たそがれの濃い空気が電車の窓から流れてくる。たまりかねて燁子が先に口を開いた。

「嫌な方。初枝さんにあんなことをおっしゃって。もし露見したらどうなさるおつもりだったんです」

「だってああでもしなければ二人きりになれないじゃありませんか」

龍介は怒ったように言う。そうすると彼の口元のあたりに少年のようなきかん気が漂う。燁子は、それをうっとりと眺めた。

「何を食べますか」

その後、龍介はロマンティックとはまるでかけ離れた言葉を吐いた。

「あなたはお姫さまでお金持ちの奥さんだから、我々が食べるようなものは召し上がらないかもしれませんが」

「そんなことはありません。私は何でもいただきます」

龍介は時々行くという明治大学近くの洋食屋へ燁子を案内した。洋食といっても上京した折に時々行く帝国ホテルや精養軒のものとはかなり違う。燁子はチッキン・コロケットとポタージュスウプを注文した。

「ほら、このあいだ流行《はや》った歌をご存知でしょう。今日もコロッケ、明日もコロッケ〜という例の歌ですよ」

「ええ、毎日コロッケばかりで嫌になるという歌ですね。でも私の住んでいる九州の田舎町でコロッケを食べさせてくれるところなんてありません。毎日嫌になるほどコロッケを食べるなんて、さすが東京だなんて、静子さんたちと笑い合ったものですわ」

「呑気《のんき》にコロッケがどうした、なんていう歌はですね、人民をちょっといい気にして騙《だま》そうという魂胆に決まっているじゃありませんか。いいですか、いま日本は大変な不景気でコロッケを食っている連中などほんのひと握りです。東北の方じゃ食うために娘が毎日何百人も売られ、餓死する者もいる。皆が米屋をぶっ壊して革命が起こりそうになったのもついこのあいだのことじゃありませんか」

「声が大きいわ、宮崎さん」

いま龍介はとても苛立《いらだ》っている。そしてその原因がやわらかい絹ものに包まれた自分のこの肉体にあることを燁子は知っている。なぜならもう既に彼にそれを与えているからだ。罪の意識はまるでなかった。それよりも燁子を支配しているのは安らぎである。あの京都の宿で、若い男の情熱に身を任せた時、燁子が何よりも案じたのは三十六歳という自分の年齢である。年よりもはるかに若く見られ、美人の代名詞のようにいわれる自分であるが、脇腹《わきばら》や首のあたりに小波《さざなみ》のようなかすかなたるみがある。小さな乳房も静かに垂れ始めている。だから最後の布は脱がずに胸は両の手で隠し続けた。

それなのに目の前の男は、何とかもう一度それらのものに触れようと欲し、こうして渇《かつ》えている。燁子は静かに微笑んだ。

「宮崎さん、もっとゆっくりとスウプをおあがりなさいよ」

「とても不味《まず》いスウプですね。今夜の親父《おやじ》はどうかしている。いつもはもっとうまいんですが」

「とてもおいしいわ。私はこのお料理をいただいたらそろそろ帰らなくては。初枝さんが心配していますもの」

「嫌だ」

顔を上げた男の目が燃えている。

「燁子さん、僕をこれ以上いじめないでください」

「いじめる？　私がどうして宮崎さんをいじめるの。こんなに親切にしてくださるのに」

「本当にあなたは嫌な人ですね。僕はあなたからいただく手紙に接吻《せっぷん》して、あなたの書かれた文字を一字一句暗記しているんですよ。今日やっとのことであなた本人に会えたんです。僕は今夜あなたを帰しません」

「そんな……。勝手な人ね、明日もお稽古があるんですもの。明日またお会いしましょうよ」

「もうそれ以上僕をいじめると、僕はわめき出しますよ。テーブルをひっくり返して、この不味いスウプを親父に向かって投げる。そしてあの有名な白蓮さんが僕をめちゃくちゃにしたと皆に言います」

「そんなことをされると、私はもう生きていけませんわ」

「だったら僕の言うことを聞いてください」

結局二人は水道橋《すいどうばし》の待合に入った。手慣れた風に龍介がその場所に案内したことを燁子はなじり、彼は涙ながらに過去の女との交渉を告白した。二人にとって初めての痴話喧嘩《ちわげんか》の後、龍介は初めての時よりもさらに長く念入りに燁子を抱いた。京都では、ほとばしる情熱のために省略したいくつかのことをその夜龍介は丁寧に行なった。

いまそれらのひとつひとつは、しゃっくりのようなしのび笑いを燁子にもたらす。自分が淫《みだ》らな笑いをしているのではないかと怖れた燁子は時々女中を叱《しか》った。

「もっとやさしくおし、地肌をそんなにきつくこすってはいけませんよ」

傍で雑誌を拡げていた初枝がこちらの方を向いた。

「義姉さん、私が油をおつけしましょうか。私の方が慣れているかもしれない」

「いいわ、もう終わるから。あなたはご本を読んでいて頂戴《ちょうだい》」

燁子は少なからず感動した。何とやさしい娘だろうか。めんどうをみてくれと頼めば大阪からすぐやってきてくれる。まるで女中のようにどこにでもつき添ってくれる女。どうしたことだろう。今日の自分は晴れ晴れした思いですべての人がいとしい。この上なくいとしいのだ。

雑誌を閉じた初枝はややだらしない横座りとなり、髪をほどいた燁子を見つめている。子どもの頃、初枝はよくこんなしぐさをしていたものだ。

義姉さんぐらい綺麗《きれい》な人はいない。私は学校の皆にも自慢している。本当に義姉さんは綺麗だ……。

少女の初枝の瞳《ひとみ》がよみがえる。いつも賞賛のまなざしで自分を見ていたあの目だ。

燁子はふとすべてをこの義妹に打ち明けたくなってくる。真面目《まじめ》な女だからさぞかし驚くことだろうが、すぐにこちらの気持ちを察してくれるに違いない。

少女の頃から手塩にかけ大切に育ててきた初枝だ。どんなことがあっても自分の味方になってくれるはずだった。

初めて男を愛してわかったことだが、女の胸は恋をするとすぐに膨れる。誰かにこっそりと打ち明けたり相談をしないことには、いつか窒息しそうだ。もちろんそれがどれほど危険なことかはわかっている。燁子の場合男も女も罪人となるのだ。

その罪人になるのも厭《いと》わず、恋の道を歩き始めた自分は何という勇気者だろうか。燁子はこの冒険譚《ぼうけんたん》を誰かに打ち明けたくてたまらない。

その点初枝は決して用心すべき相手ではなかった。兄の放埒《ほうらつ》な女性関係を知るにつけ、燁子に同情してくれている。おまけに小さな頃から知っているが、聡明《そうめい》で思慮深い女である。

女中が去った後、燁子は手提袋《てさげぶくろ》の中から龍介の写真をとり出した。それはいつも側において欲しいと彼が送ってきたものだ。しゃれた背広を着、胸にソフト帽をもっている。まるで西洋の活動写真の俳優がつくるブロマイドのようだ。澄ましているが唇のあたりが皮肉に笑っていて、いつもながらの龍介である。

「この写真はね……」

「あら宮崎さん」

初枝が目を見張る。その驚くさまで燁子は心を変えた。馬鹿なことはしない方がいい。いくらなついているといっても、この女は夫の妹なのだ。すらりと嘘《うそ》が出た。

「この写真はね、宮崎さんのお見合い写真なんですって」

「まあ、どうりで気取っていらっしゃる」

初枝は笑い声をたてた。いつものことだがこと龍介に関して、初枝は過剰に反応するのだ。

「今度ね、宮崎さんはどこかいいところのお嬢さんとお見合いなさるそうよ。その写真をなぜか私に見せびらかしているの」

　燁子はいちばん怖れている未来をはっきりと口にした。するとその危険はかなり薄まるような気がするのだ。

「それはね、義姉さん。得意でたまらないのよ。自分は綺麗なご令嬢と縁談があるっていうことを自慢なさりたいのね」

「そうかしら」

「そうに決まっているわ。お嫁さんをお貰いになったら、宮崎さんきっと連れていらっしゃるはずよ。何といっても宮崎さんは帝大を出た弁護士さんですもの、若い美人はいくらでも寄ってくるでしょう。早くお嫁さんを見たいわね。そしてうんと冷やかしてあげましょうよ。ねえ、義姉さん」

「ええ、そうね」

　どうして初枝はこれほど明るくはしゃぐのか、燁子は髪をぐいと梳くふりをして、相手をきっと睨《にら》みつける。

第十四話　双　生　児

すべてが燁子にとって初めての経験である。男のことをその肉体ごといとしいと思う。指先のひとつひとつ、額のおくれ毛一筋も記憶に刻み、その先の行為をため息と共に思い出す。思い出せば思い出すほど、その肉体と精神を持つ男に所有されたいと思い、その男を所有したいと激しく願う。

そして初めての経験で燁子は二つのことを知った。それは自分がいかに友人に渇《かっ》えているかということだ。恋をした人妻は沈黙を守らなくてはいけない。けれども初恋を得た燁子は少女のようなはずむ心を抱いている。これをひと言も口に出来ないのは大層つらい。一度は義妹の初枝に打ち明けようかと考えたことがある。けれども初枝と伝右衛門とは腹違いとはいえ兄妹である。その一点が最後には初枝をしてあちら側につかせるのではないかと燁子は疑うのだ。

それならばとあたりを見わたすと、これはもうほぼ絶望的だ。有名な歌人にして、大金持ちの妻である燁子に知人の類《たぐい》は多いが、誰ひとりとして恋を打ち明けるのに価する女はいない。たいていが噂《うわさ》好《ず》きの田舎女ばかりだ。燁子がほぼ自分の仲間と見なしている女が二人いたが、久保より江はもちろん嫌だ。彼女の夫、久保博士と燁子との噂は、燻《くすぶ》り続けたかと思うとやみ、またどこからかささやきが漏れる。久保博士のサロンでの二人の視線のからませ方がただごとではないという者が何人もいるようだ。この地に嫁いですぐの頃、燁子が久保博士に好意を持ったのは事実であるが、臆病《おくびよう》な博士はそれ以上踏み込んでこようとはしなかった。しかし今でも、時たま会えば何とはなしに熱っぽい視線をおくってくる。ただそれだけのことだ。宮崎と愛し合うようになってから、久保博士とのことはまるでままごと遊びのようだったと苦笑いで思いうかべる。その妻に心を打ち明けようという気などまるでない。

もうひとりの野田茂重子であるが、彼女がどうも燁子には気にかかる。例の疑獄事件の後、彼女の夫は公職から退き失意の日々をおくっているのだが、それなのに妻の茂重子は生き生きと綺麗《きれい》になっていくようだ。

ついこのあいだも、おたくでよく使う京都の「伊里」という旅館はどんなところなのかと尋ね、燁子を慌てさせた。自分と宮崎との情事を知っているのかと思ったが、どうやら自分が使いたいらしい。泣き腫《は》らしたような大きな目をし、だらしなく甘い声をたてる茂重子のことを、前から地位ある男の妻らしくないと燁子は感じている。もしかすると茂重子にはいま恋人がいるのかもしれぬ。いや、もしかするとではなく、多分そうだ。なぜならものを言いかけてすぐにやめる癖や、ぼんやりと遠くを見る様子は燁子には心あたりがある。茂重子も自分と同じで、訴える相手が欲しくてたまらないのだ。

けれども向こうが打ち明ける前に、こちらが言うこともないし、二人手をとり合うこともない。華族の娘で有名な歌人、そして炭鉱をいくつも持つ大金持ちの妻である自分の秘密と、たかだか前鉱務署署長の妻である茂重子の秘密が同じ重さのはずはない。時々彼女は何か打ち明けたいもじもじとしたそぶりを見せるが、燁子は知らん顔をしている。いずれ茂重子の方がすべてを見せたら、ほんのひとかけら隠しごとを投げ与えてもいいと思う。

とにかく東京で龍介と再会し、男の若い情熱にからめとられてからというもの、燁子は自分の内部が縁まで満たされているのを感じる。そしてそれを努力してじっとこぼさずにいようと思うと大変な苦痛が走る。甘い苦痛であるが耐えるのは大層つらい。東京の芝居稽古《げいこ》から帰ってからというもの、どこか体の加減が悪いのではないか、つらそうに見えるとまわりのものたちから言われることがあった。

「新聞に北原白秋《きたはらはくしゅう》が夫人と離縁したつて出てましたね。夫人は今別府なんですつて。よその人の事ですけど、何だか見た時はいやな淋《さび》しい心持がいたしました。何《ど》うしたわけかは存じませんが、どの道あの人たちハお互ひに愛し合つて成立つた夫婦でしたらうに、本当にいやですね。恋といふもの、それほどの愛が十年やそこらで終りをつげるものなら、その前に死んだ方がよかないでせうか。

無理な勉強をして下さいますな。夜も早くおやすみになりますか。お酒なんかもむやみとめし上るな。

ご丈夫なのが何より、毎日毎日お出になれる位故、大した事もおありになるまいと存じ上《あげ》て居《を》ります。これからの御方針も定まりさうだとの事。お目にかかれバ色々お話して下さいませう。貴方《あなた》の充分自信ある御言葉伺ふだけでもどんなに力強く、嬉《うれ》しう御座いますやら。私は幸でゐられます。落ち付いて未来を楽しんで、心丈夫に暮しませう。貴方の御腕に私の運命のすべてをおまかせ致します。二人の幸ひ、希望ハ、皆貴方の御心にまかせて居ります。神様ハ必ず幸にして下さいます。幸福の日はきつとめぐつて参ります。ああ何て嬉しいでせう。その雄々しい勇ましい御言葉、嬉しう存じます。

御身御大切に。

六月二十八日　龍さま　燁子」

もはや燁子は、ほとばしるものを自分ひとりで支え、文字にするしかないのだろうか。

その女が博多天神の別邸にやってきたのは六月二十三日の夕暮れであった。単衣《ひとえ》の縞《しま》ものを着ているのであるが、眉《まゆ》の上で切り揃《そろ》えた髪と、輸入ものらしい濃いめの口紅とがどぎついほど都会のにおいを漂わせている。

「私は江口章子《えぐちあやこ》と申しまして、そちらのご親戚《しんせき》の吉井勇さまと親しくさせていただいている者でございます」

取り継ぎに出た女中に、はきはきと答えたという。

「あるいは北原白秋の妻だった者、といった方が通りがいいかもしれません。ぜひ奥さまにおめにかかりとうございます」

燁子は我ながら呆《あき》れるほど軽薄な驚きに、思わず腰をうかしかけた。北原白秋といえば日本でいちばんの人気詩人であり、彼と二度めの妻との離婚は最近の新聞を賑《にぎ》わせたばかりだ。ついこのあいだ龍介にあてた手紙にもそのことを書いたことがある。さっそく応接間にとおしたところ、女は大きな信玄袋《しんげんぶくろ》を足元に置き、悠然とマントルピースの前の長《なが》椅子《いす》に座った。この家に来る女客で、燁子が現れる前に上座についたのは彼女が初めてだ。他の客、たとえば親しい久保より江や野田茂重子でさえ、どれほど女中が勧めてもドアとマントルピースの中ほどの椅子に座る。

「江口章子と申します。天神のお邸《やしき》の方にいらっしゃると聞いてまいりました」

章子という女は、それでも立ち上がって燁子に会釈した。その様子はおっとりした品と威厳があり、さすがは大詩人の妻だった女だと燁子は微笑《ほほえ》みかける。こうした類《たぐい》の女は決して嫌いではない。章子は大層小柄であったが、整った綺麗《きれい》な顔立ちをしていて、離婚と旅の疲れを拭《ぬぐ》い去ったら、美人としても通りそうだ。断髪とはきはきした物言いが、姪《めい》の徳子を思い出させる。章子は大分国東《くにさき》半島の出身で、これから実家へ帰るところだという。

「と言っても両親も姉妹もとうに亡くなりましたし、家もすっかり没落しましたの。親戚の者たちが土地を切り売りしてやっと暮らしている状態です」

昔は土地きっての分限者《ぶげんしゃ》で、米屋と酒屋を営んでいた。自分は村でただ一人、大分の県立女学校へ進んだのだと章子は自分から進んで身の上話をする。

「今上《きんじょう》天皇のお従妹《いとこ》に遊ばせられる奥さまに、こんなことをお話しするのは恥ずかしゅうございますけれど、私の里は公卿《くぎょう》の出でございますの。私の高祖父《こうそふ》のところへ、京都の広幡《ひろはた》家から嫁いだ者がおります」

貴族の血が混じっていることが、ここに来るための何よりの通行手形だというように章子は胸をそらした。燁子より三歳年下だということだが、白い肌はきめ細かく静かなてりがあった。聞いたこともない京都の貧乏公卿の名を出す女の無邪気さを、決して厭《いと》う気持ちにならないのは、章子のいつしかすがるような目と、少女のような華奢《きゃしゃ》な体のせいだ。

「それで奥さま、しばらく私をこのお邸に置いていただけないでしょうか」

女はついに本題に入ってきた。おそらくそうだろうと燁子が途中から見当をつけてきたことだ。

「恥ずかしいことをした身の上ですし、このまま実家に帰っても歓迎してくれるとも思えませんの。しばらく女中としてこのお邸で使っていただきたいのです」

章子のいう恥ずかしいこと、というのは白秋と離婚したことではない。彼女はどうやら白秋との大喧嘩《おおげんか》をきっかけに、出入りの新聞記者と駆け落ちをしたらしい。らしい、というのは燁子が読んだ新聞に詳しく書いてあったからだが、ああいうところは嘘八百《うそはっぴゃく》を平気で並べたてるものだ。自分も伝右衛門との結婚以来、驚き呆れることばかり書かれる。

本当に夫を裏切ったのか。大変な美男という新聞記者とどのようにして手を取り合って逃げたのか。それを聞くだけでもこの女をしばらく泊めてやる価値はあると燁子は判断した。

「でもあなたを女中とするわけにはいかないでしょう。伺ったところによると、大変なところのお嬢さまのようですし……」

最後の言葉はもちろん燁子の皮肉というものであるが、相手はそんな、そんなと手を振って答える。

「昔、平塚明子《ひらつかはるこ》さんのところで女中をしてましたの。今度もそこへ行こうと思ったんですが断わられて、小説家の谷崎《たにざき》さんのお世話になりました」

「平塚明子さんって、あの『青鞜』のらいてうさんね」

燁子にとってああした新しい女というのは、理解しようにもしがたい人種だ。目の前の女も彼女たちのようにアカがかっているのだろうか。章子はいくらか不機嫌になった燁子の視線に気がつき、さらに激しく手を振る。

「でも厄介になっていたといっても一ヵ月たらずですわ。あそこは若いご主人の奥村《おくむら》さんが何でもおやりになりますもの。ご飯を炊いたりするのは私よりずっとお上手ですの」

「まあ、そうなの。ご主人がご飯を……」

燁子はいま話題の女性思想家の家の内部を知りたい思いにかられたが、それほどはしたないことが出来るわけはなく、またきちんと椅子に姿勢を正した。

「この家は主人や私が博多に用事がある時だけ使います。普段は私たち幸袋に暮らしていますの。ここには女中もそう置いていませんし、用事もないと思いますわ。ですから、私の客分ということでしばらく居てくださって結構よ。主人には私から話しておきますけれど、多分駄目だとは言わないでしょう」

「奥さま、本当にありがとうございます」

章子は頭を下げたが、その姿は決して卑屈ではなかった。女の後ろには国民詩人とも呼ばれ、誰でも名前を知っている白秋の姿が見えるようだ。白秋と別れた後も、その偉大な夫は章子の後ろから糸をひき、妻の頭が決して不様に下がらないように見張っている。そんな白秋とどうしてこの女は別れたのか。そして今は幸せなのか。燁子は自分が次第に探偵のまなざしになっていくのがわかる。そうなのだ、燁子が知りたいのは、目の前の女の過去ではなく、自分の未来なのだ。

その夜、いくらか迷った揚句、燁子は二人分の膳《ぜん》を座敷に運ばせた。

「明日からは家のことを手伝っていただくとしても、今日はまだお客さま。今日はあなたの慰労の宴といたしましょう」

燁子が言うと章子は目に涙さえうかべたが、相変わらず勧められるままに床の間を背負っている。どうも酒がいける口らしい。燁子は女中に命じて銚子《ちょうし》を二本つけさせたのであるが、冷やでいいからと途中でぐびぐびと飲み始めた。酔った女の口から聞く白秋との生活は、燁子が想像したものとはかなり違う。章子は言う。結婚当初はそれこそ赤貧洗うがごとくの生活であったが、この二、三年は何とか安定した。けれども出版した詩集の評判はそう高くはない。白秋はもう書けなくなったという者さえいる。

「すべては私のせいだと言うのです。私が悪妻だからいけないんだって」

「誰が言うの」

「あの人の弟や親戚たちですよ。みんな私のことをそりゃあ嫌っていたのですもの」

どうやら家のしがらみの中で、章子も相当の苦労をしたのだと、燁子もとても他人《ひと》ごととは思えない。

「私も一杯いただこうかしらね」

「どうぞ、奥さま、私にお酌をさせてください……。あの人たちが私のことを嫌ったのは、私が出戻りだからですよ。白秋の前に結婚してました。それで一回夫を捨てた女なんか信用出来ないって言うんです」

章子の呂律《ろれつ》が次第に怪しくなるかわりに目が光を帯びてくる。黒い強い光はざっくりと濃い断髪とよく似合っていた。

「でもね、結婚したっていっても若い頃ですよ。女学校に通っていた頃、親のいいなりになって十六歳で嫁がされたんですよ。私に何の罪もないじゃありませんか、奥さま」

「まあ、十六歳の時」

驚いた、自分と全く同じではないかと燁子は言いかけて口をつぐむ。もしかしたら女中に使う女かもしれない、いま、打ち明け合うのは早計というものだろう。

「本当に私はその男のことが嫌いで嫌いで、何度死のうと思ったかわかりませんわ……」

女が語る物語の中に、変態、冷血、厚顔という言葉が出てくる。それは燁子が最初の嫁ぎ先の北小路家でさんざん嚙《か》みしめた言葉である。

「それで白秋先生と結婚なさって……あの、私、ひとつだけ伺ってもよろしいかしら」

「はい、何でも」

「新聞記者の方と家を出たって新聞には書いてあったけれど、その、夫を裏切って他の男の人と逃げるって、いったいどんな気分のものなのかしら」

「気分でございますか、奥さま」

章子は歯を見せてニタリと笑った。今までの品のよさをすべてかなぐり捨てたような笑い方に、燁子は啞然《あぜん》とする。女の前歯が汚れているのは、どうやら大変な煙草《タバコ》吸いのせいらしい。

「どうっていうことはございませんよ」

ふふっと笑いをまだ唇の端に残している。

「そんなことをする前は、自分にそんなことが出来るはずはないと思っておりましたけど、いったん度胸がついてしまいますと、どういうこともないものですねえ」

「本当にその方がお好きだったのね」

「好きだったのかどうか」

女の笑いは一瞬にして自嘲《じちょう》というものに変わった。

「ただ今考えるとそうなるしかなかったような気がしますねえ。結局その記者の人とすぐに別れましたが後悔はいたしません。奥さま、決心して実行する時は、それこそ夢を見ている気分になります。ふわふわと体が舞うんです。人間、生きて死ぬまでに、一度でも起きてながら夢を見られるなんて幸せじゃないかって私は思うんでございますよ」

「なるほどねえ……」

目の前にひとつの情景がうかぶ。龍介と自分が雲の上を舞っている。そんなことが実際起こるはずはないと思うものの、現に雲の感触を知っている人間がひとり目の前にいるのだ。

「奥さま、人は私のことを大馬鹿者のように言いますけれど、私は嫌な男と別れて、好きな男と結婚して、それから好きな男と逃げたのですからもう思い残すことはありません」

龍介を愛してもうひとつ知ったことがある。それは夫というもうひとりの男に抱かれなければならない苦痛である。自分の恋を喋《しゃべ》ることの出来ない苦痛は、中でじれて甘い。けれども夫に肌を触れられることの嫌悪は本当に痛みさえ伴うのだ。

伝右衛門と心を許し合う仲になりたいと願っていた時でさえ、燁子の躰《からだ》はぴたりと閉じられたままだった。燁子はそのために、ユウという愛妾《あいしょう》を夫にあてがったのだ。しかし男と逃がしてやったもののユウが急死してから伝右衛門は燁子を責めるようになった。男というものを少しもわかっていないとなじりながら、燁子の寝着の紐《ひも》に手をかける。今までは何とか我慢することが出来た。けれども龍介と肉体的に結ばれた今は、伝右衛門に触れられることさえ怖《おそろ》しい。激しく拒否する気持ちと共にもうひとつあるのは、夫が気づくのではないかという恐怖だ。あれほど女の躰を扱い慣れている夫が何も気づかないはずはない。他の男によって押された印は、バラ色の湿疹《しっしん》となってそのことを夫に告げるのではないだろうか。

惑い悩んでいる燁子のところに、本宅の事務員から電話がかかった。あさって二十七日の日曜日に伝右衛門が関西から帰り、いったん天神の別邸に入るという。おお、嫌だと燁子は小さく身震いする。夫には奇妙な性癖がある。京都で「伊里」を経営させている妾《めかけ》のサトやそして大阪の芸者のところから帰って来た時にだけ妻の躰を求めるのだ。あと二ヵ月たったら、自分は誤魔化すすべも、耐えることも身につけるかもしれない。けれど今は駄目だ。龍介と激しく交わった記憶がまだ残っている時に、どうして夫を受け入れられるだろう。

どうしたらいいのだろう。全くどうしたらいいのか。

電話室を出た燁子は、力なく階段を上がる。もう二日もすると、このあたりは背が高い伝右衛門に圧倒され、彼の体臭で満ちるはずだ。その時、若い女中が遠慮がちに声をかけた。

「あのう、奥さま。おとといからいらっしゃるお客さまですけど……」

「お客さまじゃないけれど、あの人がどうかしたの」

「こんな時間からじゃんじゃんお酒を持って来いって。一本や二本じゃなかとです。めんどうくさいから瓶ごと持ってきてくれって……」

「まあ、仕方ないわねえ」

燁子は本気で腹を立てた。何の縁もゆかりもない女を、白秋の妻だったということだけで泊めているのだ。伝右衛門が帰ってきたら、さらに気を遣わなくてはならない。伝右衛門は土地柄、酒を飲む女に比較的寛大であるが、午前中から冷やで飲むような女は許せないに違いない。

台所に近い小座敷を開けると、しどけなく横座りになり、章子がコップ酒をあおっているところであった。灰皿に半分までの吸い殻が同じ方向に向かって並べてある。

「奥さん、ごめんなさい」

章子は案外しっかりした声で言った。

「平塚さんとこはお金がなくてお酒なんて無理だったけど、ここはいっぱいあるんでいただいています」

「そんなことされると、使用人たちにもしめしがつかないわ。あなたは女中に雇ってくれっていらしたのよ」

「そんなこと百も承知ですけど、お酒を飲むと本当に頭がすうっとして嫌なことを忘れられるんですよ。困ってしまいますよね、奥さん」

章子の体がぐらりと揺れ、燁子はあわてて手を貸す。その時裾《すそ》が割れて、章子の白いふくら脛《はぎ》がむき出しになった。少女のような小柄な女なのに、思いのほかむっちりと肉がついている。放蕩者《ほうとうもの》の夫に苦しめられた結果、燁子はこうした女の部分について敏感である。若い女中が給仕をする時に、ふと見せる足首やうなじに、夫がどのような視線を注ぐかとはらはらして、つい同じものを凝視する癖がついている。章子は十分になめらかな肌を持ち、そして美しい顔立ちをしているのだという事実と、燁子はある願望とを結びつけようとしている自分に気づいた。

「そんなことが出来るはずはない」

けれどもこれは章子にとってもいい取り引きではないだろうか。彼女は住む家もなく、金もない。夫にも情人にも捨てられた女だ。が、彼女はまだ十分に魅力的な容姿を持っている。さらにいいことは奔放《ほんぽう》な性格の持ち主らしいということだ。奔放な性格というのは普通の人妻では糾弾される。詩人の妻になることさえ出来ない。奔放な女がただひとつ価値を持つ場所といったら、淫蕩な男の閨《ねや》の中だけだ。

「ねえ、章子さん」

燁子は言った。

「あなたに聞いて欲しいことがあるの」

「何でしょう、奥さま。こんなにお世話になっているのですもの、なんなりとおっしゃってください」

女の目は急に真剣となる。白目がやけに澄んでいる。こういう目をした女は閨ごとが好きだ。彼女は好きなことをして安逸な生活がおくれるのかもしれない。そのすべを教えてやるのだ。何もためらうことはないと燁子は自分に言い聞かせる。

「章子さん、私はいま主人とうまくいっていませんの。私は体が弱くて主人と夫婦のつき合いをするのが苦手なの」

「はあ……」

「それでね、お願いがあるの。あなた、私にかわって主人のめんどうをみてくださらないかしら。決して悪いようにはしないわ。お金のこともちゃんとするし、あなたが一生たちゆくようにしてみせる。私が保証しますわ」

その瞬間、女の唇は大きく横にゆるむ。章子は確かに嗤《わら》ったのだ。羞恥《しゅうち》が波のように襲ってきたが、それに呑《の》まれまいと燁子は必死で喋り続ける。金だ。金のことをもっと言えばよいのだ。

「あなたの言うようにしますわ。主人はとても女に甘い男よ。伊藤伝右衛門といえばあなたも知っているでしょう。お金ならいくらでもあるわ。何だったらこの天神の邸をあなたがお使いになってもいいのよ」

「考えさせてくださいよ、奥さん」

章子は莫連女《ばくれんおんな》のような威厳に満ちた声を出した。

「とてもいいお申し出だけど、ご主人本人を見ないことにはね」

しかし章子は伝右衛門が帰郷した次の日に姿が見えなくなった。燁子心づくしの絹の寝着が、きっちり畳まれて部屋の隅に置かれているのを見た時、燁子は一瞬取り返しのつかないことをしてしまった思いにかられたが、あまり深くものごとを考えまいと心に決めた。結局伝右衛門はあんな女にも嫌われるほど、魅力がなかったということではなかったか。

「よろしゅうございますか。それではお二人、築山《つきやま》の前にお立ちになり、カメラの方へ向かって、にっこりとお笑いになっていただけますか……そう、そうでございます」

銀ぶちの眼鏡をかけた『婦人画報』の記者が、うわずった声を出しているには理由がある。今日この京都の寺で対談をしている二人のうち一人は、今上天皇の従妹にしていま大人気の歌人、柳原白蓮だし、もう一方はこの西本願寺の令妹九条武子である。しかも彼女の夫、九条男爵は皇后の弟にあたる。武子もまた『金鈴《きんれい》』によって地位を確立した閨秀《けいしゅう》歌人であるが、それ以上に彼女を有名にしているのは、たえず女性雑誌のグラビアを飾るその美しさである。

瓜《うり》ざね顔に切れ長の目と、どれをとっても見事な造作をしているうえに、武子はようすがいい。もうじき八月だといううだるような暑さの中も、竪絽《たてろ》の夏羽織をさらりと着こなし、肩のあたりの線が流れるようなやさしさに満ちていた。対する燁子も『婦人公論』『婦人画報』といった雑誌の常連なのであるが、武子と顔を合わせるのはこの雑誌の対談が初めてということになる。

「でも信じられませんわ。世の女性の憧《あこが》れの的のお二人が、今までお会いになられなかったなんて」

女性記者が大きく首を横に振ったが、その言葉はあながち誇張ではなかったろう。

「本当に……わたくしも九条さんも元はといえば同じ藤原の出なのですよ」

「佐佐木信綱先生からしょっちゅうお話を聞いていたのに、どうして今までお会いしなかったんでしょう」

武子にははっきりとした京都の訛《なま》りがある。が、燁子の語尾の上がり方も、やはり京のものである。東京で生まれ育っても、父親や養父によって京都の言葉は燁子の中で呼吸をし続けているのだ。

「わたくしずうっとずうっとお会いしとうございました」

燁子が言うと武子も静かに頷《うなず》く。「生き仏さま」と信者たちが慕う、白いにおやかな顔だ。燁子はふと一ヵ月前に自分のところから逃げ出した女のことを思い出した。

「公卿の血を引いている」

などとよくもぬけぬけと言えたものだ。本当の公卿の女とはこういうものなのだと燁子はふとつぶやいてみたくなる。透けるような白い肌、小さな小さな手。そして京都の訛り、やや腺病質《せんびょうしつ》とも思われかねないしぐさの数々。気品高い声、目下の者に対する傲慢《ごうまん》さ。自分たちこそ本当に貴族の女たちなのだ。もう一度燁子は声に出してみる。

「本当にわたくし九条さんにお会いしとうございました」

「あら、嫌ですわ。もう、たあさんとお呼びになって。わたくしも燁さんと呼ばせていただくわ。だってわたくしたち、親戚同士じゃありませんか」

「そうね、そうですわね」

「ねえ、今度、歌を交換してお互いに添削しませんこと。ねえ、お約束いたしましょう」

「ええ、お約束いたしましょう」

武子はごく自然に燁子の手を取った。夏だというのに冷たいのは、彼女の掌《てのひら》があまりにも薄く、熱を蓄《たくわ》えられないためかもしれぬ。その冷たさの中、確かにこちらに伝わってくる血の気配がする。そう遠くない昔はおそらく同じ祖先の中を流れていただろう血。

「この人は私と似ている」

燁子は気が遠くなりそうなほどの幸福の中でそれを感じた。

「私にはわかる。何から何まで同じだ」

もう迷わなくていい。他のつまらぬ女に目がいくこともない。自分はこの女だけを信じて、この女だけにすべてを打ち明けるのだ。

そして、燁子の中で予想がゆっくり頭をもたげる。この女もおそらく同じ秘密を語るはずだ。私にはわかる。今、手と手を軽く触れ合わせただけでわかる。魂までこの女と私とは全く同じなのだ。

「まあ、お二人、なんてよく似ていらっしゃるんでしょう」

婦人記者が叫んで青い楓《かえで》の下、束髪のほっそりとした女は二人絵のように微笑み合う。

「まるで双生児のようですわ。子どもの頃、離れ離れになっていた双生児のよう」

二人は目と目を合わせて微笑み合う。燁子は武子の手を強く握り返していた。

第十五話　降　誕　祭

燁子は西洋将棋をする。ハイカラ好きな静子の夫、秀三郎が最近凝っているものを、見よう見真似《みまね》で燁子もいじるようになったのだ。

馬の駒《こま》を動かすと、それによって騎士たち、そしてついには王さえ動く。サトの存在というのは、いってみれば馬の駒であったと、燁子はこの頃よく思うことがある。あの冬の日、彼女がすべて打ち明けてくれたことで、龍介と自分、そして野田茂重子とその恋人も、ある時から大胆に駒を進めることが出来たのだ。

サトは長年にわたる伝右衛門の愛人である。なんでも舞妓《まいこ》に出た後いったん落籍《ひか》され、ある実業家の囲われ者になっていたのが、彼の死によって再び座敷に出るようになったという。といっても、以前のように筋目立った祇園《ぎおん》の土地ではない。二流どころで左褄《ひだりづま》をとっていた時に、たまたま伝右衛門に見初められ、旅館を任されるようになったのだ。その間一度正式に結婚したことがあるというが、その男は大変な道楽者であったと今も愚痴をこぼすことがある。

燁子との結婚にあたって、何人かの女を整理した伝右衛門が、サトだけは手離さなかった。会社の京都出張所を任せているようなものだから、というのがその言い分である。京都は縄手にある「伊里」という旅館は、伊藤の〝伊〟とサトの名を合わせたものだ。部屋数が五つほどのこぢんまりした旅館であるが、普請道楽の伝右衛門らしく凝った木口に、座敷にかかる軸もなかなかのもので、かなり金がかかった家だということはすぐにわかる。

もはや男と女の関係ではない、京都に所用に行った時にめんどうをみてもらう女なのだと、伝右衛門は最初の頃執拗《しつよう》なほど繰り返したものだ。けれどもこの頃は、燁子と一緒の時も別に部屋をとり堂々とサトを呼ぶ。「伊里」は夫婦で泊まる妾宅《しょうたく》なのであった。

けれども燁子がサトのことをいつしか許容するのに時間はかからなかった。伝右衛門好みのふっくらした丸顔に、黒目がちの小さな目が勝気そうであるが、幼い頃から苦労しているだけあって、気くばりの出来る女である。京都によくいる肚《はら》の中と言うこととまるで違う女、というのでもなく、控えめながらどこか率直なところがあるサトを燁子は気に入っていた。サトの所で下働きをしていた妹のユウに、伝右衛門が手をつけたと聞いた時の燁子の提案、

「もう傷ものになったと嘆くのならば、いっそのこと旦那《だんな》さんのお側に差し出してはどう

だろう。このままだったら、年に何回か旦那さんのなぐさみものになるだけだけれど、ちゃんと家に入るとなったら、それだけのことはするよ。私がついてめんどうをみるのだから、将来好きな男が出来たら添わせてやるのもいいし、時期がきたら金を与えてやりたいことをさせるのもいい」

その言葉に、大きく頷《うなず》き、

「わかりました。すべて奥さまにお任せしとうおす」

と言いきったのもサトである。

幸袋の家に入れて、三年後にユウには恋人が出来た。燁子はうまく取り計らって二人を京都へ逃がしてやったのであるが、それはもしかしたらユウの悲劇に繋《つな》がっていったかも知れぬ。暖かい九州の地に馴《な》れたユウは、生まれ故郷の京都の寒さに耐えられなかった。風邪《かぜ》をこじらせ、あっけなく息をひきとったのである。まだ二十二歳の若さであった。

彼女の四十九日に燁子はわざわざ上洛《じょうらく》し、姉の手をとって泣きながら頭を下げた。

「こんなに短い命だとわかっているのだったら、親子ほども年が違う男の相手など、たった一年でもさせるのではなかった。あの子は楽しそうに務めてくれていたけれども、その実つらかったかもしれないわ、それが体を弱めたのかもしれない……」

「いいえ、奥さま、もう頭を上げてくださいな。わたしら、奥さまみたいなお人に、頭を下げてもらう人間やおへん」

サトはそっと燁子の手をはずしたが、そのしぐさは冷ややかなものではなく、達観した者独特の静かさに満ちていた。

「あの子は、旦那さんのお世話をしたい、奥さまの側へ行きたい、九州いうとこも見てみたい、娘らしい気持ちで行きましたんえ。こんな早死にするいうのは、あの子の運命やと思うとります」

「だけど運命だなんて言葉で片づけるには、あの子は若過ぎるわ……」

「いやあ、奥さま、わたしら廓《くるわ》の女は、いつもそのこと考えてます。奥さまのように高貴なところにお生まれになるのも運命なら、私らみたいに貧乏の子だくさんとこに生まれて、親に売られるみたいに色街行かされるのも運命やろなあ、そう思って生きてきましたから、人さまを恨んだり羨《うらや》ましがったりはしまへん。つらいことあってもあきらめるだけです」

これは痛烈な自分への皮肉だろうかと思い燁子は相手の顔をうかがう。しかしその時、サトは一瞬呆《ほう》けたような奇妙な表情をした。妹の死のつらさ、そしてもうひとつ別のせつなさ、ふたつを同じ場所で味わっている顔だ。

「奥さまやから言いますえ。うちなあ、惚《ほ》れた男はんが出来ましたんえ。ちょうどおユウが奥さまのとこへ貰《もら》われていったと同じ頃どす。うち、十四の頃から男はんに抱かれて生きてきましたけど、生きていてよかった、と思わせるような男はんどす。うちなあ、奥さま、悲しいことも嬉《うれ》しいこともなあ、ごちゃまぜになって人にはやってくる、そういうもんが運命やろなあて、この頃ほんに思いますのや」

ああ、やっぱりと燁子は淋《さび》しく笑いたいような気分になる。サトに恋人がいることに対してではない。

自分の不幸はいつもあからさまに他人に見破られてしまう。自分が夫を愛せない妻だということを、鋭い女はひと目で見抜くのだ。これは自分がつくっている歌のせいかと思ったこともあるが、そうではない。サトなど読み書きがやっとの女で、おそらく本など一冊も手に取ったことはないだろう。それなのに会ったとたんすべてを見抜いてしまった。

燁子が夫を厭《いと》わしく思い、そして誰かをたえず待ち続けているということをだ。

サトだけではない。他の女たち、それも夫を持つ女たちも燁子だけには真実を語ろうとする。重い秘密を燁子にはたやすく打ち明けるのだ。

野田茂重子にしてもそうだ。疑獄事件が起きる前は鉱務署署長夫人として、九州で指折りの名流夫人としての地位を誇っていた茂重子が、燁子にささやく。

「罪を犯していることは十分に承知していてよ。我ながら怖《おそろ》しいことをしていると思うわ。けれどもね、会わずにはいられないの。あの方のことを考えるという幸せなくしては、私はもう一日たりとも暮らしていけないの」

サトや茂重子だけではない。知り合ったばかりの九条武子でさえ思わせぶりなことを言う。

「いつかね、燁さんにはじっくりと聞いていただきたいと思っているの」

女たちはすぐに見抜くのだ。燁子が同類の女だということをだ。本当に燁子の不幸というのはあらわになっているらしい。

そして駒は動き始めた。

サトの恋人の存在を知ることにより、燁子は出会ったばかりの龍介を「伊里」に泊めるという大胆なことも出来たのである。

今やサトは、夫の愛人であるだけでなく、燁子の恋の協力者であり、同じ秘密を持つ仲間なのである。そしてやがて騎士の駒が動き始めるのに時間はかからなかった。茂重子に「伊里」の便宜を図ってやる際、燁子はその恋人を初めて見た。宮下茂《みやしたしげる》という近衛《このえ》連隊の軍医は、東北訛《なま》りのある小柄な男である。夫である野田の方がはるかに風采《ふうさい》が上だと思うが、宮下のやさしさを茂重子はこと細かに話すのだ。

「あの目をご覧になったでしょう。あんな男らしい人なのに、まるで仔鹿《こじか》のような可愛《かわい》らしい目をしているの。あの目でじっと見つめて、そりゃあ嬉しいことを言ってくれるんですもの。私は後で泣けて泣けて仕方ないの」

　重大な秘密というのは穀物のようにやり取りされる。秤《はかり》の片方にそれを置くと、同量の重いものを要求されるのだ。どうしたことだろう、茂重子というのは、燁子が今まで軽んじていた相手ではないか。どこか垢抜《あかぬ》けないくせに派手な化粧や着物の趣味、ねっとりとした喋《しゃべ》り方をうとましく思ったことさえある。

　それなのに燁子は、全く同じ重さのものを彼女に与えたのだ。

「私もね、時々お会いする方がいるの。どうか誰にも言わないで頂戴《ちょうだい》ね」

「私、薄々感づいていてよ」

　茂重子がしたり顔で言った。

「だって燁子さん、この頃ますますお綺麗《きれい》になったんですもの。パーッと光が射《さ》しているようで、時々怖くなることがあるぐらい」

　今や茂重子は燁子の親友のような地位を得ている。二人で買物に行きたいと言えば、どちらの夫も許してくれるのだ。

　七月は二週間あまり、二人で関西へ出かけた。もちろん燁子は龍介を呼び出し、茂重子は宮下と一緒である。二組の恋人たちはいったん別れてそれぞれが神戸や京都で遊んだ後、「伊里」で合流した。「伊里」にはサトの恋人、紀野川種太郎が居た。もちろん龍介とは格が違うが、他の女たちの恋人が、いわゆる知識階級に属していることは燁子にとって都合がよかった。三組の男女で酒を酌み交わす時、男たちが龍介の水準に届かなかったら、さぞかし居心地が悪かったことであろう。

けれども歌の同人誌で茂重子と文通するようになったという宮下は、大層無口な男であるが、全く話が通じないこともない。楽しそうにあいづちをうつ。紀野川に至っては、龍介の名刺に目を輝かせた。

「もしかするとあの宮崎滔天《みやざきとうてん》先生のご子息ではありませんか」

燁子はそれまで龍介の父親のことを「昔、大陸浪人をしていた」という程度のことしか聞いていない。

「大陸浪人なんて冗談じゃありません。滔天先生はあの孫文《そんぶん》先生を助けて長年働いた方ですよ。孫文先生をかくまって家に置いていたので有名です。日本人として唯一中華民国の臨時大統領就任式へ出席したんじゃありませんか」

碧水《へきすい》という号を持つ経師屋《きょうじや》の主人は、例にもれずシナの崇拝者である。彼の口からかの国の学者や政治家の名がすらすらと出る。しかも彼は最近の新しい思想というものにもいたく興味を持っていた。龍介が東大新人会のメンバーと知るや、さまざまな質問を浴びせかける。後に龍介が「疲れた、疲れた」とこぼすほどであったが、「伊里」の座敷は時ならぬ熱気に包まれた。燁子は普選同盟、マルクス、犬養毅《いぬかいつよし》とさまざまな単語と人名をなめらかに舌にのせる龍介の横顔から目を離すことが出来ない。男と議論する龍介を初めて見、深い感動に包まれている。自分を「恋しい、恋しい」と追う時とはまた違ったいとおしさだ。そしてこれほど恋人をゆったりとした気分で見つめていられるのも、ここにサトと茂重子がいるからだと思う。

龍介と深い仲になって以来、秘密を守ることのつらさと重さは、自分が考えていた以上だったのだ。こうして「共犯」の女たちを得、六人でのびのびと飲み語らう。男たちはどうやら気が合った様子だし、こんな風な宴はさらに何回か出来るに違いない。燁子は久しぶりに盃《さかずき》を重ね、京のねっとりとした宵《よい》にほんの少し汗をかいた。

その夜、燁子はその声を聞いた。廊下を隔てて向こうの部屋に、茂重子とその恋人がいる。そして階下にはサトとその恋人がいる。茂重子の部屋からははぐれた仔羊《こひつじ》が鳴くような声が途切れ途切れ聞こえる。そして階下からはしのび泣くような訴えているような声。その声がどういうものか、燁子はもちろん知っている。久しぶりにめぐり逢《あ》えた三組の恋人たちが、眠ることも惜しんで愛し合う声だ。

「どうしたの」

燁子に腕枕《うでまくら》をしながら、龍介はまどろんでいたらしい。たどたどしく尋ねる。

「どうしたの、起き上がったりして」

声とは正反対に、腕ははっきりとした意志を持ち、燁子の上半身を強くひきずり込もうとする。

「やめて」

という燁子の抗《あらが》う声は、若い男の唇でふさがれた。燁子は決して声をたてまいと、内ももをぎゅっと強く合わせる。宴の後のむなしさはなかなか快楽とすり代わろうとしない。これが秘密を打ち明けた仲間と、安逸なひとときを過ごした代償なのだと燁子は荒い息をする。

茂重子もその男も汚らしいと思う。サトはなおさらだ。そして自分もそのひとりなのかと、燁子は自分を抱きすくめるこの男に問うてみたい気がする。

「御丈夫にお元気に毎日毎日を御忙がしく御暮しの御様子、嬉しく存じあげますする。どの道ままならないこの身、私は今泣いてゐましたの。ねえ、貴方《あなた》はこの先、何《ど》うなさるおつもりなのですか。まあせつかちな、そんな事、今云《い》はなくても自然時節が来て凡《すべ》ては解決してくれますわね。凡ての問は、時が答へてくれます。さう思つて私は時を待ちませう、その答への時を。多くも五十年もしたら、今の私の問は必らず答へてくれるにちがひない、その時ハ大方私は墓にゐるにちがひない。ああ。私が墓場に入ると、今私の考へてゐる、今私が明けても暮れても質問してゐるその答へが、いやほどはつきりしてゐる。ああ、その時、貴方のお墓ハどこにある。いいや、あなたは目出度《めでた》く、なほ栄えて、私の墓場の在所も大方、ご存じあるまい。

そして百年の後、光栄に包まれた貴方の墓の側《かたは》らにハ、私のしらない、美しい名が並んでゐるに違ひない。

貴方よ、貴方の光栄と天の恵み、その祝福される為《た》めなら、私は何うなつても構ひはしますまい。どうせ私は、どの道こんな運命に生れた女なんですもの。どつちにしたつて今の私の望みなんて下らないものかもしれない。それが満足されやうとされまいと、果敷《はてし》ない運命が、涙の重荷に百倍されたからとて、どうせ私は私です。今更美しい無垢《むく》な昔のお姫様にも戻られまいもの。

ねえ、貴方は貴方でどうぞ一番幸福な、一番楽しい、一番いい様に何なりと遊ばしませ。そして一番気楽が何より。よけいな気兼や心配、何ていやな事でせう。

昔の御殿女中が命かけて、長持ちの中に男を入れて運んだつて言ひますね、その長持ちの中の男の様な馬鹿なまぬけな男にはおなりなされますな。

大ひらに、お城の門でも大手ふつて入る男におなり遊ばしませ。女にあふのにかくれしのんで、馬鹿馬鹿しいでせう。つまらないでせうねえ。

龍様　　　　　　　　　　　　　　　　　　　　　　れん」

「御手紙での御言葉を私はどんなに怨《うら》めしく拝見しましたやら。皮肉つたやうな御言葉もあるし、いやみもある。あなたは私が認めたより以上のことを考へてゐらつしやる。私は何時《いつ》でも申し上げてるぢやありませんか。『此《こ》の身体《からだ》は凡て貴女《あなた》のもの』だと。私の真実を込めた言葉に何の偽りがありませう。私が寝ても起きても独りの胸に包んでゐること、それはただ貴女ばかりが御存知でせう。貴女さへ苦しんでも差支ないとの御心なら、私は何で自らの思ひを曲げて強い言葉を申上げませうや。私は自ら栄えんが為めに日々の努力を致してゐるのではない。私には光明も栄達も何の権威でもないのです。

あなたが凡てを棄《す》ててとおつしやるなら、私は今直ぐにでもさう致しませう。それが私自身の最も欲するところなんです。美しいお姫様を私は欲しようと考へてゐるのでもない。私の心にはただ心の響きが伝はればよいのです。若《も》しあなたがそんなすて鉢をおつしやるなら、それは貴女が自分を呪つてゐらつしやる言葉だ。私にはそれが痛く痛く響きます。私の身体なら貴女が何となさつてもよい。不平がおありならまともに私の前につきつけて下さいまし。

蓮様！　私共の行末の計り難いこと。互いに疑ひ始めるならば、たうたうそこには破滅が来るばかりでせう。破滅ほどこはいものがまたとありませうか。私の魂の戦慄《せんりつ》を身に覚えることさへある。ねえ蓮様！　やみ難い情を圧《おさ》へること位つらいことが又と世にありませうか。然《しか》し私は常に此《こ》の苦しさを経て行きつつあるのです。して見れば貴女が私を苦しめてゐらつしやるのだとも云へませう。でもその苦しみは私が喜んで受ける苦しみなんです。心にかなつた苦しみなんです。その為めに色々とお考へになる貴女こそ私に取っては不満です。やつぱり筆先だけでは真意は伝はりません。兎《と》も角《かく》一時でも二時でも、もつと永くでもおめにかかつて万端を……。

『私の墓場の在所も大方御存知あるまい……』

蓮さ満　　　　　　　　　　　　　　　　　　　　龍　九日」

こんなことは二度と聞かしては下さいますな。私には不愉快な言葉、いやないやな言葉。

九州といっても師走の水は冷たい。幸袋の伊藤邸の洗面所は完璧《かんぺき》な西洋式で、真鍮《しんちゆう》の水道の蛇口から水が落ちる最新のものなのであるが、白いタイルが水の冷ややかさを増しているかのようであった。

ブラシにライオン歯磨粉をつけ、口に含んだとたん燁子はつき上げるような吐き気に襲われた。その苦しさが二十年前と全く同じことに燁子は気づく。あの時はまだ歯磨粉などというものを使わず、塩に薄荷《はっか》を混ぜたものであったが、やはり歯を磨いたとたん、このような急激な吐き気に襲われた。女の体の記憶というのは、こんなところにも及んでいるのか。

あれは十六歳の春のことだ。手水場《ちょうずば》で燁子は吐き続けたが何も出てこない。長く糸をひく唾《つば》が御影石《みかげいし》の底にたまっていくばかりだ。その時後ろから、北小路のおたあさん、燁子の養母でもある姑《しゅうとめ》が声をかけた。

「まあ、燁さん、あなたお子がお出来になったと違いますか」

音をたててライオン歯磨の缶がタイルの床に落ちた。その白い粉末を見つめているうちに、いま自分の身の上にどういうことが起こっているのか燁子は少しずつ理解していく。しかしすべてを悟ってはいけない。そんなことをしたら気が狂ってしまうだろう。深く考えてはいけない。注意深く、少しずつ真実をひき出すのだ。自分が耐えられるほどに少しずつ。

半月も過ぎているのに月のものがない。あれこれ考えてみると、龍介と最後に会った夜に思いあたるのである。男と女が躰を交えれば子どもが出来ても不思議ではないが、龍介は気をつけているから大丈夫といい、燁子自身も自分の三十六歳という年齢と考え合わせどこか不用心だったところがある。月のものがなくなった時も、まさかという心の方が強く、ずるずると日にちを重ねているうちにこのライオン歯磨の白い粉だ。大変なことになった。

燁子はうずくまりたいような思いと必死に戦い、衿元《えりもと》をかきあわせて階段を上がった。二階の庭をいちばんよく見渡せる場所に燁子の自室がある。息をはずませたまま机の前に座り、文箱《ふばこ》を出した。この中には龍介に毎日出すための夢二の便箋《びんせん》と封筒が入っている。墨をする手が少し震えて、薄い文字となったが構わず続けた。

「どうしても至急お会ひして、お話ししたいことがございます」

いや、駄目だ、こんな手紙を出してはいけない。龍介は今秋、大学を卒業したばかりの若い男なのだ。彼には未来というものが溢《あふ》れるほどある。龍介は会えぬ時は手紙で、会えば燁子をかきくどき、二人の愛とその未来をひきかえにするつもりがあると常に言っている。決してこのままにはしておかない。きっと一緒に暮らせるように努力しようと燁子に誓う。けれども彼より七歳年上の燁子は知っている。未来というものは手つかずのままそこにあるから、無尽蔵で素晴らしいものに見えるのだ。けれどもそれに何かを賭《か》けなければならないとなったらどうだろうか。

現に障害はさまざまなところに現れている。新人会の中で燁子と龍介との恋は公然の秘密になっている。が、秘密を保つこととそれを認めるというのとは似ているようでまるで違う。仲間はそれを新聞記者に漏らすようなことはしなかったが、龍介を会から除名したのだ。

「奴《やつ》らはブルジョアの妻と通じるのかなんて怒っているがね、何もわかっちゃいないんだ。君こそがブルジョアにいちばん苦しめられている被害者だっていうことをね、いつかきっとわかってくれるよ」

龍介は明るく言うが、内心はどれほどつらいか想像出来る。世間の人はひと皮むけば、多くが茂重子のようなことをしているくせに、公にするものに対しては石つぶてを投げるものなのだ。

もし自分と龍介とのことが世間に知られたらどうなるだろう。柳原白蓮といえばかなり世間に知られた身だ。「筑紫の女王」という新聞の連載や、また『真珠夫人』という菊池寛の小説により、燁子は人々の興味をかきたてた。そしてその興味は決して上品なものとはいえない。今でも文通をして欲しい、写真を一枚くれないかという男たちからの手紙は、うんざりするほど届けられる。

「あなたは金で買はれて贅沢《ぜいたく》な生活をして、そこに何の幸せがありませう」

ヒステリックな女のものも混じってくることもあった。そんな自分が若い男の子どもを宿していることを知ったら、彼らはどんな風に非難するであろうか。燁子はそれが怖しくてたまらない。そうしたものにもしかすると燁子はたったひとりで立ち向かわなくてはいけないのだ。そう、たったひとりでだ。

そのことに気づき、燁子は茫然《ぼうぜん》とする。自分は龍介を完全には信じていないのだ！　妊娠により龍介がどういう態度をとるか、そのことを知るのが怖い。ただひとつ言えることは、おそらく龍介は子どもをはらんだことを喜ばないだろうということだ。もちろん怒ったりはしないだろうが、困惑のあまり青ざめるような気がする。困惑ほど男の心が情けなく見えるものはない。燁子は龍介のそんな表情を見るぐらいなら死んでしまいたいとさえ思う。

その時赤ん坊の泣く声がした。静子が先月産んだ男の赤ん坊がむずかっているのだ。この赤ん坊にとって、義理ではあるが自分は祖母にあたるのである。燁子は自分が身ごもったことの滑稽《こっけい》さに笑い出したくなった。

そしてその勢いを借り、手紙を破り捨てた。その代わり博多の茂重子にあてて筆を走らせた。

「どうしても至急、おめにかかってお話ししたいことがあります。あさつておうちに伺ひますから必ず居らして下さい」

以前茂重子から聞いたことがある。軍医である宮下は特別な避妊法を知っていて、いつもそのやり方を使うという。そしてもし万が一、失敗したとしても、しかるべき処置をとることが出来ると茂重子を安心させるそうだ。新聞にはしょっちゅう堕胎した女とそれに関《かか》わった医師が逮捕されたという記事が出ている。こっそりと子どもを堕《お》ろした女は、手を縄でくくられ刑務所の門をくぐるのだ。もちろん大金を積めば、秘密を闇《やみ》に葬ってくれる医者がいないこともない。華族の令嬢の某《なにがし》が、そうした恩恵を蒙《こうむ》ったというささやきはしょっちゅう聞こえてくるものだ。しかしそうした医者は大阪や東京といった大都市に限られる。この九州の地で、そんなことをしてくれる医者などいるだろうか。

燁子は二日間ほとんど眠れず、むくんだ顔で茂重子に会いに出かけた。

「まあ、燁子さん、そんな……」

茂重子はいったんは大きく目を見張ったものの、すぐにさらりと言った。

「そんなに悩まなくてもよろしいわよ。ご主人の子どもということにすればよろしいじゃないの。そんなこと世間にはよくあることですわよ」

その言葉にわずかな羨望《せんぼう》が込められている。久保より江と同じく、彼女にも実子はいないのだ。

「そんなことは出来ないの……。だって、主人は道楽が過ぎて、もう子どもは出来ない体なんです」

「まあ、それじゃあ」

黒い羽織に大き過ぎる帯止めを組み合わせた茂重子は、燁子の座る長椅子《ながいす》に来て腰をおろした。ささやくほど小さな声で喋《しゃべ》るためだ。

「大変なことじゃありませんか。ねえ、そのこと宮崎さんにはお話ししたの」

「言えないわ。とても言えないわ。あの人はまだ若いし、とても冷静な判断が出来ないと思うの」

「お察しするわ、燁子さん」

茂重子が燁子の手をとる。その手を冷たいと感じるのは燁子の体が火照《ほて》っているからに違いない。

「さぞかしつらかったでしょう。でもね、きっと宮下さんが何とかしてくれると思うわ。あの人、お医者のお仲間も何人かいると思うし。あなたと私の仲じゃありませんか。出来る限りのことをさせてもらうわ」

幸袋の家に龍介からの手紙が届いていた。もうじきクリスマスで、東京は賑《にぎ》わっているという。京橋《きょうばし》の明治屋の前に大きなクリスマスツリーが出来たそうだ。

「九州でもクリスマスといふのはあるのか」

などと呑気《のんき》なことが書いてある。

「九州でもありますとも」

燁子は書く。

「私も静子さんも東洋英和の出身ですからお祝ひはいたします。讃美歌《さんびか》を歌ふこともありますし、贈り物もいたします。何よりも魂を慰めますの」

クリスマスというのは、神の子の誕生を祝う日だという。生まれることのない子どもは、いったいあの世で何になるのだろうか。堕胎というものは罪だというが、裁くのは人間なのか、神なのだろうか。墨が少しにじみ、燁子はその時龍介を少し憎んでいる自分に気づいた。

男は明るく力強く自分を愛することしかしないではないか。愛すること以外のことは何も出来ぬ。愛することより上のことがこの世の中にあることを知らないのだ。それは鎮魂というものなのである。

第十六話　トランプ

二人は憑《つ》かれたように手紙を書く。特に昨年の暮れ、龍介の子どもを中絶した燁子は、情熱と時間のありったけを込め、毎日のように恋文をしたためる。

弁護士として開業したばかりで、めまぐるしい日々をおくる龍介もよくこれに応《こた》えているのであるが、なにしろ燁子は幸袋の本邸にじっとしていない性分だ。思いたったと思うと、その日の午後に別府の別荘や博多の別邸へ出かけたりする。手紙の行き違いはしょっちゅう起こる。とうに出したはずの手紙がずっと後で届いたりするので、龍介がとんちんかんな返事を書いてくることもあった。これについて愛らしい収拾案を考えついたのは燁子だ。豆トランプを二セット買い、ひとつを龍介に送った。ハートのエースから、2、3、という風に順序立てて手紙の中に入れておけば、どの手紙が抜けてしまったかわかるというものだ。

九月から始めたこのトランプの栞《しおり》は、ハートとスペードをキングまで使いきり、早くもダイヤの7にまでなっている。

「昨夜は月がよくて、ほんとに思ひ出されてなりませんでした。武様と二人月にうかされて、庭から人の通らぬ往来を背並べてあるき廻《まは》りました。色々お話をしたり聞いたりしながら、御主人が帰朝したてに別々にゆつくりこんな処《ところ》に入《い》らしつては、折が折故、世間の人の口の端もうるさいと存じますれど、別に大して仲のわるいのでもないけど、ともかくああして平気でゐられるから致方《いたしかた》ありませんね。

それはともかく。美しいあの人と月の下で話してゐると、ほんとに私もいい気持ちでした。若い日もやがてくれると思ふとそれが一番淋《さび》しいとあの人もいふてらした。可愛《かはい》さうな様ないひ方です。夜も一しよに枕《まくら》並べて寝ますの。

では又あした

一月二十五日」

りうさま　れん

初めて龍介に秘密を持ってしまった。が、仕方ない。あの月の下で武子は何度も言ったのだ。

「きっとこのことを誰にもおっしゃらないでね。一生煒さんの心の中に匿《しま》っておいてくださいまし。もしこのことが世間に漏れたら、私もあの人も死ななくてはなりませんもの。……」

その夜真冬の満月から注がれる光は、秋よりもはるかに強く青味を増して、武子の顔を照らしていた。武子の日本画の師である上村松園《うえむらしょうえん》が、うつむいて筆を動かす弟子の美しさに思わず絵筆をとったという話もある。月の光を浴びた武子の﨟《ろう》たけた美しさは、双生児と世間からいわれる燁子でさえ息を呑《の》むほどで、この人との約束を違《たが》えたら神罰が下るだろうと思ってしまう。

「私はこれからも歌を詠めるでしょうか」

不意に武子は言ったのだ。

「主人が帰ってまいりました。私はもう歌は詠めないような気がしますの」

「それは恋の歌は必要ないからでしょう」

昨年の十二月九日に、武子の夫九条良致《くじょうよしとも》男爵はヨーロッパ留学から帰ってきたのだ。美《び》貌《ぼう》の妻との十二年ぶりの再会を新聞は大々的に書き上げた。

「十余年空閨《くうけい》に悶《もだ》え泣いた。憔悴《せうすい》の頰《ほほ》にも笑《えみ》は上がつて……。一夜の甘き歓楽に心の湧躍《ゆうやく》、肉の舞踏!」

という派手な新聞の見出しを燁子は思い出すことが出来る。

「やっとご主人が帰っていらしたんですもの。たあさんはもう恋しがったりせつながったりする歌は詠めないかもしれないわね。その代わり、喜びの歌はお詠みになれるわ、きっと」

「まあ、燁さんたら……」

武子はじっと燁子を見つめる。松園の美人画から抜け出してきたような、と表現されるが、松園は松園でも町娘や芸者ではない。平安に材をとった画に、確かに武子そっくりの幽玄な美女が出てくる。

「あなただったらとうに気づいているはずですわ。私の歌は夫を詠んだものじゃない、別の人だっていうこと」

この重大さに燁子はうつむいてしまう。この青い月光の魔力が、武子から理性を失わせてしまっているのではないか。高貴な生まれで人妻、という条件は燁子も武子も同じであるが、武子にはそれに高貴な男の妻という肩書きが加わる。彼女の夫の良致は、今上《きんじよう》天皇の后《きさき》の弟なのだ。伝右衛門とはわけが違う。こうした女の不貞は、それこそ死を懸《か》けたものなのだ。ましてや、西本願寺の姫である武子は、生き仏さまとして称《たた》えられている身である。

これ以上武子から重いものを貰《もら》いたくないという気持ちと、もっとその先を知りたいという気持ちとがせめぎあい、燁子を無口にする。いつかこんな日が来ることを望んでいた。お互いの秘密を打ち明け合い、そしてその罪におののきながら二人手をとり合う。その時こそ真の友情と理解に二人は包まれるのだと、物語のようなことを考えていたこともある。

けれども現実には、武子の唇からもれる言葉は重過ぎる。以前読んだグリムの童話のように、空中にはなたれるやいなや、黄金や宝石に変わるのではないか。世界中の誰ひとりとして知らないという高貴の女性の秘密は、それだけで大変な価値を持つものなのだ。

「その人の名前はまだ申し上げられないわ。お許しになって」

「もちろんよ……」

「兄と大層仲がいい方だったわ。英邁《えいまい》と言われた兄と、何を話しても決してひけをとらなかった方。少女の頃、兄が私に言いましたの。あなたはあの方と結婚するのですって……。私もずっとそう信じていましたのに、いろいろな思惑がからんで九条に嫁ぐことになりました」

その貴公子が誰なのか燁子はおおかたの予想がつく。宗教界のみならず当代きっての傑物と畏怖《いふ》される西本願寺の当主光瑞《こうずい》が、愛妹のために早くから婚約者を選び出していたというのは、今でも武子にまつわる逸話のヴェールの一枚だ。しかしその男は東本願寺の人間だったために話はややこしくなった。西本願寺の人々は気位が高く、東本願寺のことを分家と見下している者は多い。信徒たちの反対に遭ってその縁談は潰れたと聞いた。結婚前の華族の娘にはよくある、婿選びのひとつの物語だと思っていたのだが、その男と実は続いているのだと武子は告白するのだ。

「お会いするといっても、ごくたまにおめにかかるぐらいですわ。でもね、その一日があるから、後の百日を私は生きていけるような気がしますの」

武子は月に向かい、いくつかの歌を口ずさんだ。

「夜くればものの理みな忘れひたふる君を恋ふとつげまし」

「家をすて吾《われ》をもすてん御心か吾のみ捨てむおんたくみかや」

「おもへども諦《あきら》められぬあきらめにまた筆取りてなにごとか書く」

最後の歌は昨年十月号の『心の花』に掲載されたものだ。どう考えても遠い異国の夫に手紙をしたためる妻の歌であるが、初めて目にした時奇妙な気持ちになったのを燁子は憶《おぼ》えている。夫というものはいつか必ず妻の許《もと》に帰ってくるものだ。それなのに、

「おもへども諦められぬあきらめ」

というのは不自然ではないだろうか。いくら離れているといっても、良致は留学を終えれば戻る身の上である。「諦められぬあきらめ」という幾重にも折り重なった苦渋を抱くはずはない。しかしやはり思ったとおりだ、武子には恋人がいたのだ。

「でも夫はもう日本ですもの。これ以上私は世間の人を欺くことは出来ませんわ」

「でもね、たあさん、良致さまが今度帰っていらっしゃったら、また夫婦の情愛というものが湧《わ》いて、別のお歌もつくれるかもしれなくってよ」

「まあ、燁さんたら」

武子は悲し気に首を横に振る。

「そんなこと出来るはずがないじゃありませんか。一度真実を知ってしまった者は、自分を偽るのが死ぬほどつらいものよ。ねえ、燁さんだってそうでしょう」

反射的に燁子は答える。

「ええ」

「やっぱり本当のことをおっしゃってくれた」

武子の声で燁子は陥穽《かんせい》にかかったことを知るのだが腹は立たない。すうっと薄荷水《はっかすい》を飲んだような気分になる。

「いつ頃からわかっていらしたの」

「初めておめにかかった時からよ。それから燁さんのお歌でも私、すぐにわかりましてよ」

燁子が何度も思い描いたとおり、二人は手をとり合う。いくら南の避寒地といっても真夜中近い。武子の指はぞっとするほどの冷たさである。この人はもしかすると薄命ではないか、ふと燁子は思った。

「燁さん、もう打ち明けてしまったからには申し上げるわ。主人が帰ってきたらすべてを終わりにしようと思っていました。ですけれども私もあの方もあきらめることが出来ませんでした。私、あの方のお心があんなに強くて激しいものだとは思ってみませんでしたの」

武子はうつむく。まるで鏡を見ているようだと燁子は息を呑む。つらさと喜びがたがい違いに積み重なり、たえずしっかりと手を結び合って心に舞い下りてくる、恋の憂いと歓喜に上気している人妻の顔、それはまさしく燁子自身でもあるのだ。

「主人は自分が帰ってきたからには、私が家庭に入ってくれるものと思っていますの。でも巡教が出来なくなるわ。そうしたら私はあの方におめにかかることが出来なくなるわ。不思議なもので、主人が帰朝したとたん、毎日のようにおめにかかりたくてたまらなくなりますの。主人が欧州に居る時は、自分を制することも出来たのですけれど……」

「わかってよ、たあさんのおっしゃることはみんなわかるわ」

二人の美しい中年の女は、まるで女学生のように涙に濡《ぬ》れた目を見せ合った。

「私は出来る限りのことをしますわ。たあさんは今までどおりその方とお会いになればよいのよ。その時私の名を出して、私と会っているといえばよろしいでしょう」

「そんなこと、本当に構わないかしら……」

「もちろんだわ。だってもう……」

うっかりと茂重子の名前を出すところであった。そう軽々しく会うことの出来ない身分の武子と違い、茂重子はいつもぴったりと燁子の傍にいる。そして燁子と秘密を分け合い、恋人と出掛ける時は燁子とさまざまな計画を練り上げる。そんな茂重子に対し燁子は一瞬口惜《くや》しい気分になった。最初に秘密を打ち明け合う相手は、やはり武子にしたかった。秘密の重さ、気高さが武子と燁子とは釣り合うのだ。どうして秘めごとの処女をごく普通の女に与えてしまったのかとさえ思う。

いずれにしても茂重子のことはしばらく口に出さない方がいいだろう。西本願寺の姫にして、皇后の義妹にあたる武子は、当然のことながらみなみならぬ誇りを持っている。茂重子やサトのことを話すのは、不貞をしている人妻たちの互助会への誘いにとられかねない。自分と燁子だけのものと思っている罪が、実はありふれたものだという事実は、おそらく武子を傷つけるに違いなかった。

使い慣れたビクトリヤ月経帯に、いつもどおりの色をした血液を見た時、燁子はどれほど胸を撫《な》でおろしたことだろう。昨年の暮れ、見知らぬ医者にこっそり堕胎をしてもらった後、月経はなかったり、あるいは量が少なかったりしていたのだ。使い終わった月経帯を新聞紙にくるんで便所に捨てようとし、燁子はあっと声を上げた。新聞紙を汚れものに使ったりする時は十分に注意をし、皇族の方々のお写真がないか確かめるのであるが、体の障りのことばかり考えていたのでついうっかりしていたのだ。十日前の新聞紙に裕仁《ひろひと》東宮殿下と久邇宮良子《くにのみやながこ》女王との御婚約は何のご変更もないという見出しが並んでいる。もしかするとご婚約にさしさわりが起こるのではないかという噂《うわさ》は、ずっとささやかれていたが、宮内省はこれに終止符をうったことになる。

この東宮殿下と自分とはごく近い親戚なのだと思うと、燁子は何やらおかしな気持ちになってくる。おまけにその〝東宮の従姉小母《いとこおば》〟は、社会主義者の男と不貞まで働いているのだ。そしてその男の子どもを宿したことさえある。燁子は突然、便所の戸を蹴破《けやぶ》ってわめきながら飛び出していきたい衝動にかられた。神罰が下る前に何もかも大声で打ち明けたらどんな気持ちがするだろうか。

サトとその恋人

茂重子とその恋人

九条武子

燁子の秘密を知っている者は、この世に五人しかいない。この五人が五百人になるというのは、どんな違いがあるのか。そしてこの五人に留《とど》めておくというのは、なんと大きな努力と忍耐が必要とされるのであろうか。

いつも用意されている洗面所の消毒液で手を洗いながら、燁子は鏡を見る。あの手術以来大層痩《や》せたと思う。前からほっそりしていた頬がそぎ落とされたようになり、目が強く光っている。子どもを殺した母親の顔だと燁子は頬に手をやる。

「奥さま……」

それは思っていたより長い時間だったらしく、後ろから女中が遠慮がちに声をかけた。

「野田の奥さまがお見えでございますけれど」

「茂重子さんが」

博多から茂重子が遊びに来る時は前もって電話がある。最近燁子に大層馴《な》れ馴《な》れしい茂重子であるが、いきなり訪ねてくるほど不作法な女でもなかったはずだ。

「私の部屋にお通しして頂戴《ちょうだい》」

おそらく宮下茂との相談であろう。無口で朴訥《ぼくとつ》な軍医である宮下は、茂重子とのことを思いつめて結婚したがっているというのを以前から燁子は聞いている。対する茂重子であるが、彼女は全く態度がはっきりしない。

「夫に知れたら大変なことになる」

と怯《おび》えるばかりである。そのくせ宮下に会えばべたべた甘えてまとわりつき、燁子の前でキッスさえする軽々しさだ。

「結局あの人は、恋をすることが嬉《うれ》しくて楽しくて仕方ないのよ。それ以上前に進む強さもなければ、引き退《さ》がるつつましさもないわ」

以前燁子は龍介に語ったことがある。そしてその後で、それは全く自分たち二人にあてはまることだと赤くなった。

「きっといつか二人で暮らせるようにする。自分は決していいかげんな気持ちであなたを愛しているのではない」

この言葉をうまくかわしているのは燁子であった。龍介を愛しているのは何ひとつ疑うことのない真実であるが、その未来を引き受ける勇気が燁子にはまだない。男の若さが怖い、心変わりが怖い。それ以前に試練はいくつもある。まず姦通罪《かんつうざい》というものがあり、そして世間の評判というものさえある。皇太子のような貴い方でさえ、ご婚約をめぐってさまざま取り沙汰《ざた》される世の中ではないか。もし自分が道を踏みはずすようなことになれば、どれほど大きな醜聞の渦の中に突きとばされることだろう。自分はもう三十六歳だ。そこから這《は》い上がる力などもうありはしない。おそらく茂重子にしても同じことだろう。

廊下の端からしゅっしゅっと衣擦《きぬず》れの音をさせて茂重子が来る。いつになく地味な縞《しま》のお召《めし》を着ているが、肩にかけた藤色《ふじいろ》のショールはおそらく舶来のものに違いない。鉱務署署長を退職した野田であるが、いくつかの会社の顧問もし、羽ぶりのよさは相変わらずらしい。おそらく下っ端の軍医である宮下とは較べものにならないだろうと、燁子は冷静に友の装いを見つめる。

「燁子さん、燁子さんたら……」

茶を持ってきた女中が退がるやいなや、茂重子はハンカチを目にあてる。庇髪《ひさしがみ》が少し乱れているが、たとえひと筋でも髪が額にかかると茂重子はひどくだらしなく見える損な顔立ちだ。目鼻立ちがあまりにも大き過ぎるのである。西洋女のような奥目がうるんでいた。

「本当に私、どうしたらいいのかしら。もう私、気がおかしくなってしまいそうよ」

おそらく夫の野田に知られてしまったのだ。今年になってから龍介と燁子の四人で出掛けた京都旅行のことだろうか、それとも先月、別府にやってきた宮下を燁子の別荘に泊め、茂重子と会わせてやったことだろうか。

「宮下さんが肺病になられたんですよ」

言葉と一緒に涙がぽたりと落ちる。

「まあ、そんな……」

燁子も腰をうかせた。肺病といえば死病といわれている。

「ですけど肺病といっても、療養次第で癒《なお》る人もいるっていうじゃありませんか」

「それは初期の肺病でしょう。あの人のは性《しょう》がよくなくて、二つの肺の同じところが悪くなっているのですよ。すぐに入院することになったのですけれど、とても気弱になっているの。一年もつかどうかって……」

「まあ」

燁子が青ざめたのは、目の前の肩を震わせて泣いている茂重子に同情したのではない。不意にいくつもの事実がうかび上がり、燁子を息苦しくさせた。龍介はこの頃おかしな咳《せき》をする。今年になってから京都の「伊里」で会った時も、夜中に何度も目を覚ました。風《か》邪《ぜ》が長びいて微熱が続いているとこぼしたものだ。龍介は、この頃ひどく顔色が悪い。目方が減ったのではないかと裸の肩に手をまわして案じたこともある。もしかすると龍介も胸の病いに冒されているのではないだろうか。彼は若い頃、肺浸潤にかかったことがあるのだ。もしそんなことになったらどうしよう。自分は人妻の身で看病することも出来ない。

「燁子さん、それでね」

「え、ええ」

茂重子の声で我に戻った。

「私心を決めたのよ。もう世間に後ろ指をさされてもよいの。あの人がもし助からない命ならば、それまで私があの人の世話をしてあげたいのよ。もしね、それで夫が知って罪に問われることがあっても仕方ないわ。たとえ牢《ろう》に繋《つな》がれても、私はあの人を看病したいの」

あきらかに茂重子は興奮していて、むせるように何度もハンカチを口にあてる。燁子は落ち着いてと彼女の肩に手をおいた。茂重子をなだめる言葉は、自分に言い聞かせる言葉でもある。

「早まったことをしては駄目よ、茂重子さん、今あなたがおかしなことをしたら、すべてがだいなしになってしまう。私も宮崎さんも協力しますから、宮下さんの看病はこっそり慎重になさいませよ。あなたがご主人とのことで揉《も》めるようなことになれば、宮下さんの看病をする人はいなくなってしまうのよ」

茂重子はせつなげに顔を上げる。

「死のうと言うのですよ」

たった今まで黒々と濡《ぬ》れていたはずの目に、小さな火が燃えている。茂重子は気がおかしくなったのではないかと燁子は息をごくりと呑んだ。

「宮下さんが。もうこのまま自分は助かるはずはない。一人で死ぬのは嫌だから一緒に死んでくれって、昨夜……」

「まあ、そんな」

「自分は軍医だから、毒薬はいくらでも手に入る。だから一緒に死のうとおっしゃったのよ」

そして茂重子は何を思い出したのかにたりと笑った。おそらくその後、二人の間に激しい情交があったに違いない。

「茂重子さん、そんなことをしては駄目よ……」

燁子はやっとの思いで声を出した。怖しい、というよりも目の前の友が厭《いと》わしかった。

「ええ、私も泣いて必死で止めて、そしてやはり二人で生きて行こうということになったわ。でも私、嬉しかったわ。ねえ、燁子さん、一緒に死んでくれというのは最高の言葉だと思わないこと」

「…………」

「私、あの人のその言葉を聞いて感動したわ。涙が止まらなかったわ。私、生きていてよかったと思ったわ」

茂重子は今度はハンカチでちんと鼻をかんだ。目の中の妖《あや》しい火は消え、泣き顔のただの洗いざらしがあった。そして最後に彼女は勝ち誇ったように言う。

「ねえ、宮崎さんも燁子さんに、そんな風なことをおっしゃることがあるでしょう。きっとそうよねえ」

「設立会社の発起人連中がやって来て、高田に二時頃までゐました。后後《ごご》改造社の横関(編集主任)に要事があつて桜田本郷町まで参りました。クロウデル(今度来るフランスの大使)の歓迎号を出させようと思つて。多分やることになる筈《はず》です。実は解放にやらせたかつたのですが、同人連中が固つ苦しいことばかり云《い》つてゐるから。

夕方伊藤證真《いとうしょうしん》氏の夫人と福田英子《ふくだひでこ》女史とが私に京都から来た若い婦人を紹介すると云うて高田に来訪。私も何気なく面会を承諾したところ、その女を私に推薦したい希望を以《もっ》て福田女史が連れて来たものらしく、何だか女優めいたきざな女でした。

伊藤證真氏の夫人は歌が好きで、あなたの歌を愛読してゐるらしく、色々とあなたのお噂などしてました。母も側に座つてゐて『上品な大人しい人ですよ』と合槌《あひづち》を打つてゐました。

何となく私もうれしかつたんです。若い女は野村とか云つてこれも歌をよむさうです。田舎に良くある『文学好きな女』と云ふ風に土くさいところのどこにやらある。私もあなたのことを散々にほめたりして予防線を張つて置きました。母と福田女史との間に何か黙契があるのぢやないかとも邪推してゐるのですが、あんな女ぢや母も乗り気がしなさそう。まあ安心しました。先程連中は帰りました。今朝、御手紙とそれから飴《あめ》とを頂きました。ありがたう。皆よろこんで喰《た》べてゐます。

り宇」

れんさま

今朝届いた龍介からの手紙は、若い男らしい得意さが溢《あふ》れている。自分を嫉妬《しっと》させるつもりなのだと燁子は微笑しようとするのだが、唇の端が固くこわばったままだ。

「自分が無妻なので皆が心配して困る」

とこのあいだも龍介の手紙にあった。よく考えてみれば、いや考えてみずとも、龍介が帝大出の法学士だというのは事実なのだ。おしゃれな男で服装にも気をつかう。風采《ふうさい》も悪くない。それに在学中からさまざまな活動に手を染めていた龍介は交際範囲も広く、学者や文学者の会にもよく名を連ねる。

つまり世間の娘たちから見て、龍介は十分に魅力的な男なのである。

昨年の一月に別府を訪れ、燁子と知り合った頃はまだ彼は学生であった。ソフト帽に背広といういでたちで気取っていたが、居合わせた燁子の姪《めい》に「書生っぽ」とからかわれても仕方ない境遇であった。美しく高貴の出で、しかも財産家の夫人である燁子に龍介はいくらかの気後れを持ち、それが彼の心を駆り立てたところがある。が、それもついこのあいだまでのことだ。昨秋、帝大を卒業した彼は法曹界にデビューし、同時に知的社交界にも出入りするようになった。縁談も多いらしい。彼はその自分の価値を恋人に認めてもらいたくてたまらないのだ。けれどもそのことがどれほど燁子を傷つけているか考えもしない。

こうした若者の身勝手を、なじろうか、笑って済ませようか、それとも黙認しようかと燁子は朝から考えあぐねている。結局燁子は何も言わないことに決めて筆をとった。宮下茂のことを龍介は大層心配していて、福岡の病院にいる彼のことをいろいろ教えてくれと言ってきているのだ。人妻二人と、その情人二人という組み合わせで始まった交際であるが、男たちの間には奇妙な友情が育っているらしい。

「奥さんもあの人の為《た》めには中々の苦労らしい。何しろ恋と、子どもに対する愛とが、ちやんぽんになつてゐる様な仲だもんだから。食物持たしてやつて見たり、布団が重からうつて羽子ふとんを買つてやつて見たり。

今の状態はm氏は夫人のまるで玩具《おもちゃ》。私は何だかmさんがいたましい様な気さへします。

恋愛至上主義の貴方《あなた》は何と仰《おつしや》るか知らぬけど。

私は恋愛をおもちやではならぬ、何か正しい目的はくづさぬ事と、斯《か》う思ひますが如何《いかが》なものでせう」

これは皮肉というものになってしまうと燁子は筆を置く。茂重子のことばかりではない、武子のあの言葉も耳に染みついているのだ。用心深い武子は、決して恋人とのことを手紙に書いてきたりはしない。電話でごく短い会話を交わすだけだ。けれども武子と恋人との仲が、次第に切実なものになっているのがわかる。十年間、ゆるやかな流れを見せていた男との仲は、夫の帰国によって抜きさしならない、急な決断を迫られるものになっているようだ。

「もう何もかも投げ出したいと思うこともありますのよ」

電話の向こう側の武子は、いくらか早口になっているのが常だ。

「でもあの方はこの頃よく私に言うのよ、いっそのこと大陸へ二人で逃げようって」

逃げる、何と甘美な言葉だろうかと燁子は深いため息をついた。茂重子の恋人の「一緒に死んでくれ」には、そう羨《うらや》ましいとは思わなかったが、「一緒に逃げる」という男の誘いは、燁子の血を騒がせる多くのものがある。

死の先には何もないが、逃亡の先には多くのものがある。その先が大陸だとするならばその可能性は無限ではないか。

燁子は男の口から、まだ一度も「死」も「逃亡」という言葉も聞いていないと思った。「愛している」という言葉は山のように聞いたが、「死」は一度もない。「逃亡」もない。けれども二人の間に芽ばえた子どもは確かに死んだのだ。何もない闇《やみ》の世界に葬り去られたのだ。

燁子は静かに書きかけの手紙を破った。トランプの一枚が抜けたとしても一度ぐらいは構わないだろう。

第十七話　恋人たち

八郎は黙りこくっている。昨夜下関《しものせき》を特急で発《た》ってからというもの、ほとんど隣りの燁子と言葉を交わそうとはしない。うたたねをしている最中も、彼の若い喉仏《のどぼとけ》は不機嫌そうに上下している。

伊藤の家の中では、八郎の兄の金次がいちばんの美男子といわれていたが、年頃になった八郎は造作もなくその地位を奪い取った。幼い頃きかん気の我が強い少年と呼ばれていた面影は十分に横顔のあたりに残っていて、それが甘い憂愁といったものを生み出している。六歳になったかならぬかの時に、伯父の伝右衛門にひきとられた彼は、伊藤の家の繁栄と共に成長してきた。彼のものごしや顔立ちには、他の誰にも見られなかった御曹子《おんぞうし》然としたものがある。伝右衛門はそれを眺めるのが楽しいらしい。子どもたちの中でも特に彼を可愛《かわい》がっているのであるが、それをいちばんよく知っているのは八郎自身であった。八郎は最近になって急に関西学院の入学をしぶり出したのである。伝右衛門にさえ、そのことをはっきり口にしたので、燁子はどれほどはらはらしたことだろうか。

どうやら博多に言いかわした娘がいるらしいということを、燁子は金次から聞いた。

「普通の若い娘なら、俺《おれ》が話をつけてやらんこともないが、相手は売り物じゃから……」

と言葉を濁したところを見ると、どうやら若い芸者らしい。八郎は早熟で中学時代も半《はん》玉《ぎょく》とつき合っていたことがある。

「俺も憶《おぼ》えがあるたい。若い頃は遊びと本気の区別がつかんからなあ、頭に血がカーッとのぼってどうしようものうなるもんねえ」

そういう金次も、修猷館中学に通っていた際、博多の半玉に子どもを産ませたことがある。

「あいつは親父《おやじ》のお稚児《ちご》さんじゃけん、何とかしてくれると思うちょる。じゃけどあいつもすぐにあきらめるじゃろ、俺ら、そう好き勝手な結婚出来んような立場にもうなっちょるからねえ」

金次の妻は九州屈指の陶器会社、深川製磁の娘である。やがて八郎もあたりの名門といわれる家の女と縁組するに違いないと思うと、彼の今の鬱屈《うっくつ》は青春独特の初々《ういうい》しいものに燁子には思われる。確かにせつないだろうが、どこか微笑《ほほえ》ましい。そこへいくと自分の恋は苦しいだけだと、燁子は八郎に気づかれないようショールの陰で小さなため息をもらした。考える先はすべてそのことになる。

昨年の二月に芽ばえた恋は、二年めの春を迎え、ますます切実さが増している。今年の冬のつらい記憶はまだ心にも体にも生々しい。その原因である男と京都でも会う約束をしているのだが、それはうまくいくだろうか。

八郎を説得するという名目でやってきているから、彼だけすぐに神戸に行かせるのは不自然だろう。それならばいつものように武子の名前を出せばいい。実際武子から電話があり、二人で会うことになっている。いや、二人だけというのは正確ではない。彼女の恋人も一緒だからである。

「私たちはもう追いつめられた気持ちでいますの。何とか燁さんに相談にのっていただきたいの。あの方も一度おめにかかって、きちんとお話ししたいと言ってくれました」

電話だといっそう強くなる京都訛《なま》りは、相変わらずの優雅さをかもし出しているが、口調の端々に時々訴えかけるようなきつさがある。もしかすると武子は妊娠したのであろうか。燁子は自分よりも華奢《きゃしゃ》な武子を思い出す。夫と長いこと離れ離れになる運命でなくても、子どもが授からないようなほっそりとした体つきだ。しかし不貞というのは時として奇跡を起こす、ということを燁子は知っている。三十六歳という自分の体の奥にも新しい生命の芽を吹き出させた。

夫でない男は、夫とは比べものにならぬほど力強い精を持っているものなのだ。

が、例外もある。そうだ、武子の電話のすぐ後にかかってきた野田茂重子からの電話だ。結核療養中の恋人が肺炎を起こしたとわっと泣き出した。

「息をするのも苦しそうなのよ。先生はとても危ない状態だっておっしゃっているわ。ねえ、燁子さん、どうしたらいいのかしら。私見ているの、これ以上とても耐えられないわ」

幸い軍医は一命を取りとめたが、二日間で六回にもわたる電話を燁子は受け取らなければならなかった。

世の中の人々というのは、恋というものはまれに起こるものだと思っている。砂漠の中の一粒の砂金に等しいとさえ考えているはずだ。しかしと燁子は思う。自分がその砂金になってみると、世の中に何と多くの砂金はちりばめられているのだろうかと驚くばかりだ。その砂金たちは、みな茶色の砂のふりをして、砂漠の中に息を潜めている。けれども他の砂金の仲間を見つけ出すのは上手《うま》い。同じような光をはなつからすぐにわかるのだ。そして孤独と秘密の苦しさに耐えていた砂金は、すぐに喜び近寄っていってさまざまなことを打ち明ける。そこへいくと自分の隣りに座っている八郎の恋の無邪気さといったらどうだろう。ひき離されるとわかると、悲しみを体中で表し、こうして目を閉じて汽車に揺られている。燁子はこの若者に優しい感情と羨望《せんぼう》をいつのまにか感じている。

「後で食堂車のほうにでも行きましょうかね」

眠ったふりをしている八郎に向かって、話しかけた。

「洋定食と珈琲《コーヒー》が飲めるわ。そうしたらすぐに京都よ。今頃の季節はいいでしょうねえ……。桜はもう散ったろうけれど、いろいろな花が満開だもの」


サトの様子がおかしいと気づいたのは、夕食をとっている最中であった。旅館「伊里」は板前を置いていない。近くの仕出し屋から届けられたものが膳《ぜん》に並べられる。そうはいっても汁を温めたり給仕をしたりとサトや仲居は結構忙しいのだ。しかしその夜のサトは心ここにあらずという様子で、失敗を繰り返す。サイダーの栓を抜いて八郎から怒鳴られた。

「俺はビールちゅうたじゃないか。サイダーちゅうたら子どもの飲むもんじゃ」

「はい、はい、堪忍《かに》しとうくれやす。八郎坊ちゃん、子どもの時からお好きやったさかい、いまでもサイダーお飲みやすもんと思てましたんえ」

京都特有の、ゆったりした言いまわしに、そうでなくても機嫌が悪い八郎は荒い声をたてる。

「あほこけ、じゃからちゅうて間違える奴《やつ》がおるか。サト、お前惚《ぼ》けたんじゃないか」

父親の妾《めかけ》という立場を十分に知りぬいているらしい八郎の口調に、燁子は腹を立てた。

「ちょっと、八郎さん」

言いかけた燁子の袖《そで》を、サトがそっとひいた。そしてわびるふりをしながら八郎に気づかれぬほどの小さな声で言った。

「奥さん、後でお部屋に行ってよろしおすか。相談したいことがありますさかい」

多分愛人の経師屋《きょうじや》のことだろうと燁子は軽く頷《うなず》いた。サトとその愛人、茂重子とその愛人、そして自分と龍介という三組の恋人が、この「伊里」に泊まった日のことをついこのあいだのように思い出す。

その龍介からまだ電報が来ない。東京から京都への長距離電話は繋《つな》がるまでに時間がかかるうえに間違いが多く、二人はもっぱら電報か手紙で連絡を取り合っているのだ。多分八郎と一緒だろうから、宛《あ》て先は燁子の名ではなく、「野口サト」の名にしてくれるようにも頼んでおいた。それなのに夕方過ぎても電報は届かないのだ。

燁子は少し苛立《いらだ》ちながら、荷をいくつか解いた。ゴブラン織りの手提鞄《てさげかばん》は、女ものの小さなものだが、「伊里」にもいくらか着替えが置いてあるので不便はない。日本橋の白木屋で買ったその鞄は、舶来の大層高価なものであったが、虹《にじ》を織ったような色どりがと

ことも ある。

ても綺麗《きれい》だ。龍介も大層誉《ほ》めてくれたものである。この鞄は自分と共に、博多から京都、大阪、東京を何度往復したことだろうか。秘密の手紙をこの中に入れ、何度も読み直したこともある。

いま燁子が中から取り出したのは、フローベルの『ボヴァリイ夫人』である。昨年新潮社の「世界文芸全集」の第一巻として出されたこの本を、燁子はまだ手にしていなかったのであるが、龍介からぜひ読むようにと言われた。なんでも燁子そっくりの境遇の女が主人公だという。自分と似ている女の物語など燁子はあまり読む気にはなれない。本を読まなくてもそのような女はいくらでもいる。明日かあさってには武子とその恋人に会わなくてはならないし、この「伊里」の女将《おかみ》、サトの悩みごとも聞かなくてはならないのだ。

「よろしおすか……」

ページをめくりかけた燁子は振り返った。サトがそろそろと襖《ふすま》を開けて部屋に入ってくる。地味な万筋《まんすじ》を着ていても、色街に生まれ育ったサトの動作は艶《つや》めいている。襖を閉める後ろ姿の腰のあたりにほどよく肉がついていて、それにぴったり添えられた足袋の裏側が奇妙に白い。

「奥さん、わたし、どないしたらよろしゅうおっしゃろ……」

あらためて電灯の下でよく眺めると、白いふっくらとしたサトの頬《ほお》がいくらか痩《や》せている。それはどうやら疲れよりも淫蕩《いんとう》によるものらしい。なぜなら白い顔の中で、目が粘っこい光をはなっている。この種類の目が何を語ろうとしているか燁子には見当がついた。

「奥さん……。わたし、もう決めたんどっせ。今度こそ旦那さんにお暇《いとま》もらお思うてます」

それではやはりあの経師屋のものになるのかという燁子の問いに、サトは、いいえ、違いますえと、いくらか照れて下を向いた。

「わたし、ほんまに好きな男はんが出来ましたさかい。紀野川さんよりずっとずっと好きや」

「まあ……」

燁子はため息をつく。自分の人生だけが劇的に展開していると思っているのは間違いらしい。自分よりもはるかに用心深く、しかも四十を越したサトの身の上に大きな出来ごとが起こったらしい。しかも自分の知らないうちにだ。

「あの、相手の男さん、奥さんの知っといやすお方どす」

その時とっさに燁子を襲った疑惑は、いちばんありえそうもなく、いちばんあってはならないことである。自分の寝入った後の「伊里」で、激しくからみあう龍介とサトの姿がうかぶ。

「奥さん、そないにびっくりせんといておくれやす」

燁子の表情が変わったのを、サトは驚愕《きょうがく》と非難のためだと思ったらしい。

「知ってる言うても、ただ一ぺんしか会《お》うといしまへんし。きっとお顔憶えといやしまへんやろなあ。わたしかてこんなことになって、びっくりしてますねん。ほれ、先月、東京にお伴《とも》さしてもろて、旦那《だんな》さんと三人で京都まで帰ってきたことありましたやろ。あの時会うた男さんどす」

「ええ！　まあ、あの方」

一等のサロン車の真向かいに大柄な男が座った。

全身これぞ金満家といういでたちで、偽物めくほど大きなダイヤの指輪、チョッキから垂らした金の鎖と下品このうえない。

「あれはきっとロシアか樺太《からふと》あたりの成金だろうね」

男が便所に立った隙《すき》に近くに座ったサトとささやき合った。席に戻った男はそわそわと体を揺すり始めた。十一時間の長旅である。なんとか話のきっかけをつかもうとしているようだ。燁子とサトはあわてて目をそらした。見知らぬ人間に話しかけられるのが大嫌いな伝右衛門はさっそく新聞を拡《ひろ》げた。全く字を識《し》らないように言われている伝右衛門であるが、難解な漢字を除けばたいていの記事は読める。実業家のならいとして、もちろん彼は新聞を読むのが好きだ。

「いやあ、このあいだの株の大暴落で、ついに自殺者が出たとですか」

男は快活に隣席の伝右衛門が持つ新聞の見出しを声に出して読んだ。

「あれにはこたえましたなあ。私はすんでのところでなんとか逃げ切りましたが、半端な持ちもので随分損をしてしもうたですたい」

そんな男の言葉で、燁子は相場師だろうと見当をつけた。けれども男が強い九州訛りなのが気にかかる。博多の人間ならば、伝右衛門を知らないはずはない。果たして男は、

「失礼じゃが、筑豊の伊藤さんじゃなかですか……」

と話しかけてきた。

「私は玄洋社《げんようしゃ》の山田ですが、若い頃のあなたをよう知っちょります。一度、争議の時にやりおうたこともある」

玄洋社と聞いて燁子ははっと顔を上げた。頭山満《とうやまみつる》が率いるこの政治団体は自由民権運動の流れとしてつくられたものであるが、現在では右翼団体の最たるものだ。龍介などは蛇蝎《だかつ》のごとく忌み嫌っている。男は斜め前に座っている燁子に目を止めた。

「確か妹さんがいたはずじゃが、これがその方でしょうかな」

確かに二十五歳離れた夫婦であるが、それにしても男の視線と質問はあまりにも不躾《ぶしつけ》で

あった。おかげで燁子は東京から京都までの間、サトと話も出来ず、ずっと本に目を落としていなければならなかったほどだ。

あの無礼な男とサトが結ばれたというのが燁子にはにわかには信じられない。しばらく言葉もないままに彼女のややそげた頰を見つめている。そもそも彼ら二人はどうやって知り合ったのだろうか。

「ほれ、京都で降りる時に、山田さんは旦那さんに聞かはりましたやろ。京都はどこにお泊まりどすかって……そしたら旦那さん、これがやっている『伊里』というとこです、ていうといやしたやろ。山田はんはなあ、あの汽車ん中で、わたしのことずうっと見てはったとお言いやすのどっせ。そしてわざわざ『伊里』に来てくれはったんどす。わたしもう、びっくりしましたわ。でも何やしらんけど、嬉《うれ》しい気持ちになったんどす」

サトは自分の恋の話に酔っている。彼女の黒目がちの細い目はねっとりとうるおい、今にも液を垂らしそうだ。

「その山田という人は、もちろん奥さんがいるのでしょう」

「いやあ、奥さんたら……」

サトはうっすらと笑った。燁子の恋までもすべて知っている女でなければ出来ない笑いである。

「そんなわたしらみたいな女は、奥さんのいやらへん一人もんには恵まれへんし。わたしら結婚みたいなこと、もう考えたこともありまへんえ。山田さんは奥さんもお子たちももちろんおいやすけど、わたしはそれで構わしまへんのどす。そやけど山田さんは、わたしが旦那さんのお世話になることを嫌がらはるし。自分一人だけのものになって欲しい、言わはるのどっせ。わたしはそれだけでええのどす。それがうちの婚礼やのどすえ」

だから伝右衛門と別れたいのだとサトは膝《ひざ》を進める。すっかり笑いは消えていた。

「お願いします。わたしは今度こそ本気どす。旦那さんと別れとおすのや。こんな飼い殺しみたいな暮らしやめて、山田さんと大陸にでも九州にでも行きとおす」

燁子の胸を占めているものは怒りでも驚きでもなく、ただ困惑である。いつかしら考えていたことがある。もしかしたら自分は龍介と生きるためにあの家を出ることがあるかもしれない。いや、龍介と一緒ではなく一人でも幸袋の家を出る時があるかもしれぬ。その時伝右衛門のことが気がかりだ。決して夫のことを愛しているというのではなく、伝右衛門が立腹のあまり、非常識な行動をとることを怖れているのだ。とりあえず彼を宥《なだ》めたり、めんどうをみる女がどうしても必要であった。その点サトほど適任者がいるだろうか。彼女はもう二十年以上伝右衛門の世話を受けているが、その間彼を怒らせることもなくうまく役目を果たしてきた。

「年をとったら、お前ではなくサトにみてもらうつもりだ」

というのは、腹をたてた時の伝右衛門の嫌味であるが、案外本音ではないかと燁子は思っている。ずっとサトは、燁子の想像の中で葦《あし》の葉の役目を果たしていた。昔神話の中で読んだ憶えがある。美しいギリシアの娘が、彼女を犯そうとする神の手から逃れようと走る。すると葦の葉はさわさわと揺れ、彼女の姿をすっぽりと隠すのだ。葦の葉が先に逃げ出したりするならば、逃げようとする燁子はどうしたらよいのだろうか。

「そんなこと、許しませんよ」

燁子は多分サトを睨《にら》みつけたのだろう。彼女は怯《おび》えたように肩をすくめた。それで燁子は自分が怖《おそろ》しいほど勝手なことを考えていることに気づく。

「なぜって旦那さんはお前のことをとてもお気に入りなのだもの」

あわてて言い繕うと、サトはそんなことあらしまへんと、いつになく激しく首を横に振る。

「旦那さんは女子《おなご》が何人でも欲しいお人どす。わたしはこんな身ですさかい、何にも言えしまへんけど、せめて奥さん以外のもう一人の女になりとうおした。そやけど旦那さんは、わたしみたいな女が何人も欲しいお人どす。奥さんもおつろうおすやろけど、わたしもつろうおした。いつ若い女が出来るか、いつ捨てられるか、いつもひやひや暮らしてましたんえ。そんな気持ちが、ユウを九州へ行かしたんどっしゃろな」

　ユウの名に燁子はうつむく。

「奥さん、妾は妾なりに意地もありますのえ。その旦那さんにとってたった一人の妾にな りとうおす。山田さんは籍は入れられんが一緒に暮らしてもええ言うてくれてはります。こんな男さん、もう出てきやらへんと思いますのや。奥さん、お願いどす、どうかわたしに力を貸しとおくれやす。逃がしとおくれやす」

　ふっくらした掌《てのひら》を合わせて祈るようにするサトに燁子は決して同情の気持ちを持てない。ただ「逃げたい」と訴える女をうとましく見つめた。


　武子が指定してきた店は、八坂《やさか》神社の裏手にある。どう見ても仕舞《しも》た屋《や》なのであるが、戸を開けると袴姿《はかますがた》の老人が出てきて座敷へと案内してくれた。食べるものはそううまくはないが、たそがれ時の風情《ふぜい》がとてもよいという電話での口上どおり、小さな門の奥に、意外なほど広い庭が続いている。ちょうど盛りの藤《ふじ》が夕暮れの光を少し重たげなものにしている。

「わたくしもあの人も、このあたりではとても顔を知られているので、こんなところでご免なさい」

既に下座に座っていた武子が頭を下げた。今日の彼女は耳かくしにふっくらと髪をふくらませている。その髪が重たいのか、ちょうど庭の藤のようにうつむき加減の武子はいつもながら美しい。その傍に眉《まゆ》の太い男がいた。

「寺に生まれたというのに、まるで役者さんの顔をしてるような人」

と武子がのろけたように、確かに顔の造作が大きい男だ。四十二歳ということであるが、がっしりした肩のあたりに男盛りの華やぎがある。これに墨染めの衣を着せたら、まるで羽左衛門《うざえもん》の安珍《あんちん》だと燁子は思った。

「まず一献」

男は照れているらしく、彼が持つと小ぶりに見える白磁のとっくりをとり上げた。

「燁さんはお酒いただかないわ。だから、そおっと半分ぐらい差し上げてね」

九州で会うよりもはるかに武子の京都訛りは濃く、語尾はやわらかく口元で溶けた。

「ほなら、わたくしもいただくわ、皆で乾杯しましょう」

三人はややぎこちなく乾杯した。その後、料理が運ばれるあいだ、喋《しゃべ》り役はもっぱら武子である。

「八郎さんの入学式、いらっしゃったんですの。ねえ、今年から入学式を九月から四月にするって文部省が決めはって、混乱せえへんやろかと思《おも》たけど、よう考えてみると日本の入学式はやっぱり四月の方がええかもしれへんなあと思いました。わたくし、桜を見てたらそう思いました。あの桜の花が夢みたいに咲く中、学生さんが歩かはるの見てると、いかにも新しい年いう感じでしたわ。ねえ、燁さん、そう思わないこと」

「そうねえ。そうかもしれないわね」

ところが話はいきなり本筋に入っていく。

「わたくしとこの人、花見の時だけ会えましたの。こちらのお庭に桜の大木があって、そりゃあ見事に桜が咲きました。わたくしと兄は、一年に一度だけお招《よ》ばれして行きました。あれはわたくしが十四の時ですけれど、兄が遠くのこの方を指して申しました。お前は将来、あの人のところへ嫁ぐのだって。わたくしはずっとその気持ちでおりましたのに、いろいろなことがあって……」

その先は聞かなくてもわかる。西本願寺の姫の縁談は、高貴がうえにも高貴な相手をと檀家《だんか》の者たちが異を唱えた。そして浮上したのが、武子の兄嫁の実の弟であり、皇后の弟君にもあたる良致《よしとも》である。愛のない結婚は世の中で珍しいことでもないが、夫はすぐに欧州へ留学し十年以上離れ離れになった。そして武子が孤閨《こけい》を守っている間に、目の前にいる男も妻を娶《めと》り子を成した。

「ですけれど、わたくしの本当の許嫁《いいなずけ》はこの方だと思ってずっと生きてきたのですもの、どうにもなりません。わたくしたちがこんな風になったのも自然のなりゆきと違いますやろか」

ねえと武子は男の方を眺める。これが信者たちから生き仏のように慕われる九条武子だろうか、なんと彼女は恋しい男にゆっくりと流し目をくれるのだ。

「主人は今東京に居ますけれど、わたくしの気持ちがわかっているからですわ。欧州へ行って帰ってきた時に、わたくしたちはお互いの気持ちに気づいたんでしょうね。燁さん、わたくしは本当に決心しました。わたくし、もうじき実家《さと》へ帰るつもりです」

「まあ！」

昨夜のサトの時と同じため息を燁子はもらす。

「そうして時間がかかってもよいから、この方と一緒になるつもりです。そのためなら二人で大陸へ逃げてもよいの」

「二人で大陸へ！」

その言葉までサトと同じだ。燁子はよく知らぬが、シナには大きな都市がいくつもあり、日本人街では内地にいるのと同じような暮らしが出来るという。

「ねえ、燁さんも宮崎さんと一緒になれるならどんなことをしてもいいと思ってるんでしょう」

燁子は瞬間大きく頷いていた。こんな風に問われて否《いな》と言えるはずはない。

「ねえ、わたくしたち四人で逃げましょう。わたくしも燁さんも、世間で知られている身だし夫もいます。逃げたりしたら大変なことになります。けれども皆で一緒だったら怖いことは何もありませんわ。ねえ、燁さん、わたくしたち、まるで姉妹のような心持ちでいるでしょう。だから逃げる時も一緒よ、ねえ」

もう一度男を眺める。彼は「そうだとも」というように頷いたが、その目は庭の藤棚を見つめていることに燁子は気づいた。龍介はこんな時、いったいどのように考えるだろうか。

その夜燁子は、ついに京都へ来ることのなかった龍介をなじる手紙を書いた。武子とその恋人のこともつけ加える。

「今（夜十一時）武子夫人に会つて帰つて来た処《ところ》です。武夫人のあの方ハ、頭のはつきりした人らしい。年ハ四十二とか。その人も可《か》なり深く思つてるらしいので、ほんに気の毒に存じました。

『あなたは一人の人を本当に生かす為《た》めなら、地位も名誉も入りませぬか』と私が問うたらそれは覚悟してますと直ちに答へたのにハ、可愛さうに思はれて、つい返事も出来ませんでした。今の世の中は何《ど》うしてこんなに色々不都合な点が多いのでせう。もうサトはねると申して待つてます。私もこれで止《や》めねばならぬ。おからだをお大事に願ひます。どうぞ私も大事に大事にしてます。貴方のあづかりものだから。又あひます。どうぞこよひも御夢静かに。

れん」

りうさま

第十八話　京　の　蟬

「きのふも別府から廻《まは》つた郵便が一つありましたけど、それは私の待つてるものではありませんでした。

淋《さび》しい淋しい。こんな事なら自分のところの異る度、電報にしようかしらん。それも目立つとおもうてお家へ御遠慮してるのなれど、淋しうて、ものも手につかぬほどもの足らぬ。

けふは、私一人となつて静かになりました。これから頼まれの色紙、短冊を書きます。昨日写真うつしました。少し遊びの心地もして、それはそれはよく似合ふとて皆かんじて見ました。

シナ服もきつと私にハ似合ふでせうよ。いつかきせて下さいな。

昨日ふとした事からサトやが私を、目をさましてる時よりも眠つてる時の方がきれいだと申しました。

ほんとなの?
来月ハ十日すぎになりませう、入洛《にふらく》は。
けふハ午後から真野総長夫人のところへ遊びにゆきます。
好きな好きな手紙を下さい。
見度《みた》い見度い。
わたしの人。
恋しうて
淋しうて
なつかしうて
悲しうて
どうしたらよいやら」

燁子に会うのは三ヵ月ぶりだ。既に彼女は神戸オリエンタルホテルに到着して初枝夫婦を待ち受けていた。ホテルの庭の緑を背景に、ゆるやかな姿勢で寛《くつろ》ぐ燁子を見た瞬間、初枝はひどく胸騒ぎがした。
この人は変わった。どこがどうとは言えないけれど、以前の義姉ではないと初枝は思う。

最近大流行の耳かくしという髪型が、かえって燁子の古風な美しさをひき立てていて、あれが有名な白蓮さんだと、ロビーを行く者の中にも振り返る者までいるほどだ。

それに燁子の目の熱っぽさといったらどうだろう。まっすぐにこちらを見つめ怯《ひる》むことはない。その強さは不敵な、という形容をつけてもいいほどである。いったい何が義姉を変えたのだろうか。

神戸で三日間を過ごした後は京都へ向かうというが、以前にも増して旅行好きになっているようだ。

京都には親友の九条武子がいて、彼女と久しぶりに会いたいのだと燁子は言うが、八月の盆地の暑さときたらどうにも耐えがたいはずだ。町を行く女たちの中に、あの醜悪なアッパッパと呼ばれる洋装を身につける者が出現したともいう。そこまでして陽炎《かげろう》の立ちのぼる京の町を歩きたいのか。

初枝はふと、先日見た『婦人画報』のグラビアを思い出した。

「七夕の歌をおつくりになる九条武子さま、柳原白蓮さま」

という小さな文字が添えられた写真は、二人の女が短冊に筆を走らせている光景だ。日本間の様子といい、縁側からの庭園といい、別府の別荘で撮られた写真に間違いはない。この頃武子か燁子かのどちらかが登場しない女性雑誌はないといってもいいぐらいである。

どちらも申し分ない美貌《びぼう》と高貴さを持ち、同時にわかりやすい不幸も身につけている。武子の方は長いこと外国にいた良人《おっと》と離れ離れに暮らしていたのだし、燁子にいたっては金で無学な老人に買われたような結婚である。彼女たちが完璧《かんぺき》に幸福な貴婦人でないゆえに、世の女たちは二人を渇望するのだろう。

しかしそれにしても、燁子のこの不思議な表情はどうしたことだろう。臨月近い孕《はら》んだ女が、よくこんな風なねっとりとした微笑をうかべていることがあるが、まさか燁子にそんなことが起こるはずはない。燁子はもう三十七歳になるはずだし、さんざんの道楽の末、伝右衛門に子種がないことは家族の者だったら皆知っている。

高価な越後上布《えちごじょうふ》を抜き加減に着こなした燁子は、突然呼び出して悪かったと義妹夫婦をねぎらった。

「しばらく神戸で遊ぼうかと思ったのだけれど、一人でいてもつまらない。あなたたちに来てもらっておいしい洋食でも食べようと思ったの」

「いやあ、義姉《ねえ》さん、いつでも声をかけてくださいよ。大阪からここまではどうということもない。すぐに参上いたしますよ」

鉄五郎はまるで肥満した幇間《ほうかん》のようである。テーブルの上の団扇《うちわ》を取り上げ、燁子にあおいでやる忠勤ぶりだ。燁子から夫にかなりの小遣いが渡されていることを初枝は知っている。それを長いこと、他所《よそ》に出され飼い殺しになっている養子への気配りだと思っていたのであるが、どうも違うようだ。

ホラ吹きで我儘《わがまま》な夫のどこがいいのかわからぬが、燁子は鉄五郎を何かと頼りにし相談することが多い。特にこの頃は手なずけようとする態度がありありと見える。それが何のためなのか初枝にはよくわからない。この小旅行にしても、費用はすべて燁子持ちなのだ。もともと勤め人の鉄五郎に払えるわけがないのであるが、神戸オリエンタルホテルといえば、外国人もよく泊まる高級ホテルである。どうしてこれほど自分たち二人に贅沢《ぜいたく》をさせ気を遣うのかと、考えあぐねている初枝に燁子は言った。グリルでの夕食の席である。

「今度もしかすると、新しい女が家に入るかもしれないわ」

「女ですと」

好物の洋食を頰張《ほおば》っていた鉄五郎は、うっと食べ物にむせたような声を出す。そう驚いているわけでもないのに、相手に迎合して大げさな表情をするのが彼の癖だ。

「この前にも居たじゃありませんか。確か京都から来たユウという女」

「ユウはとっくに死にましたよ」

燁子は目の前の葡萄酒《ぶどうしゅ》に目を落とした。何かを思い出した者独特のうつろな視線だ。

「おととしの冬のことだったけれど可哀想《かわいそう》なことをした。本当にちょっとした風邪《かぜ》が原因だったのだけれど」

けれども今度の女は違う、健康で気のいい女なのだと、燁子はまるで二度目の嫁を迎える姑《しゅうとめ》のような口調で言った。

「博多の芸者で舟子というのだけれど、旦那《だんな》さんもとてもお気に入りだよ。正式に落籍《ひか》せて家に入れようと思っているの」

〝落籍せる〟という言葉を、元伯爵令嬢にして今上《きんじょう》天皇の従妹《いとこ》はごく自然に口にした。

「そんなことをするとまた赤新聞が騒ぎますよ。そうでなくても……」

鉄五郎は後の言葉を、葡萄酒を飲むふりをして言いかけた言葉をうまく誤魔化した。初枝は長期にわたって連載された「筑紫の女王」や菊池寛の小説を思い出した。燁子が嫁いでからというもの、伊藤の家は注目の的で伝右衛門の不行跡さえ世間の話の種になる。

「だって仕方ないじゃありませんか。旦那さんはいつでもああした女が必要なのですもの。そうでなかったら家の女たちがみんな手籠《てご》めに遭ってしまう」

女中のひとりから聞いたことがある。燁子の小間使いではなく、家に昔からいる女が初枝にこぼした言葉だ。

「旦那さんもお淋しいと思いますわ。奥さんはちっとも旦那さんのお床に寄りつかん。旦那さんが何か言うと、熱があるだの、気分が悪いだの言って邪慳《じゃけん》になさる。そりゃ、他に女をつくりなさる旦那さんもいかんが、あれじゃ女もつくりたくなる気持ちもわかる」

しばらく沈黙が三人のテーブルに居座った。これ以上口を開いたら、何かとんでもない猥雑《わいざつ》なことを言ってしまいそうだ。その時、初枝に思いうかんだことがある。いや、うかんだのではなく、昨日からどうやって義姉に切り出そうかあれこれ思いをめぐらしていたことだ。

「義姉さん、そういえば宮崎さんが大阪にいらしていますね。演説会をなさっているとおとといの新聞に出てましたわ」

「そうらしいわね」

燁子は肉汁をうまく避けながら小羊の肉を切り分けている最中であった。

「宮崎さんとその後お会いになりますの」

夫の前でこんなことを尋ねる自分は何と大胆なのだろうかと思う。時候の挨拶《あいさつ》のように見せかけて、思慕がそれとなく伝わるような手紙を数回出したことがある。龍介からは二度そっけない葉書が届いただけであるが、彼はそのことを義姉に告げたりはしなかっただろうか。

「いいえ、お芝居の時以来お会いしていないわ。あの方も卒業して弁護士になられてからはさっぱりよ。たまにお手紙をいただくけれど、ああいう思想の男の方は面白いことを書いてこられるわね」

「社会主義みたいなものに入れ上げている男は気をつけた方がいいですよ」

鉄五郎はナイフをふりまわしながら言う。

「あいつらは何をするかわかりませんからね。義姉さんもああいう連中とはほどほどにつき合わなくては、後で大変なことになる。あの連中は争議にやたら首をつっ込んできては、会社を潰《つぶ》すようなことばかり考えるんだ。金がめあての壮士のようなもんさ」

宮崎はそんな男ではないと初枝は抗議したくなる。特別に仕立てさせた背広をりゅうと着こなし、ソフト帽を手離さない。音楽や文学にも精通していて、どんな話題を語っても面白い。が、そんなことを夫に語っても仕方ないことである。女学生めいた手紙に託した淡い思いは、とうに彼によってはね除《の》けられているのだ。よほどの偶然がなければもう会うこともないだろう。それに宮崎の名を再び出すことにより、羊の脂のついた鉄五郎の唇で、彼の名を汚されたくはなかった。彼は言う。

「義姉さん、あさってから京都へ行くのはいいけれど大変な暑さですよ。いくら九条さんと約束しているからといって、お体に障っちゃいけません。だいたい夏の京都なんて行くところじゃありませんよ。暑くて蒸し蒸しするし、町中がぐったりしていますよ」

「それでもいいの。私は京都が好きなの」

燁子の目は、その町並を見ているかのようだ。

「私、どうしても京都に行かなきゃならないの」

最後に歌うように言った。

久しぶりの再会であった。この逢瀬《おうせ》のために自分は神戸、大阪の演説会を引き受けてきたのだと龍介が言えば、燁子もどれほどの思いをしてここに辿《たど》りついたかを涙ながらに語る。

「出る間際に、伊藤が自分も京都に行こうかなどと言い出したのよ。せっかくあなたとお会い出来るのにって、目の前が真暗になったわ。私はね、神戸で初枝さんたちと会う用事をつくって日にちがかかるようにしたの。そうすれば伊藤も二週間は留守に出来ないでしょう」

「本当にあなたは悪知恵が働く女《ひと》だ」

龍介は怒ったように言いながら、燁子の帯をせわしく解く。京都「伊里」の二階である。二人に遠慮して、サトも上がってこない。それをいいことに会ったとたん、昼間から龍介は燁子を自分のものにしようとする。燁子が小さな声で抗《あらが》うと、龍介はこの二ヵ月自分がどれほど苦しかったかを、睦言《むつごと》混じりに言うのである。ほとんど毎日書く手紙によって、若い彼の欲望はいつ果てることのない前奏曲をかなでているようなものだ。だから龍介はその曲を捧《ささ》げる当の女神に会ったとたん、こらえることが出来ない。燁子に出会う前は、そうした場所で馴《な》じみの女がいた自分が、何ヵ月も禁欲を守っていられるのは奇跡だと思う。これほど殊勝な自分が、久しぶりに会った恋人を求めるのに何の罪があろうかと、龍介は燁子を畳の上に押し倒す。どの窓も開け放したままであるが、幾百という蟬《せみ》の声が、恋人たちの声を隠している。

燁子の目から涙が幾筋か流れた。若い恋人の行為がやや乱暴だったこと、そしてそれが思わぬほどの嬉《うれ》しさをもたらしたこともあるがそればかりではない。燁子は自分たちのこのひとときが、大きな恐怖と背中合わせだということを既に知っている。歓喜と不安とがかわるがわる顔を出すこの時間、歓喜を抑えようとしても不安を忘れようとしても、やはり熱いものが瞼《まぶた》を満たしていく。

久しぶりに京都へ行きたいと告げた時の夫の目。

「お前は本当に京都が好きじゃな。そんなにいいところなら俺《おれ》も一緒に行こうか。いや、俺が行くのは邪魔かな」

夫はおそらく気づいているに違いない。あたり前だ。龍介の手紙は幸袋か別府の燁子の許《もと》に届けられる。仕事の依頼や歌の同人で文通している者は何人もいるから、その何通かの手紙の中に龍介のものはまぎれるはずであった。しかし毎日届く男からの手紙に、不審の目を向ける者がいないとは誰が言えようか。女中の誰かが伝右衛門に注進することは十分考えられることであった。

召使いばかりでない、二人の恋を知る者は確実に増えている。先日の手紙の中で、龍介は親友の赤松に自分たちのことをすべて明かしたと書いてきた。赤松は高名な学者吉野作《よしのさく》造《ぞう》の次女の夫で、東京帝大新人会以来の龍介の仲間である。それまで「白蓮夫人との恋」と揶揄的《やゆてき》に呼んでいた赤松が真剣な顔になり、

「そこまで本気ならばきっと応援する。どうか成就してくれ」

と頷《うなず》いたと龍介は嬉しそうに書いてきたものだ。赤松だけでなく、龍介の友人たちも薄々気づいていて、どうやら龍介と燁子の恋は彼らの公認のものとなりつつあるようだ。

新人会は除名されたものの、彼は赤松たちとの友情を復活させその中で燁子との仲をかなり大っぴらにしているようだ。自分たちだけの秘密と思い、用心に用心を重ねてきたつもりであるが、若い龍介は嬉しさと誇らしさとで完璧に隠しとおすことが出来ない。東京と九州という距離にもたかをくくっている。多かれ少なかれ、恋というものはいつか崖《がけ》っぷちに立たされるものであるが、その時が一刻一刻と近づいていることを燁子は感じる。

その時龍介はどうするつもりなのだろうか、きっと燁子が問えば、

「自分はこの恋をかなえるつもりでいる。時間がかかってもいいからあなたと一緒になるつもりだ」

という答えが返ってくるに違いない。そうかといって彼もすぐさま行動を起こそうと考えていないのは、龍介も龍介で燁子の心を推しはかっているからである。どう考えてみても臆病《おくびょう》なのは燁子の方だ。睦言に男の真心を執拗《しつよう》に糾《ただ》すことはしても、なじることをしないのはそのためである。そんな自分を卑怯《ひきょう》だと思いながらも、責めたり期限を決めたりしない龍介の行為をなんというやさしさだろうと感謝したり、あるいは若い男のずるさではないだろうかと燁子の心は揺れる。が、その揺れの幅が今度の再会で急激に狭くなったと感じるのは、知らず知らずのうちに燁子に覚悟が出来ているからに違いない。

が、覚悟といってもそれはぼんやりとした現実味のないものである。身投げの心を決めた人間が崖の上に立つ。そこまでは未完成の覚悟だ。見えない手、その人間の肩を強く押す透明の手が現れない限り、覚悟というものは何の力も持たない。燁子にとって、その見えない手が何なのか、まだ自分でもわかりかねている。龍介の心なのか。それはもう十分に与えられている。夫に露見することなのか。それも違うような気がする。

真夜中、燁子は男の咳《せき》で目が覚めた。このあいだと同じだ。二人で「伊里」に泊まった時も、龍介は咳を長いことしていたものだ。今回の咳は以前よりひどい。最後はひいひいとかすれた音になる。

「夏風邪なの。お薬を貰《もら》って来ましょうか」

「いや、いい。ただちょっと休ませてくれ」

龍介は頭を燁子の膝《ひざ》にのせる。燁子は子ども時代からの習慣で、寝る時は白羽二重《しろはぶたえ》を着ているから、彼の髪から衣《きぬ》ずれの音が起こった。咳はまだやまずに、膝の上に熱い息がかかる。

「ああ、いい気持ちだ。燁さんは膝までいいにおいがする」

さきほどまでの激しい行為が嘘《うそ》のような龍介の弱々しさである。燁子は左手で龍介の髪を撫《な》でてやった。乾いた髪の感触でふと嫁ぎ先に残してきた男の子のことを思い出した。二十歳を過ぎた彼は学習院を出た後、定職にも就かず最近燁子から定期的に小遣いをせびっているのである。

燁子は突然不思議な気持ちに襲われた。嫁を貰う年齢の息子を持つ自分が、こうして年下の男とひとつ床でたわむれているのだ。そして自分の鎖骨の下や、左乳には男が噛《か》んだ跡がある。もう自分は十分に罪深い。自分はとうに社会の規範をはみ出しているのだ。罪深い者がさらに罪を重ね、大きく外に踏み出したとしても何の怖いことがあるだろうか。

男はまた激しく咳込んだ。

「本当にどうなさったの。ちゃんとお医者さまにみてもらっているの」

「燁さん、僕はどうもまたやられてしまったらしい」

「何ですって！」

「大阪を発《た》つ前、寝汗と咳があんまりひどいから病院でみてもらったらどうやら影があるらしい。学生の頃やった肋膜炎《ろくまくえん》が悪かったんだ」

「そんな、そんな……」

茂重子の涙声が聞こえてきた。結核という死病に罹《かか》った恋人のために、彼女はほとんど気が狂わんばかりになっている。

「燁子さん、どうしたらいいの。あの方が死んだら私も死にます。もう生きていられないんですもの」

茂重子と同じ不幸が自分に降りかかってきたのだ。龍介は色が白く肉の薄い体つきであるが、学生時代はボート部に入っていたと自慢したではないか。自分は不安をうち消すためにずっとそれを信じようとしてきた。

「あなたは、まさか、死にはしないでしょう……」

震える指で燁子は男の瞼に触れる。すると彼はすんなりと目を閉じて、まるで死人のようになった。燁子はなんと不吉なことを口にしたのだろうかとすぐに後悔した。

「あなた、私を残して、死んだりはしないわよねえ」

「ああ……」

障子の桟がかすかに白くなった。夜明け独特の静寂の中に二人はいる。

「僕はきっと燁さんのために生きるよ。きっと長生きするよ」

「嬉しい……」

燁子は龍介の顔におおいかぶさり、激しく唇を合わせた。そういえば龍介は会ってからまだ一度も燁子の唇を求めなかった。おそらく菌を移すことを案じていたのだろう。燁子の歯の裏側から唾液《だえき》がしたたり落ち、それが龍介のものと混ざる。もしかすると彼の生も死も、病原体も何もかも燁子の中で混ざり合ったかもしれない。

ふと燁子は背中を大きく押されたような気がした。

「生きましょうよ、二人で一緒に」

燁子はささやいた。紫色の夜明けがすぐそこまで来ていて、燁子は自分たちがこうして呼吸していることが信じられないほど崇高な気持ちにとらわれる。このまま死んでもよいほどの昂《たか》まりの中、燁子は二人で生きるのだと何度もつぶやいた。

二人で生きるためにはどうしたらいいのか。答えはわかっている。ただ声に出さなかっただけだ。

「逃げましょう。私は逃げます。あなたの許へ逃げるわ」

燁子は〝逃げる〟という言葉を三度使った。

「私、やっと決心がつきました。こんなに長いこと愚図愚図していて、私が本当に馬鹿でしたわ。もう後戻りは出来ないもの。私はあなたと逃げます」

「燁さん！」

龍介はいきなり身を起こした。燁子の肩を強く抱いた。こんな強いまなざしを以前にも見たような気がするし、初めて見たような気もする。

「本当に決心してくれるんだね。本当に二人でことを起こすんだね」

「ええ、本当に」

燁子は少女のようにこっくりと頷いた。龍介はそんな恋人をいとおしくてたまらぬように抱き締め、今日何度めかの帯をとく。燁子の夏帯は締めても締めても、彼によってすぐに性急にほどかれるのである。その激しさは病気ゆえなのかと燁子は男の背に手をまわす。

肺病は異様に性欲を昂めるというのは、よく知られた事実である。しかしそれでもよいと思う。男の躰《からだ》も、男の心も既にすべて燁子のものであるから、その病いも性欲もさっきの唾液のように燁子の中に溶け込んでいくはずだ。

「燁さん、好きだ。本当に逃げよう、決行しよう」

龍介は燁子におおいかぶさる。性交こそは男と女の何より固い約束であった。

京都での十日間、二人はさまざまな計画を練った。まず何人かの協力者を得なくてはならない。龍介は赤松をはじめとする何人かの友人がきっと協力してくれるだろうと断言した。

「あなたの身を匿《かくま》うことぐらい何でもない、僕以外にも弁護士が何人かいるのだから、きっとうまく解決出来るはずだよ」

「私はあまり気がすすまないけれど、鉄五郎さんにまず打ち明けていこうと思うの。伊藤を宥《なだ》めてこちらとの仲立ちをしてくれる人が居なくては困りますもの。なぜって……」

その後の言葉を燁子は呑《の》み込む。伊藤を怒らせて姦通罪《かんつうざい》に持ち込まれたら大変なことになる。

「姦通罪」、この凶々《まがまが》しい響きを持つ言葉に何人の人々が苦しんだろうか。北原白秋が牢《ろう》獄《ごく》に繋《つな》がれたのはまだ記憶に新しい。

「私は武さんにすぐ話すつもりよ。私、本当に決心しましたって。ねえ、あの時の武さんの言葉、あなたにお話ししたことがあるわよねえ」

幼馴じみの男との愛に苦しむ武子は、燁子に何度も訴えたものである。

「私たちはもう離れられないの。この頃真剣に話しますのよ、いっそのこと大陸へ逃げようって。ねえ、その時はきっと四人で逃げましょう。そうすれば世間の風も半分で済むわ。ねえ、約束しましょうね。私たちはきっと勇気を与え合うって」

そうだ。武子にも声をかけるのだ。自分たちも結論を出したのだから、武子と恋人も怯んではいけないと説こう。

今の世の中を代表する貴婦人が二人、男と駆け落ちしたとなると大変な騒ぎになるだろうが、それも武子の言うとおり、

「風当たりが半分になる」

かもしれない。それより何より自分たちと同じ男女がもうひと組居るということは何と心強いことであろうか。武子と一緒だったら燁子はらくらくとこの塀を越せそうな気がする。

燁子はその時、非常に重要なことを思いうかべた。

龍介からそのことを聞いたのはいつだったろうか。一回めの妊娠をした後だったはずだ。女の体には周期があり、その日を避ければ妊娠しないという図を、龍介はいかにも帝大生らしい生真面目《きまじめ》さで説いてくれたものである。

二人の逢瀬は基本的にはこの図を中心にまわっている。しかし今回燁子は何も考えずに、八月の末を指定した。ということは妊娠する可能性も十分にあるということだ。

それなのに何の防具もつけず、二人は何度も愛し合ったのだ。もしかすると自分は無意識のうちに、もう一度孕むことを望んでいたのではないか。崖の上で背中を押してくれる大きな手をつくろうとしていたのだ。

結局龍介の病いがきっかけになったが、実はその前から自分は決心していたのだと考えると燁子は空怖《そらおそろ》しくなってくる。

けれどももう後戻りは出来ない。燁子は既に崖を飛び降りたのだ。

「今これは寝台車の床の中で小さい豆電灯の光りをたよりに書いてゐます。

楽しかつた京にも別れて、思出はいよいよ遠くはるけくならうとしてます。

今まで、私の祈つた事は、大ていとげられてゐます。必ず、その日の来るものと確信はするものの、斯《か》うしてゐる日の淋しさ。やる瀬なき身をふして、さめざめ泣いてゐ度《た》い様にも。恋しくて恋しくて、悲しくなります。こんなに思ふのは、此頃《このごろ》いよいよ深くなるにつけて、楽しい中にも辛《つら》さが増します。

彼《か》の別れの前夜のしみじみとした心地を覚えてお出《いで》になりますか。ああゆふ時には、二人ともちやんと座つて話ませうね。そうしようと思ひました。貴方《あなた》は丁度子供の泣きながら眠つてしまふ様に、別れを悲しみながら寝ておしまひになるんですもの。

もうやがてこのあひだ来て下された姫路です。

ではおやすみ遊ばせ。

里宇乃津萬（龍の妻）」

「今日いよいよ天神町へ向けて御出立《ごしゆつたつ》の日です。やがて汽車に御乗りになるかと思ふと京の十日が今更のやうに又とない思出となつて胸の中に繰り返されます。

逢《あ》ふこと丈《だ》けでも此上ない恩恵であるのに先々のことの相談もかなり豊富でした。あなたの発明案が愈々《いよいよ》実行の第一歩に踏み入つたわけ。これからは二人共心を鉄石の如《ごと》く堅固にしてただに愛の殿堂を築くばかりで無く併せて人の為《た》め世の為めに奉仕しなければなりません。ふたりの愛の上に、神の恩恵が豊なれば豊かなる程、二人は神への謝礼として人人の為めに神意を伝導しなければなりますまい。

多くの積り来す京の思出を昔語りとして楽しく語り合ふ頃には、そこには愛児も恵まれてゐるでせう。そして人と世とは兄弟のごとく、ふたりを敬愛してくれるでせう。然《しか》しその日も決して遠くは無い。ふたりして勇ましい強い愛に満ちた尊い生涯を送りませうね。

昨夜は殆《ほとん》ど夜通しにあなたとふたり色々の試練に合つてゐる夢を見ました。そして最后《さいご》に手を取つて楽しく語り合つてゐたのでした。

波須与里（ハズバンドより）」

第十九話　決　行

妊《みごも》ったことに気づいた時、燁子は全く驚かなかった。むしろそうなるのが当然のような気さえした。

八月の京都で龍介と逢瀬《おうせ》を重ねていた時、祈りを持って抱き合った夜。もう後には退《ひ》けぬ、二人で逃げるのだと誓い合ったあの夜に芽ばえた命に違いなかった。死を賭《か》けた決意を持った男と女が抱き合ったのだ。妊らぬはずはないとさえ思う。

そして燁子はしばらくこのことを龍介に黙っているつもりだ。子どもが出来たことは、無事逃避行が成功した時の祝いごととして彼に知らせよう。その日のことを思いうかべると、燁子はにっこりと微笑《ほほえ》まずにはいられない。

燁子は自分でも薄気味悪く感じるほど朗らかな気分の中にいる。世間では石原純《いしはらじゅん》東北大教授と原阿佐緒《はらあさお》との不倫の恋がいま大変な話題だ。毎日のように新聞が書きたてている。しかしそんなことは、これから自分と武子が計画していることに比べたら、子どもの悪戯《いたずら》のようなものである。

原阿佐緒という歌人を、以前東京での集まりで見たことがあるが、化粧の濃い、そう品のいい女とは思えなかった。だいいち自分や武子と較べることも出来ぬほどの知名度である。

あの知る人ぞ知るといった程度の女でさえ、妻子ある男の許《もと》へ走ったというので、人々は興奮し新聞は特集さえ組む始末だ。全く自分と武子がことを起こしたあかつきには、いったいどんな騒ぎになるのやらと、燁子はなにやら愉快な気分にさえなってくる。

すっかり覚悟は出来ている。どうせ波紋を起こすのならば、出来るだけ大きな波紋がよい。出来ることならば、社会の道徳やら通念を根こそぎなぎ倒してしまうようなものにしたい。

燁子がこれほど不敵な笑いをうかべているのは、やはり龍介たちの影響に違いない。彼は自分と燁子との駆け落ちを、ごく親しい友人たちに打ち明け、協力を頼んでいるのである。彼らはいかにも帝大卒の弁護士らしい緻密《ちみつ》さと、若者の血気を持って、計画を練り上げている。中でもリーダーシップをとっているのが龍介の親友赤松である。

龍介は彼の言うことを全面的に信頼しているため、相手にやや主導権を握られつつあるようだ。最近の手紙は赤松がいかに張り切って計画を進めつつあるかを伝えている。

赤松の言い分はこうだ。この龍介と燁子の逃避行をただの色恋沙汰《いろこいざた》にしてはいけない。警察も騒ぐだろうし、なによりも姦通罪《かんつうざい》に持っていかれる怖れがある。世間の反響は大変なものがあるだろうが、それを逆手にとってプロパガンダに変えればよい。つまり燁子の家出は、男という存在に傷めつけられた、哀れな女性の必死の抗《あらが》いだということを人々に認知させればよいのだ。そのためにも燁子自身が決意文というものを書かなくてはいけないと、龍介と赤松は結論を出したという。

「決意文ですって?」

龍介の手紙を手に、燁子はつぶやいた。龍介の親友を悪く言うつもりはまるでないが、自分の行動をそこまで託すことに不安がつのる。学生たちが演説会や演劇会を企画するような雰囲気ではないか。だいいち夫に宛《あ》てて手紙を書く、などということを想像するだけで、このうきうきとした気分をそがれるような気がする。

しかし龍介はそれを成し終えないうちは、自分たちの未来がないとさえ言う。それはもう決まったことなのだと、彼は走り書きの手紙に書いてきた。

「夕方から五反田《ごたんだ》の赤松のところへ出かけました。三輪も少し遅れて来て三人で色々意見を交換した末、結局次のやうな実行方法にしたが良いことになつたのです。

一　実行期はあなたが東京に御出《おいで》た后《ご》、帰途途中で下車して、窃《ひそ》かに東京に入り、隠家《かくれが》に潜むこと

一　東京では予《あらかじ》め社会に発表する宣言とI氏へ対する宣言の草案を作つて置くこと（之《これ》をあなたが女文字の文章にし尚《な》ほ修正す可《べ》きは修正して清書する）

一　あなたが隠家に落ち付いたらば、赤松は解放社なり大鐙閣なり、其他《そのた》適当な場所で都下の新聞記者（朝日の支局員を入れた）を招集し、宣言の発表及び事実を公表すること

一　新聞社への発表前、あなたはI氏への宣言を郵送（或《あるい》は鉄氏へ托《たく》してもよし）し、新聞社への発表と同時にN夫人に打電して、交渉を開始して貰《もら》ふこと

一　私はその前日位から近県へ旅して、踪蹟《そうせき》を知らしめざること

一　以上の方法を実行して一先づ情勢を観察し、その后は臨機に処置すること

一　若しI氏が法律上の問題とするが如《ごと》き場合には、人権擁護弁護士団を作り、九州へ出張し、I氏に強談すること（此《この》点は三輪責任を負ふ）

大体以上の申合せをしました。三輪は先便申上げた高山とほぼ同一の心配をしてゐたのですが、最初離籍問題を交渉し、若しI氏が強く出た場合には、その解決が永引き、その中に事柄がだんだんと漏れ、世間の揣摩《しま》臆測《おくそく》が盛んになるやうなことになると、下馬評の

題目にされるばかりで、頗《すこぶ》る事態の権威をおとし、その后に有意義な宣言をしても、なんにもならぬことになるおそれがあるし、その下馬評により却《かへ》つてＩ氏に強味を与へるやうなことがあつては、将来、二人の為《た》めによくないと云《い》ふ赤松の意見を、私も三輪も採つたのです。赤松の意見に依《よ》る方が二人の出発点が堂々として居《を》り、輿論《よろん》をこちらに引き付けるに良く、輿論の背景があればこちらは強くなるし、Ｉ氏の機先を制することができると思ふのです。

新聞社や其他凡《すべ》ての人々への応対は赤松に一任して、私共はふたりとも当分何事も饒舌《しゃべ》らぬことにした方がよからうと思つて居ります。

龍夫人　　　　　　　　　　　　　　　　　　　　　　　　　　　　廿五日深更」

燁子は手紙を置き、ほうっと深いため息をもらした。若者たちの熱い息づかいが伝わってくるような文章だ。昔読んだおとぎ草子にこれと似た話があった。深窓の姫君を攫《さら》うために、その恋人と友人の公達《きんだち》が活躍するのだ。

もうじき家を出て男と逃げる。それは現実のことなのだろうか。それとも絵空ごとの空想の上でのことだろうか。この期に及んで自分は決して迷っているわけではない。けれどもこんな哀《かな》し気な秋の夕暮れ、紫色にけぶっていく庭の木々を眺めていると、すべてのことがぼんやりと遠いものになっていくのも事実だ。

燁子は腹の中のわが子が早く育ってくれればいいと思う。前夫の子どもの時がそうであったが、もう少したつと胎児は中で身動きを始め自分の存在を訴える。そして母親を励ますのである。が、妊ったばかりの腹はなめらかに平らで、左の掌《てのひら》を置いてもぴくりとも音をさせない。

燁子は胎音を聞く代わりに墨をすり始めた。嫁入りの時に実家の兄がもたせてくれた数少ないもののひとつである見事な江戸時代の端渓《たんけい》である。女物らしく桃の彫刻があるこれを、燁子はおそらく置いていくことになるだろう。

「何も持たずに来てください。I氏から貰った宝石や着物は全部捨てて来てください」

龍介がいくらかの妬心《としん》の混じった声で言ったものだ。彼は伝右衛門のことをI氏と呼ぶ。その方がさまざまな感情がこもらないと思ってでもいるようである。

燁子はそのI氏から買って貰ったものばかりでなく、身のまわりのほとんどを置いていくつもりだ。数枚の着替えと化粧道具、例のゴブラン織りのボストンバッグに入る分だけを持っていく。龍介から貰った数百通の手紙は、近いうちにまとめて京都の武子のところへ送ることになっている。彼女は龍介と燁子が晴れて二人で暮らせる時まで大切に保管してくれるはずだ。計画どおり武子と恋人とが出奔《しゅっぽん》する際にも、その手紙は信用出来るしかるべき人が預かっていてくれることになっている。

　昨年の一月、別府の別荘にいる燁子の許に、一通の手紙が届けられた。東京の宮崎龍介という青年で、ぜひあなたの戯曲を上演したいという。それがすべての始まりであったのだ。

　燁子はこの一通から、龍介の手紙はすべて手元にとっておいた。別府で会った燁子の美しさに心を奪われ、その帰りに船の中で龍介が書いた恋文、それから一ヵ月後、京都で初めて結ばれた後の狂おしい手紙……。燁子は筆をとる。龍介にではなく夫に手紙を書くためである。よく考えずとも燁子が夫に手紙をしたためるのは初めてのことで、そしてこれは最後になるはずであった。

「伊藤主人へ
　私ハ今貴方《あなた》の妻として最後の手紙を差上げるのです。
　今、私がこの手紙を上げるといふ事ハ突然であるかもしれませんが、私としてハ寧《むし》ろ当然の結果に他ならないのです。或ハ驚ろかれるでせうが、静かに、私のこれから申上げる事を一通りお聞き下さいましたなら、つまりは、私が貴方からして導かれ遂《つひ》に今日に至つたものだといふ事もよく御解りになるだらうと存じます。

そもそも私と貴方との結婚当時からを顧みなぜ私がこの道をとるより外に致方《いたしかた》がなかつたかといふ事をよくお考へになつて頂き度《た》いとおもひます。

ご承知の通り、私が貴方の所へ嫁したのは、私にとつては不幸な最初の縁から離れて、やうやう普通女としての道をも学び此度こそは平和な家庭に本当の愛をうけて、生き度いと願つて居ました。然《しか》るにたまたま縁あつて貴方の所へ嫁す事に定まりました時、貴方は或ハ金力を信頼して来たかとでもお思ひだつたかは知りませんが、私としては、年こそは余りに隔てあるものの、それも却つて此の身を大切にして下さるに異《ちが》ひハなく、学問のない方との事も聞いたれど、自分の愛と誠を以《も》つて及ばずながら足らぬ所ハ補つて貴方といふものを少しでも大きくして上げ度いと思つて居りました。私自身としては貴方の愛と力とを信頼して生きて行き度いと思つて居ました。言ふ迄《まで》もなく貴方はまづ誰よりも強く自分を第一に愛して頂けるものと信じて居たればこそです。

貴方はどの様に待遇して下されたかといふ事を思ひ出すとき、私は何時《いつ》でも涙ぐむ斗《ばか》りです。誰一人知る人もない中に頼むは唯《ただ》夫一人の情けでした。家庭といふものに対しても、足らぬながらも主婦としての立場を思ひ、相当考へも持つて来ました。然るにその期待ハ全く裏切られて、そこにはすでに、私の入るより以前から居る女中サキが殆《ほとん》ど主婦としての実権を握り、あまつさへ貴方とは普通の主従の関係とはどうしても思へぬ点がありました。それは貴方が、私よりも彼女を愛して居られたからです。貴方が建設された富を背景としての社会奉仕の理想どころか、私はまづこの意外な家庭の空気に驚かされてしまひました」

燁子にひとつの情景がうかび上がる。伝右衛門のところに嫁してすぐの頃だ。女中頭と紹介されたサキという女が、ふてぶてしく言ったのだ。

「奥さん、そげな勝手なことせんと私に聞いてもらわにゃ困ります。旦那《だんな》さんからも言われちょります。奥さんはここの暮らしに慣れん人じゃから、私がみんなやらんといかんとですよ」

「ことある毎《ごと》に常に貴方はサキの味方でした。

私ハ主人の妻でありながら我家で召使ふ雇人一人を何《ど》うする事も出来ませんでした。これが嵩《かう》じては、私を離別するとか又ハ里方に預けるとかずい分私の兄や姉に、心配かけて下された事はよもやお忘れになりますまい。

私の心を申しまするなれば、下女の一人や二人よしや、雇人を皆暇出すとも、愛する妻には代へられまいと思ひまするに、様々な世間の人の奇しい噂《うはさ》にも頓着《とんちやく》なく、唯々貴方を信頼すべき人として嫁し来《きた》つた妻に対するこれが貴方の執つた態度でした。実に私といふ貴方の妻の価は一人の下女にすら及ばぬのでした」

燁子の筆はすらすら進む。夫への絶縁状というものはもっと苦吟するものだと思っていたが違っていた。

「我が家とは云《い》へ勝手に人を呼ぶ自由は私にはなかつた。里方から姪《めい》が二人来た時なども久保夫人からの招きで雲仙《うんぜん》へ行き度《た》いと願つた時も大した理由もなくお許しにならなかつた」

口惜《くや》しさや無念さという感情は鎖のように繋《つな》がっているものらしい。ひとつ記憶の海の中からひき上げると、次にさらに重たいものが下に続いている。

「実に私の可愛《かはい》く思ふ者はとにかく憎いといふその貴方の心理は如何《いか》に私をして怒らせ悲しませたことでせう。

貴方の妻として愛のない事は現在では艶子の事でよく解つてゐます。艶子にハ金次といふ保護者がある。貴方は私の夫とは名ばかり、つひに一度だつて彼女についての訴へを心から同情して聞いて下された事がなく蔭口《かげぐち》すらもお許しにならぬ」

こうした繰り言を書いているうちに、燁子の胸は次第に澄んでいく。それは爽快感《そうかいかん》といってもよいものだ。すべて伝右衛門が悪いのだと思う。

十年前のあの日、自分は可憐《かれん》な花嫁であったはずだ。出戻りで子どもを成した女であったが、傍にいるたくましい肩を持った男への期待とはにかみでうつむいていた。新しい生活が始まるのだと信じていた。無学だけれど実のありそうな男に愛され、そして自分も相手に尽くすのだと心に言いきかせていたではないか。

それなのに伝右衛門はことごとく自分を裏切ったのである。裏切った男へはどんな罰を与えてもよいのだ。一度は夫に愛情を持ち、自分の人生を預けようとした記憶が、男に鞭《むち》をふるうことで消えればよい。伝右衛門がどれほど驚き、怒るだろうかと考えると、燁子の唇に笑みがわく。くっくっとしのび笑いは自然に起こる。ああ、男に罰を与えることがこれほど楽しいものだと思ってみなかった。それは逃げていく自分への褒賞のようなものである。

「御別れに望んで一言申上げます。とまれ十年の間、欠点の多いこの私を養って下された御恩を謝します。

この手紙は今更貴方を責め様として長ながしく書いたのではありませんが、長く胸に畳んでゐた事を一通り申しのべて貴方の最後のご理解を願ふのです。

終りに望んで、私の亡き後の御家庭ハ、却って平和であらうと存じます。第一艶子殿の為《た》めにも幸であるべく、さすれば、貴方としても御心配が少なくなり、何事も私の愛する者は憎く私の嫌ひなものは可愛いといふふしぎ、貴方のその一番私に辛《つら》かつた御心持ちも、私さへ居ずば、凡《すべ》ての人々を明らかに善と悪とを見分けられる正しい御目を持つ事の御出来になるのが、家族の者のどんなにか幸福となる事でせう。

女心といふものは、真に愛しておやりなさりさへすれば心から御慕ひ申す様になる事は必定。何卒《なにとぞ》これからはもう少し女といふものを価つけてご覧なさる様、息子の為めにも又貴方の御為めにもお願ひ申して置きます」

燁子が誰にも疑われることなく身辺の整理が出来たのには理由があった。もうじき博多天神の家が完成するのである。普請道楽の伝右衛門が自ら線をひき、完成を楽しみにしている家は敷地五千二百坪、建築費八十万円という大豪邸だ。彼が何年か前に手に入れた狩《か》野元信《のうもとのぶ》の襖絵《ふすまえ》を広間にはめ入れたいという。京都の建築家が来て、いろいろ話し合った末、襖絵に負担がかからぬよう軽くするため屋根は銅《あかがね》にすることになった。目をむくほど高価な銅を屋根全体に葺《ふ》くのだから何という豪気な話と、早くも博多っ子は噂しているらしい。

「貴族のお姫さんの女房が、御殿のげな家じゃないと住まんと言うた」

という話を聞いて燁子は苦笑したものだ。自分は一日たりとも住むことはない家である。それどころかもうじき着の身着のままで逃げていくことになっている。屋根がきらきらと太陽のように光るという家など、燁子にとって蔑笑《べっしょう》の対象でしかない。

しかしこの家は燁子の大きな味方となってくれた。手紙を燃やしたり、着物をあれこれより分けたりしても不審に思う者はいない。天神の家が完成したら生活の本拠も移したいと伝右衛門は公言していたから、誰もが燁子は引越しの準備をしていると思っていたはずだ。

また僥倖《ぎょうこう》というべきことはいくつも起こった。燁子の姉婿にあたる入江《いりえ》為守《ためもり》が欧州から帰国したという知らせは、龍介と燁子の決行日を決める直接の原因となった。侍従長である入江は、摂政《せっしょう》の宮《みや》のお伴《とも》という大役を果たしたのである。一族が集まり祝いの会を開くこととなった。燁子がこのために上京することについて何の不自然もない。龍介は電話で「十月二十日」と燁子に告げたのである。祝いの会の次の日であった。

もはや二人に会って打ち合わせる時間はない。彼が言うのには新聞社が二人の仲にそろそろ気づき始めているという。すっぱ抜かれるのは時間の問題だと赤松が焦っているそうだ。

対する燁子も伝右衛門の様子が何やら奇妙な感じになっている。今まで燁子が東京や京都に出かける際、いい顔はしないまでもそう反対しなかった伝右衛門が、露骨にあてこすりを言うようになったのだ。

「そげな腰のおさまらんことでどうする。艶子にもしめしがつかんじゃなかか」

おそらくこの入江家の祝いの宴を逃したら、燁子の外出はむずかしくなるに違いなかった。

燁子はさきほどから、友禅《ゆうぜん》の一枚を持っていこうか、置いていこうかと迷っている。手毬《てまり》と桜を染め出したこの着物はもう派手過ぎて袖《そで》を通せないが、とても気に入っているもののひとつだ。もし生まれた赤子が女の子だったら、これで布団をつくってやりたい。しかし龍介の友人の家に隠れ住む身だ、荷物は極力少なくすべきだろう。

その時、女中がやってきて西本願寺の執事から電話だと告げた。それは龍介の偽名である。もはや手紙ではまだるこしい、そうかといって電報では他人に見られる怖れがある。

東京、九州の通信事情は大層悪く、なかなかからず途中でぷつりと切れることもしょっちゅうだが、龍介はあえて電話をかけてくるようになった。

「もしもし、燁さん、僕だ」

「ええ、わかっていてよ」

電話室の扉はしっかりと閉め、あたりに人はいないが燁子は受話器を袖でおおう。

「やっかいなことになったのよ。来月私が東京へ行く時に、主人がどうしても一緒に行くっていうの。商談があるっていうのだけれど、おお、何て嫌な人でしょう」

「それでI氏はあなたと一緒に帰るつもりなのか」

「いいえ、その後は京都へ行くつもりよ。サトに恋人が出来たりして不安なのでしょう。しばらく一人で京都に居ると言っていたわ」

「それならば燁さんひとりで東京に残ればいい」

「ええ、そうするつもりよ。久しぶりに上京するから親戚《しんせき》に挨拶《あいさつ》しなくてはと言ってあります」

「そして必ずやりとおすのだよ。僕は東京で待っている」

「嬉《うれ》しい。本当にそうなるのね……」

ほんの一瞬、二人は沈黙した。

「燁さん、昨日、手紙を送った。赤松が書いたI氏への絶縁状が、中に入っているから読んでくれたまえ」

「えっ、私が書いたものじゃいけないの」

「三輪や山本も入れて協議したんだが、あまりにも長過ぎてくどくどしているっていうんだ。これじゃ旧時代の女の愚痴だって言う者さえいた」

電話という慣れない会話がさせるのか、龍介から斟酌《しんしゃく》のない言葉が出た。

「しかしあなたの元の文章はとても尊重している。読んでくれればわかるよ。予行演習はとうとう出来なかったが、とにかく東京で――」

そこで電話はぷっつりと切れた。燁子は取り残された思いになる。最後の言葉を聞けないもどかしさが急に不安となった。もう一ヵ月もない。本当に大丈夫なのか。そして次の言葉をつぶやこうとして燁子は怖《おそろ》しくなる。

本当に龍介を信じてよいのだろうか。

「私はいま貴方の妻として最後の手紙を差し上げます。いま私から手紙を差上げるということは、貴方にとって突然であるかも知れませんが、私としては当然の結果に外ならないので御座います。貴方と私との結婚当初から今日までを回顧して私はいま最善の理性と勇気との命ずる処《ところ》に従つてこの道を取るに至つたので御座います。

ご承知の通り結婚当初から貴方と私との間には全く愛と理解とを欠いてゐました。この因襲的結婚に私が屈従したのは、私の周囲の結婚に対する無理解と、そして私の弱小の結果で御座いました。然《しか》し私は愚かにもこの結婚を有意義ならしめ、出来得る限り愛と力とをこの中に見出《みいだ》して行きたいと期待し且《かつ》努力しようと決心しました。

私が儚《はか》ない期待を抱いて東京から九州へまゐりましてから今はもう十年になりますが、その間私の生活はただ遣《やる》せない涙を以《も》つて蔽《おほ》はれました。私の期待は凡て裏切られ、私の努力は凡て水泡に帰しました。貴方の家庭は私の全く予期しない複雑なものでありました。私は此処《ここ》にくどくどしくは申しませんが、貴方に仕へてゐる多くの女性の中には、貴方との間に単なる主従関係のみが存在するとは思はれないのもありました。貴方の家庭で主婦の実権を全く他の女性に奪はれて居たこともありました。それも貴方の御意志であつたことは勿論《もちろん》です……」

何度読み返しても、この文章は初枝に震えをもたらした。何という大胆なことをする女なのだろうという驚きよりも、それに何も気づかなかった自分が信じられない気分だ。よく人の心には鬼が棲《す》んでいるというけれど、たいていの人間は鬼ほどではなくせいぜい荒馬だと思っていた。いざとなれば谷の高さや川の深さにおびえてヒヒーンと鳴く。

それなのに自分のあれほど身近にいた人間が、これほど怖しい世間を騒がすようなことを仕出かしたのだ。この『大阪朝日』に載った伝右衛門への絶縁状は、それこそ世の中の人々のど肝《ぎも》を抜いた。妻から夫へ去り状を書き、それを新聞で公開するなどというのは前代未聞のことだ。

「これはどう見たって社会主義の学生が書いたもんじゃないか。義姉《ねえ》さんが書いたとは思えないよ。あいつらお義兄《にい》さんをそれこそ資本家、人民の敵と呼んでこんなことをしたのだろう、義姉さんはかどわかされてどこかにいるんじゃないだろうか」

鉄五郎がこんなことをさきほどから何度も口にしているのは全くの言いわけというものであった。伊藤の家で彼だけが燁子から家出の相談をされていたのだが、それを黙っていたというので一座の視線は冷たい。しかし相談といっても龍介の〝り〟の字も出るわけでなく、単に夫婦仲が悪いという訴えを聞いただけだ。自分は何とか思いとどまるように説得もしてみたと、鉄五郎は肥満した体を縮めるようにしてさきほどから訴えている。

幸袋の家の座敷には、大阪から急遽《きゅうきょ》駆けつけてきた鉄五郎と初枝の夫婦、家つき娘の静子と夫の秀三郎、養子の金次とその妻艶子、金次の弟八郎が集まっていた。静子はさきほどから泣いてばかりいる。もう世間に顔向け出来ない、と言ったかと思うと、お義母《かあ》さんもよくよくのことだったろうとつぶやいて秀三郎に怒鳴られた。

「お義父《とう》さんの前でそんなこと言うもんじゃない。全く何を考えているんだ」

やがて自動車の止まる音がした。伊藤家の人々はいっせいに立ち上がり、小走りに玄関へ走った。京都に滞在していた伝右衛門は新聞記者たちから取材攻めに遭い、足止めをくらっていたのであるが、今夜やっと幸袋に帰ってくることが出来たのだ。

「親父《おやじ》さん」

家族の者よりも早く、玄関脇《わき》の路地に座り込んでいた何人かの男たちが、自動車の前に立ちふさがった。もはや晩秋も近いというのに、着物の裾《すそ》をからげ、半裸に袖をまくり上げている。火を吹く龍《りゅう》の刺青《いれずみ》が夜目にも鮮やかだ。鉱山《ヤマ》の男たちの中でも、特に血気走った者たちらしい。

「親父さん、俺《おれ》は口惜しいばい。俺は臓腑《ぞうふ》が煮えくり返るようじゃ」

男のうちの一人、着流し姿の男が叫んだ。

「俺たち昨日から寄り集まって相談したが、これはひとつ俺たちに任せてつかわさい。あの淫売女《いんばいおんな》、ただじゃおかねえ。あの生っちょろい間男《まおとこ》と二つに重ねてたたき切って見せますばい」

黒いフロックコートを着た伝右衛門は、亡霊のように男の前に立った。しばらく見ない間にすっかり頬《ほお》がそげている。復讐《ふくしゅう》をしようとする男の顔だと初枝が思った瞬間、いきなり怒声がとんだ。

「馬鹿もん、何を考えちょる。いったんは俺の女房で、お前らも奥さん、姐《ねえ》さんと呼んじょった女じゃなかか。その女に手出ししょうちゅうは何ごとか。いいか、もし何かお前らがしたらな、目ん玉くり抜いて切り刻んでやるぞ。わかったか」

とても六十過ぎの老人とは思えないほど張りのある声には、かつて鉱山《ヤマ》で荒くれ男たちと共に立ち働いていた伝右衛門の姿があった。

その意気に吞《の》まれたのは男たちだけではない、ああ言おう、こうけしかけようと考えていた伊藤家の人々もすごすごと座敷に戻った。

「いいか、お前ら、よおく言うとく」

床の間を背にした伝右衛門は凛《りん》とした声を張り上げた。

「俺も言いたいことは山のようにある。お前らも口惜しかろ。しかしあいつの話は今日でご法度《はっと》たい。いいか、孫子の代、その先になってもな、この家であいつの名を出すことはいっさいならん」

そのまま伝右衛門は立ち上がった。

初枝だけが後を追う。なぜか伝えなければいけないことがあるような気がした。自分はずっと前から知っていた。いつかこうなることがわかっていたような気がする、そのことを謝りたいと思った。

追いつこうとした初枝は息を呑む。暗い廊下の途中、伝右衛門のすべてを拒否するような肩があった。彼は暗い庭を見ていた。

「あいつは馬鹿な女たい……」

低いおし殺した声で彼は言った。

「俺がなんも知らんと思うちょったのか。全く馬鹿な女たい」

肩がかすかに震えていた。

第二十話　最　終　章

大正十年十月二十日、燁子は家を出て、恋人宮崎龍介のもとへ走った。これが世に名高い「白蓮事件」である。

「私たちが逃げたら、世の中の人たちはどんなに驚くでせう。武子さまとも話すのだけれど、そのことを考へると何やら楽しい気分になつて」

などと龍介に書き送った燁子であったが、世の驚愕《きようがく》は彼女の予想をはるかに上まわるものであった。新聞は毎日のように大きな記事を載せ、二人の動向を書きたてる。雑誌という雑誌はこぞってこの事件の特集を組んだ。『婦人画報』などは女性有識者ばかりでなく、一般読者からも投書を募り、この事件の是非を問うた。新女性のゆくてに光をあたえるものという意見もあれば、高慢な女性の淫行《いんこう》という声もあった。

しかし紙上での論争などというのは、平和で知的なやり取りである。燁子がまず身を寄せた、宮崎家の友人山本安夫《やまもとやすお》のところへは、毎日のように脅迫状が届く。新聞がご丁寧に住所を明記してくれたからである。

「莫連《ばくれん》女史」という書き出しで始まる「死ね」という手紙に燁子はつくづく見入ったものだ。いいことをしたなどとこれっぽっちも思っているわけではないが、自分はこれほど人から憎まれることをしただろうか。どうして会ったこともない相手に対して、これほどの嫌悪を持つことが出来るのだろうか。燁子は怖《おそろ》しさのあまり、体の奥から起こる震えをどうすることも出来ない。

一緒になれるならば、世の人すべてを敵にまわしても構わぬと、恋文の中でもよく綴《つづ》り、龍介に誓いもしたが、あれは何という甘いたわ言であったのか。たかが一人の女が一人の男と愛し合い、その女に夫がいただけの話なのだ。それなのにこの出来ごとで世の中はむくむくと動き始めたのである。それは黒い不気味な雲だ。憎悪でふくれ上がった雲は、自分と龍介に向かって襲いかかってくるかのようだ。

燁子は腹に手をやる。まだ動くことはないが、あきらかに張ったふくらみは新しい生命の芽ばえを告げていた。この子どもだけは救わねばならないと思う。たとえ自分と龍介はなぶり殺しにされようとも、子どもだけは無事に誕生させたい。

こんな日々の中に、ひとつの光が射《さ》した。九州の伝右衛門があっさりと籍を抜いてくれたのである。姦通罪《かんつうざい》で訴えるに違いない、いや、鉱山《ヤマ》の荒くれ男たちを使って二人を襲撃するらしい、などというのが世間の専《もっぱ》らの予想であったからこれには燁子も意外であった。可愛《かわい》がっていた女中の手紙によると、伝右衛門は、

「燁子にいっさい手出しはするな」

と言い放ったという。今後伊藤の家で永久に燁子の名を出してはならん、というのが彼の結着のつけ方だったと聞き、燁子はにわかには信じられない思いであった。しかし伝右衛門に対する後ろめたさや感謝の気持ちをいっさい自分に禁じた。そんな温かいものを持ったら最後、自分はもう一歩も進めないはずだ。すべてを振りきり、夜叉《やしゃ》となってもこの腹の子を育てなければならない。これから本当の血みどろの戦いが始まるのだ、という燁子の判断は正しかった。

伝右衛門が燁子と離婚した事実は、世の男たちの怒りに火をつけたのだ。あれだけの淫《いん》婦《ぷ》を許しておくのか、といきりたった男たちがいる。中でも『萬朝報《よろずちょうほう》』は憤怒のあまり、何度も大きな記事を組んだ。

「燁子を尼にせよ」

という要求文の次の日は、

「伊藤伝右衛門は家事不取締につき、新聞紙上で謝罪せよ」

と大きな文字が躍っている。

そんな記事のことは燁子の耳にも入ったが、いっさい構わず見ないようにした。ともあれ伝右衛門が離縁してくれたのは事実なのだ。おかげで二人は一緒に暮らすことが出来た。都下高田村の宮崎家の近くに小さな家を借りたのは十一月のことだ。

宮崎家の人々は、身重の燁子をやさしく迎えてくれたばかりでなく、息子の嫁として扱ってくれた。偉大な思想家とも大陸浪人の代表のようにも言われる宮崎滔天は、変わり者という評判であったが、豪快な情の深い人物であった。ほとんど白い、あまり手入れのいいとはいえないあご鬚《ひげ》を撫《な》でながら、

「お前ら、いざとなったら心中でもしろ。俺《おれ》が骨を拾ってやるから」

楽し気にさえ言う。笑うと乱ぐい歯がむき出しになり、どう見ても醜男《ぶおとこ》の部類だ。どうやら龍介は母親に似たらしい。前田案山子《まえだかかし》の娘で才色兼備とうたわれた槌子《つちこ》は、昔の面影を十分に残す美しい中年女だ。金や人の苦労をさんざんしてきたにもかかわらず、どことなく粋《いき》な剃《そ》り眉《まゆ》をきりりとさせて二人並べて言った。

「あんたら親の勝手で、その子どもに障りがあっちゃいけませんよ。世間をこんだけ騒がせたんなら、もう意地を通して立派に添いとげてごらん」

燁子は会った日からこの槌子のことを自然に「お義母《かあ》さま」と呼んでいた。反対に龍介

の妹と弟は、燁子のことを「義姉《ねえ》さん」と呼んだ。寒い夜に美人の母と娘は火鉢のまわりに座り夜なべをする。やがて生まれてくる赤子の肌着のために、義妹が槌子に教わりながら針を動かす様子を見て、燁子は涙が止まらなかった。

こんな幸福がこれほどたやすく手に入るはずがない、という不安のためだ。近頃神がかり的に燁子の予想はあたるのだ。

あくる年の一月十六日のことをはっきりと燁子は憶《おぼ》えている。龍介は『日華公論』の幹部と会うと言って家を出て行った。燁子が女中のキワと二人夕食の膳《ぜん》をとっていた時だ。引き戸を激しく叩《たた》く音がした。女中が開けると、御高祖頭巾《おこそずきん》をかぶった柳原の兄嫁と入江に嫁いだ姉とが立っていた。

「ちょっとだけでいい、私の話を聞いておくれ」

あの夜あれほど寒くなければ、自分は姉たちの言葉に従わなかったと思う。火鉢にぐいと近づいても、しんしんと迫り来る寒さに勝てるはずもなく、兄嫁の華子は何度も息を掌《てのひら》に吹きかけまた喋《しゃべ》り、そしてまた掌に息をかける。

柳原家に毎日のように、黒龍会《こくりゅうかい》、玄洋社といった右翼の連中が押しかけてくる。そして燁子の兄、柳原義光に貴族院議員辞職を迫っているのだという。

「燁さんもご承知のように、殿さんは気の小さいところがおありになる。この頃は神経症で夜中に何度も起きられるのよ。時々声をおたてになる。私はもうどうしたらいいかわからなくなって……」

華子は袖《そで》を目にあてた。燁子は武子の愛人から来た手紙の一節を思い出した。

「幾千万の世間よりも、二、三の身内の悲嘆や愚痴の方があなたを動かすことがあるかもしれない」

右翼の連中が激怒している原因は、若い男と逃げた妹が、すぐさま男と世帯を持ったことだ。そんなことが許されるはずはない。すぐさま燁子を尼にするか、そうでなかったら伊藤のところへ戻せというのである。

「あなたさえ家に帰ってくれれば、あの人たちもおとなしくなるのですよ。お殿さまも議員をお辞めにならないで済む。ねえ、ちょっとの間でいいのです」

行ってはいけないという声が、自分の中でしたけれど燁子は頷《うなず》いていた。肉親に対する謝罪をまだ自分はしていないからである。

今度のことで、自分が華族の女だったということをつくづく知った。前から意識していたこととはいえ、恐怖さえ伴って実感させられたのは初めてだ。宮内省が燁子と龍介との結婚は絶対にまかりならんと息まいているという。華族に属する女は、結婚の際に届け出ることになっているからだ。

右翼の連中が決起したのも、燁子の生まれ育ちが高貴へ繫《つな》がっているためである。今《きん》上《じょう》天皇の従妹《いとこ》にあたる女が、他の男と逃げるなどというのは言語道断と彼らは憤っている。

もし燁子が男のところへ居続けるならば、群れをなしてその家へ行き、焼き打ちをかけても燁子を中から出すとさえ言っていると聞かされ、燁子は肌に粟《あわ》を立てた。

「このままでは宮崎さんのお家にも大変なご迷惑になる。いったんは麻布へ帰って相談することがいちばんいいことよ」

入江に嫁いだ姉は燁子を説きながら、左手で燁子の背を押すという慌しさだ。せめて龍介を待ってからと頼んでも聞いてもらえなかった。

三人で外へ出た。寒い、寒いと思っていたら雪が降り出してきた。兄嫁は車を待たせておいたのであるが、雪のために途中から動かなくなった。家に戻るのなら今だと思ったのに、体はうまく動かぬ。

突然、女官長のような口調になった兄嫁たちと雪の中を停車場まで歩いた。ぬかるみに足をとられ、燁子は前のめりに倒れた。とっさに手をついて腹を庇《かば》ったが、着物も下駄《げた》も何もかも泥だらけになった。

「どんなことがあってもころんじゃいけないよ。腹の子が流れちゃ大変なことになる」

伝法だが温かみのある槌子の言葉を思い出し、燁子は涙ぐんだ。

しかしそれは後に考えれば、甘いやさしい涙である。その夜から燁子は半年近く、毎日絶望と苦悩の涙を流すことになる。

右翼の連中に脅され寝込んでいると聞いていた義光は、正装して威を正し、床の間を背に座っていた。お公家《くげ》さん顔とよく揶揄《やゆ》されるのっぺりとした顔は、怒りのために白くむくんでいた。

「髪を切れ、今すぐに髪を切るのだ」

白い髭《ひげ》の下の薄い唇が、ぱくぱくと動く。

「死ねとは言わん、だからここで髪を切るのだ」

燁子は傍にいる姉と兄嫁に救いを求めたが、二人とも青ざめた顔が凍りついたままだ。取りなす知恵などありはしない。

「お前、柳原の家に生まれながら自分で髪をおろすことも出来んのか。もういい、儂《わし》が切ってやろう」

兄の手にきらりと光るものが見えぐいと引き寄せられた。殺される、と思った瞬間、体中の力が抜けた。ざくざくと何万匹という蟻《あり》が耳もとで這《は》うような音がし、肩に重みを感じた。庇髪《ひさしがみ》が元結《もとゆい》から切られたのだ。

そしてそのまま燁子は長い間軟禁状態におかれることになったのである。燁子を拉致《らち》し髪を切ったにもかかわらず、柳原義光はそれから二ヵ月後議員を辞職しなければならなくなった。公家にしては政治好きの彼は、議員の仕事を核に社交生活もあったから、辞職は大きな痛手であった。

気の抜けた表情になり、着替えもせずに一日家にいる。妹と同じく軟禁状態に自らの意志で入っていったのだ。もともと神経症気味のところがあった義光は、夜中にうなされてとび起きたり、もう駄目だ、死んでしまいたいとつぶやく状態となった。そう広くない家の中、半病人の兄の姿を見るのはつらいうえに怖しい。そればかりでない、時々義光は燁子の腕をとらえ、

「儂も死ぬから、お前も一緒に死ぬのだ」

とわめいたりする。

その合い間にいろんな人物がかわるがわるやってきて、燁子を説得にかかる。皆、義光が依頼した宗教がらみの人物である。自分の罪を悔いあらため、尼になれというのだ。尼になれば龍介に会わせてやってもよいという。

兄によって耳の下まで切られた髪は、あまり食事を摂《と》らないためか伸びが遅い。柳原家の雛祭《ひなまつ》りに飾る御所人形そっくりの髪になった。しかしふっくらとした人形の頬《ほお》の代わ

りに、そげ落ちた顔がある。けれどもこの頃は鏡を見る気分にもなれない。いったい自分がどんな罪を犯したのかと、燁子は夜中に目覚め、わが身を自分の腕で抱く。燁子が本当に憎いのか、それともつけ火をされるのを危惧《きぐ》してか、火の気が全く置かれていない部屋の寒さは歯の根も合わぬほどであった。

腹の子に障ってはと、燁子は掌をあてて温《ぬく》みを伝えようとする。何度も問いたい。いったい自分がどんな罪を犯したというのだろうか。あの暗く冷たい人生を捨て、ようやくめぐりあった愛する男と結ばれたいと願っただけではないか。このいとしい胎児を宿しただけではないか。

しかしお前は何も悪いことをしていない、と答えてくれる者はいない。龍介と全く連絡が取れないのだ。燁子は監視の目を盗んで、やっと見つけた障子紙の端切れに鉛筆で走り書きをした。これは私の命だから、何とか届けて欲しいと女中に手を合わせた。

「助けて、救って」

と書いた手紙が、やがて、〝死にたい〟に変わった。龍介から返事がないのだ。

「もう私は到底だめなのか。いっそ私に諦《あきら》めさせて下さい。もうだめだからと仰《おつしや》って下さい。この世に何の望みがあろ、神の使命もあるかしらねど、こんな罪深い女が何の神のお役に立たう」

唯一の救いは腹の子だけであるが、使いの者が来て、この子どもは出産次第伊藤家が引き取ることに決まったという。

「なぜなんですか、この子どもは宮崎さんの子どもに決まっているじゃありませんか」

燁子が悲鳴をあげると、相手の使いの者は薄ら笑いをうかべた。

「だって奥さんは、ついこのあいだまで伊藤さんの正式な奥さんだったわけですから、どっちの子どもかわからないではありませんか。そうなれば伊藤さんの子どもになるのはあたり前です」

そのうちに燁子がいちばん怖れていた情報が入ってきた。頼りの龍介は肺病が悪化し、毎日血を吐く状態だという。これですべての希望は閉ざされた。今日死のう、明日死のうと思いつめていた燁子は、赤ん坊の産み月さえぼんやりと自覚していなかった。

何の準備もしないまま破水し、あわてて産婆が呼ばれた。心と体の疲労、そして栄養失調、そして三十七歳という母親の年齢にもかかわらず、丸々と太った元気な男の子である。

柳原家では乳母をつける余裕もなかったから、燁子は自分の手でしみじみと赤ん坊を抱くことが出来た。まだ開かぬ目のあたりが龍介と生き写しだ。賢そうな唇は宮崎家に伝わるものである。心配していたが乳はいくらでも出た。こくこくと乳を吸う赤ん坊は希望そのものである。

「生きるのだ」

と燁子は思った。どんなことをしても生き抜いてみせる。男の子が生まれても女の子が生まれても香織《かおり》と名づけると言ったこの子の父親が死んだとしても、自分は生き抜いてみせる。この子どもを伊藤の家に渡しはしない。きっと二人で逃げて生き抜いてみせると誓った。世の中の人々がすべて自分に石つぶてを投げても、この子どもに指一本触れさせやしない。どこかに二人で逃れる場所があるはずだ。思いきり狡猾《こうかつ》になって獣のように生き抜いてみせよう。

「そうだとも、ねえ、坊や」

燁子が呼びかけると、香織は小さなあくびをした。それは何よりの承諾の証《あかし》であった。

燁子は注意深くあたりを見渡す。味方になってくれそうな人物が一人だけいた。谷老人といって、宮崎家、柳原家の連絡係となっている男だ。連絡係といっても、義光から固く言いわたされているらしく、龍介の手紙などいっさい取り次ぎがない。消息すらも教えてくれぬが、燁子を見る目に憐憫《れんびん》と温かさがあった。

彼が、大本教《おおもときょう》の信者だということに燁子は気づいていた。大本教は弾圧を受けたものの、いっこうに勢力がやまない新興宗教であるが、神のお告げを伝える教祖がいて信者は十万を超えるという。燁子は谷老人に大本教の教えを知りたいと頼んだ。渋りながらぽつりぽつりと話し始めた谷老人だったが、やがて熱を帯びた口調になる。

「この世の中は人の力だけじゃどうにもならんことが多過ぎる。人間は傲慢《ごうまん》過ぎるのですよ。自分の力で何でも出来ると思い込んでいるのですからね。だからこそ不幸が起こる。もうじき世界は滅びるのですよ。そうしたらわが皇室を中心にして日本が世界を治めるのです。その時は謙虚な心正しい人だけが生き延びるのです」

彼の説く言葉が燁子の心に浸み通ったわけではない。子どものために獣になるのだと決めていた燁子は、宗教を受け容《い》れるやわな部分は捨てていた。けれども演技することはいくらでも出来る。

「私も大本教へ行って救われたい。そしてこの身を神さまにゆだねたいと思います」

ある日谷老人がやってきて燁子にこっそりささやいた。

「教祖の王仁《おに》さまがあなたをお救いしたいとおっしゃっています。私と一緒に京都へ行くことが出来ますか」

「出来ますとも」

香織はまさに希望と救いの子どもであった。彼がこの世にやってきたことにより、事態は少しずつ好転していったのだ。生まれ次第子どもを引き取ると言い張っていた伊藤家が、認知裁判を起こしたのは五月のことだ。どうやら将来、香織との財産争いを心配した周囲の者たちが、伝右衛門をせっついたらしい。

医学検査の結果、精子がないことを世間に知らしめた伝右衛門を燁子は心の底から嗤《わら》った。全くこんなことをしてまで金のことが心配なのだろうか。おそらく誰かがそそのかしたことであろうが、それに乗る伝右衛門も伝右衛門だ。彼を思いきり軽蔑《けいべつ》することが出来、燁子はほんの少し胸が軽くなる。彼が燁子と龍介を訴えることなくうち捨ててくれたことで、ずっと借りをつくっていたような気分があったからだ。

柳原の家を出る時、兄たちは見て見ぬふりをしていた。子供が生まれてから、燁子をこの狭い家で持て余し始めていたからである。そろそろ赤子の泣き声が近所の噂《うわさ》となっていた。そして燁子と香織は丹波《たんば》の大本教本部に匿《かくま》われた。ここでやっと龍介の手紙を受け取ることが出来た。彼は何と半月近く、全く燁子の行方を知らなかったという。尼になったという新聞記事が何度も載り、彼は気がおかしくなりそうだったと手紙に綴っている。

七月二十二日、大本教本部のある綾部《あやべ》に龍介が訪ねてくれた。結い上げるほど髪が伸びた燁子は、誇らしく高々と香織を抱き上げた。この子を燁子は一人で守り抜いたのだ。きっと父親に会わせてみせる、きっと龍介に誉《ほ》めてもらうのだという願いがやっとかなった。

燁子は泣くかわりに晴れ晴れと笑った。普段は淋《さび》し気な顔の燁子だが、笑うと白い大輪の花が咲いたようになる。

「ああ、燁さんだ、本当の燁さんだ」

龍介は嬉《うれ》しそうに叫んだが、その顔は大層瘦《や》せている。血痰《けつたん》が毎日出るというのは本当で、夕方になると微熱もあるという。

「だけど香織のパパはもっと頑張って元気になるよ」

とつぶやく龍介を、燁子は幸福のあまり気が遠くなるような思いで見つめたものだ。龍介は婚姻届を持参していた。二人がそれぞれ印を押し、紅茶を飲んだ。それが二人の結婚式となった。

しかし二人の前にはまだ多くの障害が待ち受けていた。龍介の健康のこともあったし、燁子との結婚が宮内省に受理されるのにどのくらいの時間がかかるのかもわからぬ。それよりも燁子と龍介を決して一緒にさせまいとする世論があった。雑誌や新聞で平塚らいてう、村岡花子《むらおかはなこ》など好意的な意見もあったが、たいていの女性文化人も燁子に厳しい。未《いま》だに多くの特集が組まれ、燁子を弾劾しようとするのだ。男たちの「恋愛至上主義を憂ふ」という文章にはすさまじいものさえある。これらの世論の前に、

「後からきっと燁さんの後を追う。燁さんと同じことをする」

と誓った九条武子からの連絡はとうになくなっている。柳原に居た頃、女中が見せてくれた新聞には、貧民街で菓子を配る武子の写真が載っていた。人々は生き仏を見るように手を合わせ、目を潤ませたとある。

「誘惑もされずと喜びの武子夫人、夫君を迎へて一年、此頃《このごろ》の生活は皆様のお察しに委《まか》せますと微笑《ほほえ》む」

という記者の文章はあきらかに燁子へのあてつけであろう。確かに武子はおじけづいたのだ。しかしそれを燁子は咎《とが》めることは出来ない。死と紙一重のこんな行く末を見たら、誰が恋など出来るものか。恋などというのは、歌の上でだけ詠むものなのだ。そのことに賢い武子は気づいただけなのだ。そして彼女は昭和三年に死ぬまで貞淑な賢夫人、気高い貴婦人の称号を世の中から授けられた。

「まあ、やれるだけやってみろ。ただ意地だけは通せ。お前らは大馬鹿だが、馬鹿は馬鹿なりに意地を世間に見せてやれ」

と磊落《らいらく》に笑った滔天はもうこの世にいない。暮れに亡くなったという報《しら》せを聞いた時、燁子は大本教の祭壇の前で手を合わせたものだ。

翌十二年、燁子は愛児を連れて密《ひそ》かに上京した。大本教が手をつくしてくれ中野岩太という男の離れを借りてくれたのだ。

そして九月、天地を揺るがす大震動が起こった。柳原家に軟禁状態にされていた頃、錯乱状態に陥った燁子は、この世は滅べ、大天災よ起きろと呪《のろ》ったことがある。それはいくらか時間がずれて起こったかのようだ。

しかし帝都を破壊しつくしたこの悲惨な大震災は、一組の恋人たちには有利に働いた。すべての道徳も倫理も消滅したかのような惨事の中、二人を咎める者も非難する者も息を潜めてしまった。お互いの生死を確かめ合ったその日から、燁子と龍介は一緒に暮らすようになった。そして十一月に燁子は華族の身分を剝奪《はくだつ》され、やっと一平民になった。

京都で印を押した婚姻届を提出したのは大正十四年、二人が歴史に残る恋の逃避行をしてからなんと四年の歳月が流れていた。

昭和六年の冬、京都の尼寺を訪ねる美しい中年の婦人がいた。銀縁の眼鏡をかけ細面《ほそおもて》の顔は、いかにもインテリ女性といった様子だが、紫の羽織のほっそりした様子にたおやかさが匂《にお》い立つ。婦人は六歳ほどの少女の手をひいている。おかっぱ頭の利発そうな少女は、京の底冷えする寒さにもめげる様子はなく、寺の枯山水《かれさんすい》を珍しそうに眺めたりする。婦人は何度か振り返り、少女のセーターの首のあたりを直したりする。母子というには少し年が離れているが、このこまやかさはやはり母親以外の何ものでもない。

奥の部屋では、死病にとりつかれた瑞初尼《ずいしょに》と呼ばれる一人の尼が横たわっていた。剃ることも出来なくなった髪をおおうために紫色の頭巾を被《かぶ》っているが、それは彼女の陶器のような肌の白さをさらにひきたてる結果となった。少女はぴょこんとお辞儀をしたが、すぐに怯《おび》えたように母親の背に隠れた。

「まあ、初枝さん、何年ぶりかしらねえ」

中年の婦人は巾着《きんちゃく》からハンケチを取り出し、静かに目を拭《ぬぐ》った。

「あなたが尼になったって聞いた時は、とても信じられなかったけれど、こういうご様子を見るとやっぱり本当なのね」

「出家して二年しかたっていないのに、もうこんなありさまです。その子は……、香織ちゃんかしら」

「嫌だわ、香織は男の子よ。もうじき十歳になるわ。学校が忙しくて連れてこられなかったの。この子は香織の妹で蕗茎《ふき》というのよ」

「まあ、可愛らしい子だこと……」

初枝は大きく目を見張る。その目の大きさだけは十六歳のあの時と全く変わらない。明治四十四年の嫁入りの日、花嫁となった燁子をまじまじと見つめた目だ。

「ねえ、どうしてこんなことになったのかしら。私にだけは教えて頂戴《ちょうだい》。ねえ、いったい鉄五郎さんとの間に何があったの。あなたに好きな人が出来たというのは本当なのかしら」

「義姉さん……」

初枝はうっすらと笑った。歯がすっかり黄ばんでいるので、ひどく意地悪く見えた。

「義姉さんだったらわかるでしょう。人にどれほど脅かされても、自分が嫌だったら絶対に尼なんかになりません。私がこうなったのも、運命だったのでしょう」

「そうね、本当にそうね」

しばらく沈黙があった。障子に雀《すずめ》の影が何度か飛ぶ。それを開けて老いた尼が入ってくる。手には茶を載せた盆を持ち、藪内の流儀で置いた。しかし口から出て来る言葉は早口であけすけだ。

「ま、有名な白蓮さんどすな」

好奇心で声が少々裏返った。

「うちらみたいに世の中に疎《うと》い者《もん》でも、おたくのことはよう存じてます。新聞にもよおく、いろんなええこと書いてはりますすなあ」

尼は傍の蕗苳に目をとめた。子ども好きらしく目が微笑んだ。

「まあ、可愛らしいお子さんどすね。あっちでお菓子でもどうぞ。この寺はな、大きな犬の張り子がありますんや」

犬の張り子と聞いて蕗苳はそわそわし始めた。兄の香織と同じように動物に目がないのである。

「いってらっしゃい」

燁子は頷いた。

「でも皆さんにご迷惑をおかけしては駄目よ」

少女の黒いタイツの足を見上げながら、初枝はまた薄く笑った。

「義姉さん、本当にお幸せそう。噂には聞いていたけれど、本当にお幸せなのね。義姉さんは運の強い方だわ。私なんかと違うわ」

運の強い、という言葉にかすかな悪意があった。燁子は子どもをあやすように、初枝の布団を軽く叩いた。そしてささやく。

「だってね、初枝さん、私は決して諦めなかったもの。あの伊藤の家のことを憶えてるでしょう」

ええ、という代わりに初枝は遠くに目をそらす。

「あのまま私は一生を終えるところだったわ。あのまま四十になって五十になるはずだった。だけど私、頑張ったもの。本当に本当に頑張ったもの。死ぬよりつらいことがたくさんあったけれど負けなかったわ」

「じゃ、私は負けたのね」

「何を言うの初枝さん、あなたはまだ若いじゃありませんか。早く元気になってまたやり直すのよ。お願いだから、そんな哀《かな》しそうな顔をしないで頂戴」

「義姉さん、私、やっぱり負けたんやわ」

初枝は突然筑豊弁になる。ふる里の言葉を口にすると急に彼女の声は幼くなった。

「義姉さん、私、どうしてこうなったかようわからん。気づいたら尼寺に居たわ。仏さんなんかあんまり信じなかったくせに、逃げたかっただけでここに来たん。だから罰があたったんやろな」

「元気になったら東京へいらっしゃい。私は病人の看病には慣れているの、主人と二人並べてめんどうをみるわ」

「もう、いけん。私、義姉さんみたいになれんかったわ。同じように女に生まれて、私はこんなざまやわ。私は、今度生まれるとしたら男がええ。男は勝手なことして女を泣かせてもええんやから」

「そんなことを言っては駄目よ」

燁子はもう一度布団を撫でた。

「女はいいわ。子どもを産めるし、男の人から愛される。初枝さん、私はね、女でよかったとしみじみ思ってるの」

「同じ女でも義姉さんはええなあ、ええなあ。私はいけんわ」

それから一ヵ月後初枝はひっそりと息をひきとった。しかし燁子はそれから長い歳月を夫と子どもたちと生きた。学徒出陣で入隊した香織が終戦の四日前に戦死した時、燁子は衝撃を受け、しばらく立ち上がれなかったほどであるが、やがて「国際悲母の会」を結成し平和運動に半生を捧《ささ》げる。

心臓の病いで床についた燁子を、龍介は自らの手で看病した。八十二歳の老いた妻にいとおしげに語りかけ、自室に寝かせて他の誰にも触れさせなかった。下の世話も七十五歳の龍介が心を込めて行なった。

燁子が亡くなった時、彼は新聞のインタビューに答え、

「うちに来てからは幸せな人生でした」

ときっぱりと言った。それは自分への賛辞であったようだとまわりの者は証言する。

燁子と龍介は七百通にわたるすべての恋文を保管していた。

出会いの三日前、大正九年の一月二十八日、別府の別荘の燁子にあてた、

「コンゲツウチニソチヘユキマス」

黄ばんだ電報も大切にしまわれていた。戦いのはじまりの証拠の品である。

あとがき

この本は宮崎家のご協力なくしては書くことは出来ませんでした。今まで門外不出とされていた龍介と燁子の書簡を見せてくださった宮崎智雄、蕗苳《ふき》さんご夫妻のご厚意に心より感謝いたします。

また快く取材に応じてくださった伝右衛門の孫、伊藤伝之祐さんをはじめとする多くの方々、調査と方言を指導してくださった飯塚《いいづか》市歴史資料館館長深町純亮さんに篤くお礼を申し上げます。

一九九四年九月十六日

林　真理子

参考文献

『荊棘の實』 柳原燁子 新潮社
『筑紫集』（踏絵、几帳のかけ、幻の華、指鬘外道収録） 柳原白蓮 萬里閣書房
『火の国の恋』 柳原白蓮 松永伍一編集 出版タイムス社
『歴代女流歌人の鑑賞』 柳原燁子 三省堂
『則天武后』 柳原燁子 改造社
『処女の頃』 柳原白蓮 大鐙閣
『恋歌懺悔』 柳原白蓮 不二書房
『地平線』 柳原白蓮 ことたま社
『だれでも歌人になれる 短歌教室』 柳原白蓮 ことたま社
『恋の白蓮夫人』 八瀬不泥 時事出版社
『恋の華・白蓮事件』 永畑道子 新評論
『我が家の小史』 伊藤八郎
『伊藤伝右衛門翁伝』 中野紫葉 伊藤八郎発行
『麻生太吉翁伝』 麻生太吉翁伝刊行会
『筑豊讃歌』 永末十四雄 日本放送出版協会
『筑豊 石炭の地域史』 永末十四雄 日本放送出版協会
『石炭史話』 朝日新聞西部本社編 謙光社
『地図と絵で見る飯塚地方誌』 飯塚地方誌編纂協会 元野木書店
『大別府案内』 安部登 南郷山荘発行
『大分県と文学』 小野茂樹 藤井書房

『別府と文学』 小野茂樹 藤井書房
『長塚節全集』第9巻 河出書房
『長塚節全集』第4巻、第5巻、第6巻 春陽堂書店
『長塚節・生活と作品』 平輪光三 六藝社
『九条武子の生涯・戯曲 白孔雀』 田中澄江 新塔社
『九条武子夫人書簡集』 佐佐木信綱編 実業之日本社
『九条武子夫人』 山中峯太郎 妙義出版社
『無憂華』 九条武子 実業之日本社
『九条武子集』 九条武子 改造社
『九条武子〜その生涯とあしあと〜』 籠谷真智子 同朋舎出版
『人物近代女性史 女の一生 8 人類愛に捧げた生涯』 瀬戸内晴美責任編集 講談社
『私の見た人』 吉屋信子 朝日新聞社
『巌窟王』 チューマー(A・デュマ) 秋庭俊彦訳 三徳社
『近代熊本の女たち・上』 家族史研究会著 熊本日日新聞社
『さすらいの歌』 原田種夫 新潮社
『博多ダイジェスト』 富田晃弘編 原田種夫他著 福岡市観光協会
『福岡県百科事典』 西日本新聞社
『[近代成金たちの夢の跡] 探訪記 黄金伝説』 荒俣宏 集英社
『別府今昔』 是永勉 大分合同新聞社
『ふくおか一〇〇年』 江頭光 ぐるーぷ・ぱあめ(清水弘文堂)
『天神町一九一〇〜一九六〇』 天神町発展会
『ふてえがってえ 福岡意外史』 江頭光 西日本新聞社

『福岡銀行・経営レポート』　福岡銀行企画部発行
『博多郷土史事典』　井上精三　葦書房
『西日本新風土記』　西日本新聞社
『福岡市市制一〇〇周年記念』　ふるさと一〇〇年
『ここ過ぎて　白秋と三人の妻』　瀬戸内晴美　新潮社
『かの子撩乱』　瀬戸内晴美　講談社
『宮崎滔天・北一輝』「日本の名著」45　中央公論社
『白蓮物語』「月刊嘉麻の里」　深町純亮　嘉麻の里社
『わが愛する筑豊弁』「筑豊石炭秘話」　深町純亮　嘉麻の里社
『玄洋社発掘　もうひとつの自由民権』　石瀧豊美　西日本新聞社
『玄洋社社史』　玄洋社社史編纂会
『花と龍』　火野葦平　新潮社
『花衣ぬぐやまつわる……わが愛の杉田久女』　田辺聖子　集英社
『杉田久女ノート』　増田連　裏山書房
『杉田久女』　石昌子　東門書屋
『倉田百三評伝』「倉田百三選集」別巻　亀井勝一郎編　大東出版社
『出家とその弟子』　倉田百三　講談社
『山川菊栄集2　女の反逆』　田中寿美子・山川振作編　岩波書店
『華族略譜　稿本』　維新史料編纂会　国書刊行会
『明治ニュース事典』『大正ニュース事典』　毎日コミュニケーションズ
『広告の日本史』　松本剛　新人物往来社
『明治・大正・昭和世相史』　加藤秀俊他　社会思想社

『値段史年表―明治・大正・昭和』週刊朝日編　朝日新聞社
『近代日本食物史』　昭和女子大学食物学研究室　近代文化研究所
『朝日新聞』『読売新聞』『大阪朝日新聞』『大阪読売新聞』『大阪毎日新聞』『福岡日日新聞』『西日本新聞』『南信新聞』『夕刊フクニチ新聞』『大分合同新聞』『萬朝報』『世界連邦』『世界国家』『婦人公論』『婦人世界』『婦人サロン』『文藝春秋』『新小説』『婦人之友』『講談倶楽部』『婦女界』『主婦之友』『家庭界』『心の花』『解放』『女学世界』『令女界』『歴史読本』『短歌』『週刊朝日』『太陽』

ほかに、宮崎龍介と柳原白蓮の書簡七〇〇通余を宮崎家のご厚意により参考にしました。

協力してくださった方々

宮崎智雄氏、宮崎蕗苳氏、伊藤伝之祐氏、伊藤譲二氏、伊藤申吉氏、深町純亮氏、首藤静香氏、阿部昶範氏、藤田洋三氏、藤田久美子氏、原田敬一郎氏、宇城力子氏、宇城照耀氏、梶原久純氏、柳沢運氏、柳沢幸右衛門氏、金木愛枝氏、河村一彦氏、湯川スミ氏、米良愛子氏、高城尚子氏、望月百合子氏、佐藤元英氏、佐々木喜美代氏、矢崎善美氏、北小路贏氏、新康明氏、井橋初子氏、神奈川県立近代文学館、国立国会図書館、別府市立図書館、飯塚市歴史資料館、株式会社幸袋製作所、プランニング秀巧社、東筑紫短期大学、安楽寺、夢前亭

解　説

菅　聡子

かつて、林真理子はインタビューに答えて次のように語ったことがある。

たとえば、ある出版社が、社会風俗や流行の年表を作ったんです。その時々に流行したテレビCMから「金魂巻《きんこんかん》」とか、必ず載ってるんだけど、私の「ルンルン」は一切出てこない。私が直木賞を取った年は、「この年、山口洋子、米谷ふみ子ら女流作家が活躍」と同時期に受賞された方のお名前が出てるのに、私の名前は抜けてる。八〇年代に私、ある程度の影響を与えたという自負もあるんですけど、見事に歴史からは消されてしまう。こう見事に消されると、私って透明人間だったんだろうかと、悲しくなっちゃうんです。

（林真理子「ロングインタビュー　作家の条件は妄想力と鈍感さ」『本の話』98・2）

百二十冊をこえる著書を出版し、多くの読者を獲得し、つねに時代の〈いま〉に敏感に、小説家としてのキャリアを積み重ねていながら、林真理子の作品を論じる文章はほとんど存在しない。ここには文壇の、あるいは批評界の何らかの悪意があるのではという疑念を抱かずにはいられない。そうでないと言うなら、批評界は自らの不明を恥じねばなるまい。なぜなら、林真理子の小説は、よく計算された構成のなかで、良質のエンターテインメントでありつつ、客観的な批評性を発揮する、現代小説としてのもっとも望ましいかたちを備えたものだからだ。

林真理子がエッセイ『ルンルンを買っておうちに帰ろう』をもって活字世界にデビューをしたのは一九八二年のことだ。「女の本音」、「ヒガミ、ネタミ、ソネミ」を書いたと言いつつ、それが「ルンルン」というはずむような語に収斂《しゅうれん》しているところに、林真理子の向日性と健全さがある。今にいたるまで、エッセイというジャンルにおいては、この傾向に変化はない。

だが、小説家としての林真理子は、また別の顔を見せる。八十四年から本格的に小説の執筆に取り組んだ彼女は、「最終便に間に合えば」「京都まで」の二作によって、八十五年下半期の直木賞を受賞した。その選評で、たとえば山口瞳は「男と女の卑しさとイヤラシサを描くのが実に上手だ」と述べ、井上ひさしは「どちらの作品でも、女主人公は世故《せこ》くて薄汚い」と述べている。だがこの「卑しさ」「薄汚」さという感想は、まさに林真理子の小説が、男性たちにとって〈他者〉としての女性を描いていることを証している。

彼女が描いたのは、男性にとって都合のいい、理想的な好ましい女性、すなわち男性たちがこれまで作り上げてきた女性像ではない。林真理子の小説の女性たちは、従来、女性が持つべきではないとされた欲望を露わにし、その欲望に正直に生きる。それは、男性たちのコントロールを逸脱した、彼らにとっての〈他者〉としての女性の姿なのだ。

では、女性にとっては心地よい女性像なのかというと、またそうでもない。彼女の作品には、若い女性の内面に寄り添いつつ語るときに生じがちなナルシシズム臭が、ほとんど感じられない。語り手はつねに登場人物に対して客観的であり、あるときには冷酷とも見える批評性を携えている。それは、男性によって期待される理想的な女性像を、無意識のうちに内面化している当の女性自身の心を波立たせる。自分では気づきたくない、目をそらしていたい自らの姿を、暴いてしまうからだ。

このようなシビアな批評眼が、流行の風俗描写や恋愛シーン、あるいはユーモラスな表現との絶妙のブレンドで呈されるのが林真理子の現代小説だと言える。

一方、林真理子の小説には、歴史的時間を背景にしたものが複数みられるが、そのうちでもとくに伝記小説と呼ぶべき作品群がある。その最初の作品で、かつ、小説家としての林真理子にとって大きな転機となったのが『ミカドの淑女《おんな》』（一九九〇年）である。明治の女丈夫・下田歌子を、新聞記事と、彼女と関係のあった複数の人々―明治天皇・皇后、伊藤博文、小池道子、大山捨松、三島通良、飯野吉三郎、乃木希典、等々―の視線によって描き出したこの作品は、林真理子の筆力を人々に知らしめることとなった。

『ミカドの淑女』について、「主人公・下田歌子に対する残忍なまでの突き放し方に比べると、伊藤博文や乃木希典への迎合とすら思われるほどの好意の寄せ方」に作者の「女性憎悪」をみる（小倉千加子「林真理子論―長距離ランナーの栄光と孤独」『月刊Asahi』91・3）と評するむきがあるが、これは小説の読み方としては誤読であると言わねばならない。『ミカドの淑女』では、下田歌子の視点は一度もとられていない。すなわち、彼女は徹底して〈語られる〉存在なのであり、彼女を語る人々の視線は、けっして一つの下田歌子像を提出しはしない。人々の語りの交錯のなかで、下田歌子の実像は、空白のままである。一方的に語られ、解釈され、都合よく理解される――。『ミカドの淑女』が提示しているのは、表象としての下田歌子であり、明治の男性中心社会において、男なみの〈野心〉を抱いた女が、どのように男性たちによって処理されるか、ということなのだ。

本書『白蓮れんれん』においても、この視点設定の巧みさは十分に発揮されている。『白蓮れんれん』は、一九九四年、中央公論社より刊行され、翌九五年に第八回柴田錬三郎賞を受賞した。林真理子にとっては、直木賞以来、十年ぶりの文学賞受賞ということになる。

「筑紫の女王」と呼ばれた柳原白蓮が、夫・伊藤伝右衛門に三行半《みくだりはん》をつきつけて、若い恋人・宮崎龍介のもとに走った事件は、白蓮が大正天皇の従妹であったということとも相まって、大正の世を騒然とさせた一大恋愛スキャンダルだった。永畑道子『恋の華・白蓮事件』をはじめとして、この事件を題材とした作品は多い。

林真理子の『白蓮れんれん』は、宮崎家から提供された、七百通に余る白蓮・龍介の往復書簡を参照して書かれている。これまで門外不出であったこの往復書簡を読み得たということは、小説家としての林真理子にとってはまさしく僥倖《ぎょうこう》であった。しかし、それはあくまで素材上のことだ。小説としての本作の成功は、ひとえに「初枝」という視点人物の設定にある。

作品全体としては白蓮を視点人物の中心としつつも、つねにそのかたわらには彼女を外側から〈見る〉初枝がいる。彼女は、本作での〈見る〉役割を担っているのである。白蓮の内面の揺らぎや不穏な感情の発生は、初枝の視線によってとらえられる。ときに白蓮の同情者であり、ときに批判者であるこの初枝の視線の存在によって、白蓮の自意識は相対化され、柳原白蓮という一人の女性が、一元化されることなく描き出されている。

柴田錬三郎賞の選評で、長部日出雄は「やはり、階級のある小説は面白い」と述べている。「華族と平民」「知識階級、有閑階級といったこれも今日ではほとんどなくなりかけた階級」の存在が、小説のドラマツルギーを発生させると言う。だが、『白蓮れんれん』が描き出した階級はもう一つある。それは〈女〉という階級である。白蓮も初枝も、ともに自らを「娼婦」のようだと感じる瞬間がとらえられている。これはこの二人に限ったことではない。ここに登場するすべての〈女〉たちが、男性の欲望の対象としてのみ存在意義を認められる限り、それがたとえ華族階級の女性であろうと、あるいは奉公人の女性であろうと、そのあり方に差異はない。だからこそ、白蓮は自らが欲望の主体となろうとしたのだ。

『ミカドの淑女』『白蓮れんれん』、そして九五年発表の『女文士』は、明治・大正・昭和のそれぞれの時代に、男性中心社会に対して自ら主体であろうとした女性たち、それゆえに社会のバッシングを手酷く受けた女性たちに対する、女性作家・林真理子の共感と批評によって成り立つ三部作である。『女文士』以来、林真理子はこのジャンルからは遠ざかっているが、再びこのジャンルの筆を執ってほしいと切望しているのは私だけではあるまい。小説家として二十年以上のキャリアを積み、ますます充実する林真理子が、いま、どの女性をとりあげようとするのか、その一点だけにおいても心ひかれてやまない。

この作品は一九九八年一〇月、中央公論新社より文庫として刊行されました。

集英社文庫

白蓮《びゃくれん》れんれん

2005年9月25日　第1刷
2014年8月9日　第12刷

定価はカバーに表示してあります。

著者　林《はやし》　真理子《まりこ》
発行者　加藤　潤
発行所　株式会社　集英社
東京都千代田区一ツ橋2-5-10　〒101-8050
電話　03-3230-6095（編集部）
03-3230-6393（販売部）
03-3230-6080（読者係）

印刷　大日本印刷株式会社
製本　大日本印刷株式会社

フォーマットデザイン　アリヤマデザインストア　　マークデザイン　居山浩二

ISBN978-4-08-747860-0 C0193